Anna Magdalena Bach

Eleonore Dehnerdt

Anna Magdalena Bach

Een biografische roman

Vertaling Alexandra Terlouw-van Hulst

Op basis van dit boek is een literair concert gemaakt over het leven van Johann Sebastian en Anna Magdalena Bach. De tekst daarvan is geschreven en wordt uitgesproken door Sanne Terlouw. De muziek is gecomponeerd door Johann Sebastian Bach en gedeeltelijk gearrangeerd door Leonard Leutscher. Hij wordt uitgevoerd door het Orion Ensemble (Pauline Terlouw, Leonard Leutscher, Carla Schrijner).

De voorstelling gaat onder de titel *Bach in Bach uit* op tournee door Nederland. Zie voor de speellijst: www.orionensemble.net/index.php/agenda

© 2007, Eleonore Dehnerdt
Vertaling: © 2015, Alexandra Terlouw-van Hulst
Alle rechten voorbehouden
Oorspronkelijke titel: *Die Sängerin. Anna Magdalena Bach. Biografischer Roman* © Brunnen Verlag Gießen
Omslagbeeld: Alfred S. Stevens (1823-1906), *Eva Gonzales at the Piano*, 1879
Omslagontwerp en typografie: Mulder van Meurs
NUR 342 historische roman
ISBN 978-94-91567-91-9
www.uitgeverijdekring.nl/anna-magdalena-bach

Inhoud

Met trommels en trompetten

Zeitz, 1701-1718

Uit het huis van grijze steen, nummer 22 in de Messerschmiedtsgasse, klonken meesterlijke trompetklanken. Zelfs de luifel, waarop een lapjeskat in de nazomerzon lag, leek mee te vibreren.

Caspar Wilke had tegen zijn kinderen gezegd dat hij de tijd ging gebruiken om te studeren. Wat moest hij anders? Met twee linkerhanden in zijn zakken eindeloos de gang op en neer rennen? In die kwellende onzekerheid?

'Ik ga spelen. Voor jou, Margaretha,' had hij al drie uur geleden tegen haar gezegd, toen de vrouwen hem als een lastig kind de slaapkamer uitbonjourden.

Zijn lippen waren inmiddels gezwollen en zijn haar kleefde op zijn voorhoofd van het zweet. Hij gunde zich geen pauze. Hij blies zijn gebed de trompet in, de woorden baanden zich een weg door de balken en het dak. God móést ze wel horen. Ook in huis zou het geen zin hebben je vingers in je oren te stoppen. Waarom zou je ook? De kinderen en de buren waren het wel gewend. Zelfs de honden, de muizen en het servies in de kast waren het gewend. De muziek hoorde bij het huis als de hamerslagen bij een smidse: werk en brood. De hoftrompettist hield met zijn ogen dicht de hoge tonen zuiver aan. Plotseling stopte hij. Waarom klonk het niet meer goed? Hij luisterde en begreep wat zich met zijn spel had vermengd: uit de kamer klonk het huilen van een kind.

'In volgorde, het moet in volgorde!' Katharina probeerde haar broer en zusjes op rij bij de slaapkamerdeur op te stellen. Dat was de enige manier om haar broer Caspar niet te laten voordringen.

'Erdmute, jij bent drie, jij daar. Johanna, jij bent vijf, jij hier.'

Caspar, de enige jongen van het stel en naar zijn vader vernoemd, was al naast hem gaan staan. Katharina trok hem kordaat weg.

'Je mag hier staan,' suste ze, 'tussen ons in. Je bent meteen na mij aan de beurt. Trouwens, we gaan toch allemaal tegelijk naar binnen... maar jongens hebben er geen verstand van.'

Caspar was verontwaardigd: 'Als het een jongen is, is hij míjn broer.'

'De mijne ook!' riepen de meisjes kwaad. 'En als het een meisje is, is het míjn zusje!'

Caspar dramde door. Katharina had genoeg van het geruzie en daarom vroeg ze nog maar eens aan de kinderen hoe oud ze waren, en zei bazig dat ze in die volgorde moesten blijven staan. Ze droeg sinds ze twaalf was geen vlechten meer, maar een mooie wrong waar haar zusjes haar om benijdden. Kennelijk was haar broer er ook van onder de indruk. Hij deed in elk geval wat ze zei.

De vrouwen kwamen met kommen en doeken de kamer uit. Ze hadden rode wangen en lachten. De wachtenden popelden om te horen wat de vroedvrouw te vertellen had. Ze stak haar worstvingers in haar zij en zei tegen vader: 'Het is een gezond meisje. U mag naar binnen.'

De kinderen schreeuwden opgewonden door elkaar, maar hun vader werd heel stil. Hij waste zijn gezicht en borst, trok een schoon hemd aan en wilde toen pas naar zijn vrouw.

Als een mens van opwinding kon sterven, zou het Johanna toen zijn overkomen. Die paar minuten dat hij alleen bij mama was, duurden voor haar net zo lang als de dagen voor Kerstmis. Toen hij eindelijk tevoorschijn kwam, zei hij: 'Ga nu maar naar jullie nieuwe zusje kijken.'

Ze was bijna onzichtbaar door het grote kussen dat boven op haar lag. Hoewel de kinderen vlakbij mochten komen om haar een kusje te geven, konden ze alleen haar gezichtje zien. Maar dat rook nog lekkerder dan pruimenmoes en het was zo zacht als de rijpe perziken in de tuin van de dominee.

Moeder Wilke was dol op al haar kinderen, maar ze merkte ook dat ze moe werd.

'Morgen wordt ze gedoopt. Mijn broer Johann Siegmund en zijn vrouw zijn haar peetoom en -tante. Kunnen jullie nu bedenken hoe je zusje zal heten?' vroeg ze aan de kinderen.

'Zoals tante Liebe?' vroeg Johanna zachtjes. Tante Liebe heette Anna Magdalena en haar meisjesnaam was Vogel.

'Zal ze dan Anna Magdalena heten?' vroeg Katharina.

'Precies,' zei moeder. Ze hoopte dat haar schoonzusje op het moment van de doop niet zelf aan het bevallen zou zijn, want tante Liebe was hoogzwanger van haar tweede kind.

De kinderen verheugden zich op de feestelijke gebeurtenis. Het dochtertje van oom en tante Liebe was al vijf en je kon altijd pret met haar hebben. Jammer genoeg had papa verboden oom Liebe, die ook trompettist was, alsmaar uit te horen over vroeger, toen hij had deelgenomen aan de veldtochten van Johann Georg III en het 'ten strijde' moest blazen. Hij bezat dat speciale instrument nog altijd. Maar indertijd was het met linten versierd geweest. Heel wat dappere mannen, ruiters en voetvolk, waren op zijn signaal ten strijde getrokken. Als oom Liebe blies, stormden ze naar voren of trokken zich terug. Later verbleef oom, net als vader, aan het Zeitzer hof en blies tijdens de jacht op een kleine hoorn. Als er niets te jagen viel, speelden ze de jachtmuziek in het slot. Maar oom Liebe kon ook op andere instrumenten spelen. Hij kon trommelen en ook spelen op instrumenten waar je een strijkstok bij nodig had. Omdat hij het zo goed kon dat de mensen ervan moesten huilen, was hij uiteindelijk organist geworden van allebei de kerken van de stad, en ook in het slot musiceerde hij nog steeds.

De volgende dag, 23 september, liepen vader en moeder Wilke, met Katharina, Johanna en Erdmute naar de kerk. Tante Liebe, die al vroeg die ochtend bij de Wilkes was gekomen, droeg de kleine Anna Magdalena. Haar eigen dochtertje liep met de andere meisjes mee. Tante Liebe was blij dat ze Anna Magdalena zonder ongelukken over de oneffen straten wist te dragen. Haar eigen dikke buik benam haar het zicht op het plaveisel.

Caspar was vooruitgehold. Hij mocht vandaag voor het eerst in de slotkerk balgentreder zijn. Het had niet gedacht dat het nog opwindender was de blaasbalgen voor het orgel te mogen bedienen dan de doop van het nieuwe zusje mee te maken. Heel gelijkmatig trapte hij afwisselend met zijn rechter- en zijn linkerbeen op de enorme pedalen. Oom Liebe had het zo geregeld dat het orgel begon te spelen zodra het doopgezelschap de kerk naderde. Dat was me wat! Normaal was er bij de zondagsdienst alleen muziek als een adellijk kindje werd gedoopt.

Anna Magdalena, de dochter van Margaretha en Caspar Wilke, werd dus gedoopt alsof ze een vorstenkind was. De hofdiaken, meester Gottfried Teubern, stak zijn hand in het water, en in de naam van de vader, de zoon en de heilige geest zou het meisje later in de hemel worden opgenomen.

* * *

'Santjes. Op onze hertog Moritz!' Vader Wilke liet geen gelegenheid voorbijgaan om zijn werkgever te prijzen of om een dronk op hem uit te brengen. Aan deze man dankte hij zijn aanstelling als hoftrompettist, en dat gaf hem, Wilke, veel meer aanzien dan de stadsmuzikanten, die hun karige loon verdienden door driemaal per etmaal vanaf de toren te spelen en ook in weer en wind bij alle feestelijkheden.

Hertog Moritz had Zeitz tot residentie gekozen. Zo kwam het dat op de puinhopen die de laatste oorlog had achtergelaten, nieuwe en nog schitterender gebouwen uit de grond waren gestampt. Het slot verhief zich op de plek waar eertijds het enorme, maar nu vernielde bisschoppelijk paleis had gestaan. De oudste inwoners hadden het nog vaak over de indrukwekkende bisschopszetel, waarvan de vier slanke torens al van verre te zien waren geweest. Rondom de ruime binnenpleinen hadden solide huizen van meerdere verdiepingen gestaan, met hoge daken, en erachter tuinen waarin groenten en kruiden werden gekweekt. Toentertijd hadden er overal op de buitenmuren wachttorentjes gestaan, en je kon alleen maar binnenkomen via de toegangspoorten.

Nu stond hier het nieuwe slot, de Moritzburg, te midden van nieuw aangelegde parken. De hertog en zijn familie verfraaiden de zalen met uitgelezen kunstobjecten. De plafonds waren vakkundig bewerkt door de beste stukadoors. Schilderijen van beroemde meesters sierden de wanden. En hij, Caspar Wilke, had hier zijn plaats! Niet ver van het slot had hij voor zijn gezin het huis in de Messerschmiedtsgasse gekocht. Zijn jongste dochter zou waarschijnlijk wel hun laatste kind zijn, want zijn vrouw had inmiddels de leeftijd bereikt waarop hij zonder gevolgen gemeenschap met haar kon hebben. Hoe blij waren ze geweest met Anna Magdalena. Ieder kind was een troost geweest voor het verlies van hun eerste. De kleine Eva Maria was slechts twee maanden oud geworden. Ze waren nog maar pas getrouwd. Sindsdien dankten ze God iedere dag voor hun gezonde kinderen.

Toen ze nog maar acht maanden oud was, weigerde Anna Magdalena de borst. Elke keer dat moeder Wilke haar aanlegde waren ze weer verbaasd. Zodra Anna Magdalena de melk rook, trok ze een vies gezicht en schudde heftig haar hoofd alsof ze in een zure appel had gebeten. Als de borst haar werd opgedrongen, deed ze alsof ze wou uitspugen wat ze nog niet eens had gedronken. Ze was er al aan gewend tussendoor door haar zusjes en broer en ook door haar ouders te worden gevoerd. Die kauwden groenten en brood voor haar fijn en stopten het vervolgens in het babymondje. Anna Magdalena wipte vol verwachting met haar bovenlijfje op en neer en wachtte, mond open, zodra de anderen aan de maaltijd begonnen. Zo kwam het dat ook zij de dikke biersoep at, net als andere lekkere gerechten. Op haar eerste verjaardag at ze haar pap al zelfstandig met een lepel. Daarmee was ze het ongeveer even oude dochtertje van tante Liebe ver vooruit. Ze kon nóg iets wat haar nichtje niet kon. Zitten kon ze nog niet, maar als je vroeg: 'Hoe groot ben je?' stak ze haar beide armpjes in de lucht.

Katharina en Caspar waren er trots op dat hun kleine zusje niet meer aan de borst wilde. En Johanna en Erdmute vonden het fijn dat hun moeder daardoor 's morgens en 's avonds nog tijd voor hen had. Bovendien mochten ze dan de borsten leegdrinken. Anna Magdalena was dan ook het allerbeste zusje van de hele wereld.

De drie kleinste meisjes zaten graag onder de eettafel met de gedraaide poten. Daar fluisterden ze urenlang met elkaar. Katharina raadde ze aan heel stil te zijn. Want als ze opgemerkt werden, zouden ze beslist naar bed worden gestuurd, terwijl de groteren nog aan tafel mochten napraten. Dat 'stil zijn' ging pas echt goed toen Anna Magdalena het knagen had afgeleerd. Ze was een ware ramp. Alles waar je maar op kon bijten, stopte ze in haar mond. Eerst kroop ze als een wezeltje, later liep ze naar het begeerde voorwerp. Op alle tafelpoten zaten de afdrukken van haar tanden. De zittingen van de mooie met leer beklede stoelen zaten vol lichte plekken, doordat Anna Magdalena daar net zo lang haar mondje tegen had geduwd en had gezogen, tot ze het leer tussen de tandjes had. Haar ouders hadden ook te laat in de gaten dat ze onder de tafel met de kleine zink van oom in de weer was. Het houten blaasinstrument was juist opnieuw met leer bekleed, maar zij was er met haar pas doorgekomen hoektandjes en met veel speeksel in geslaagd het er weer van te ontdoen.

Johanna wilde haar zusje de standjes besparen en ze leerde haar het spelletje 'kijk met je ogen en voel met je handen'. Dan hield ze haar eigen hand voor Anna Magdalena's mond en legde de handjes van haar zusje op een voorwerp.

Vader Wilke zag het en hij zei: 'Misschien kunnen de pauken helpen. Laten we het proberen.' Hij nam de twee kleine pauken van de muur, die daar veilig hoog waren opgehangen. Het waren twee met elkaar verbonden keteltrommels op een metalen standaard. De trommelvellen konden met acht schroeven worden aangespannen. Johanna hield haar adem in, want alles maar dan ook alles wat van metaal of leer was, werkte op het kleine meisje als een magneet.

Moeder waarschuwde haar man: 'Pas maar op. Zo dadelijk gaan de pauken van onze hertog er ook nog aan!'

Zonder acht te slaan op de waarschuwing van zijn vrouw, zette vader de pauken uitnodigend dicht bij Anna Magdalena. Hij nam twee trommelstokken en zei tegen Johanna: 'Doe nog eens dat spelletje van kijk met je ogen, voel met je handen.'

Anna Magdalena stapte onmiddellijk op de trommels af. Ze kende intussen alle geluiden die papa op trompet, viool en trommel produceerde. Haar vader moedigde haar aan, en legde uit hoe je moest trommelen, alsof ze het helemaal kon begrijpen. Ja, ze mocht overal aanzitten. Met haar vingers mocht ze de metalen schroeven onderzoeken, met de vlakke hand over het gespannen vel wrijven, en ze mocht de pauken in haar armen houden. Dat ging maar net. Anna Magdalena onderzocht de trommels van onder tot boven. Daarbij kwam ze met haar mond zo dicht bij de rand, dat ze er wel in móést bijten. Maar in plaats van de met leer beklede rand, voelde ze alleen de hand van haar zusje op haar mond.

'Voel met je handen,' zei Johanna en ze legde Anna Magdalena's handen op een trommel.

Boing! Vader liet de trommelstok op het vel neerkomen. Het voelde verrukkelijk. Het kietelde aan de vingers en het maakte geluid. Ze speelden een trommellied. Eerst legde Anna Magdalena haar hand op het trommelvel en dan sloeg vader met de stok erop.

Als niemand keek, speelden de meisjes 'orkest'. Met onzichtbare instrumenten wel te verstaan. Katharina speelde waldhoorn, Johanna blies zichzelf zo rood als haar broer wanneer hij trompet speelde. Erdmute zei dat ze een klaroen aan de mond hield en Anna Magdalena sloeg de trommel. Dat deden ze pas als hun vader en broer het huis uit waren. Waren ze thuis, dan gingen ze naar de schuur of naar de zolder voor hun vorstelijke concert.

Caspar wond zich erover op. 'Ze denken dat we ze niet horen.' Hij begreep niet waarom zijn ouders toestonden dat de meisjes met hun stemmen muziekinstrumenten nabootsten. Blaasinstrumenten en trommels waren voor jongens en mannen. Meisjes en vrouwen mochten alleen zingen en klavecimbel of luit spelen. Maar de meisjes hadden dolle pret met hun instrumenten.

* * *

'De mooiste muziek komt van vrouwen.' Oom Liebe was weer eens op bezoek. Hij kwam graag in het huis van zijn zuster.

'Hoezo?' vroeg Johanna nieuwsgierig. Moeder lachte. Háár hoefde haar broer niets uit te leggen. Ze genoot er al van dat hij zo complimenteus was. Maar Johann Siegmund Liebe tilde de zevenjarige Johanna op en zette haar op tafel, wat eigenlijk helemaal niet mocht. Zelf ging hij op een stoel tegenover haar zitten. Daar zat Johanna dus, ze stak een hoofd boven haar oom uit. Toen moesten ze allemaal horen hoe het zat. In het algemeen kregen de kinderen een standje als ze wat vroegen terwijl de volwassenen met elkaar spraken. Vooral Katharina was verbaasd. Meestal vertelde oom alleen maar over zijn werk en zijn successen. Verder was hij vooral een vrolijke Frans. Hij lachte om alles, ook om wat voor sommigen helemaal niet om te lachen was. Hij moest lachen, omdat de vijand de oorlog verloor, hij moest lachen omdat de voeten van de vilder (die altijd dronken was) van de winter bevroren waren geweest, omdat zijn eigen dochtertje altijd viel als ze probeerde te lopen, omdat de vrouw van de vilder in verwachting was van haar negentiende kind, hoewel ze van haar man geen geld voor het huishouden kreeg... Over al dat soort dingen maakte hij zich vrolijk. Wat had hij nou weer voor geks.

'Weet je eigenlijk nog wat je vroeg?' plaagde hij Johanna.

'U zei dat vrouwen de mooiste muziek maken.'

'Ze maken hem niet. Hij komt uit hen,' verbeterde hij. 'Vertel eens,' zei hij, en daarbij keek hij theatraal de kring rond, 'wat kalmeert kinderen als ze huilen?'

Niemand durfde wat te zeggen, want met oom Liebe wist je het maar nooit. Misschien lachte hij je toch alleen maar uit.

'Weet je nog, Johanna, wat Anna Magdalena deed toen ze nog maar net geboren was, als je vader trompet speelde of op de trommel sloeg?'

'Ze schreeuwde. Heel hard. Ik dacht weleens: straks krijgt ze geen lucht meer.' Johanna kreeg het warm. Ze durfde niet te zeggen dat oom er een keer bij had staan lachen. 'Ja, schreeuw maar,' had hij gezegd. 'Schreeuw maar, daar krijg je sterke longen van.'

'Heel goed,' prees oom Liebe. 'En wat deed jij dan?' drong hij aan.

'Dan hield ik haar oren dicht. En dan zong ik zachtjes voor haar.' Plotseling schaamde Johanna zich. Ze zat daar op die tafel, alsof ze voor straf in de hoek moest.

Moeder Wilke zei: 'Je was het allerbeste zusje dat Anna Magdalena zich maar wensen kon. Je bent zelfs weleens bij haar in de wieg gaan liggen, tot ze bij al dat lawaai in slaap viel.'

Johann Siegmund zag niet helemaal waar dit naartoe ging. 'Dat bedoelde ik nou,' verdedigde hij zich. 'De echt mooie muziek komt van de vrouwen. De slaapliedjes, de straatliedjes, de kerkliederen, al die liedjes die ze 's morgens in huis zingen nog voordat de zon op is.'

Hij genoot ervan dat zijn toehoorders zo aandachtig naar hem luisterden. Mooi dat zijn zwager en neefje Caspar in het slot waren. Die konden hem zijn succes niet afnemen.

Katharina was niet dol op hem. Ze was dan ook blij als ze hem misliep. In tegenstelling tot haar broer, die hem overal achterna liep, zoals vroeger schildknapen deden. Alleen sjouwde hij niet met paardentuig, maar met muziek en muziekinstrumenten voor zijn oom; na gebruik bracht hij alles weer waar het hoorde. Hij kende alle hoekjes van de Michaeliskerk, kon zelfs in het donker met de grote contrabas veilig de uitgesleten trappen op- en aflopen en hij wist in welke richting welke trompet moest worden geblazen om te zorgen dat het overal in de oude Franciscaner kloosterkerk goed klonk.

Caspar was een echte calcant ofwel balgentreder geworden. Dat hield in dat hij nu als het orgel werd bespeeld altijd de balgen bediende. Als tegenprestatie kreeg hij van zijn oom orgelles. Op blaasinstrumenten kon Caspar zijn vader al begeleiden en binnenkort zou hij ook zelf een trompet bezitten. Steeds vaker kregen niet alleen de volwassenen, maar ook Caspar, als hij goed had gespeeld, een paar daalders.

Johanna en Anna Magdalena gingen graag naar de kippen. Maar Anna Magdalena moest nog wel door Johanna in bescherming worden genomen, want de grote bonte haan had de gewoonte iedere indringer op zijn scherpe snavel te vergasten. De kinderen droegen daarom een plank voor zich uit, om de aanvaller daarin te laten pikken. Hun broer slenterde intussen op z'n gemak naar de kippenwei en keek toe hoe de meisjes de haan van zich afhielden. Terwijl Johanna het dier afleidde, raapte Anna Magdalena in het kippenhok de eieren.

Vandaag verbaasde Anna Magdalena zich erover dat een van de kippen doodleuk in het leghokje bleef zitten. Anders fladderden ze altijd meteen weg als iemand de eieren kwam rapen. Voordat Anna Magdalena erop bedacht was pikte de hen, en bepaald niet zachtzinnig, in haar hand. En nog een keer. Het meisje begreep er niets van. Het was nog wel haar lieveling, de kip die altijd braaf stil zat en zich liet aaien. En nu was ze zo nijdig.

'Ze wil me haar eieren niet geven,' zei Anna Magdalena boos.

'Dat wil ze niet omdat ze erop wil gaan broeden,' legde Caspar uit. 'Maar daar is het nog te vroeg voor, en dus moeten we haar eraf jagen.' En tegen Johanna zei hij: 'Blijf hier en pas op. Ik ben zo terug.'

Anna Magdalena ging voor het hokje met het koppige dier zitten. Ze waagde nog een poging. Maar de kip begreep wat het meisje wou doen en krijste het uit. Ze zette haar veren op om aan te vallen. De haan hoorde het en trok zich niets meer van Johanna aan. Hij rende regelrecht naar het kippenhok om de kip te verdedigen. Toen de haan op haar af stormde, vloog Anna Magdalena ervandoor.

Caspar verkneuterde zich toen hij terugkwam en zag dat de meisjes er niks van hadden gebakken. Uit angst voor de woedende dieren hadden ze zelfs de deur van het kippenhok dichtgegooid.

'We zullen ze even laten zien wie hier de baas is,' zei hij. 'Johanna, jij houdt de haan in bedwang, en jij, ukkie, hou de zak wijd open als ik de kip te pakken heb.' Hij duwde Anna Magdalena een juten zak in de handen en deed het kippenhok een klein eindje open. Daarna ging het allemaal van een leien dakje. Toen de deur nog maar op een kiertje open was, wrong de haan zich naar buiten en stormde op het groepje af. Johanna leidde hem af, terwijl Anna Magdalena dapper de zak vasthield. Zonder acht te slaan op de pikkende snavel, greep de jongen de kip vast en stopte haar in de zak. Toen ze daar luid kakelend in was verdwenen, maakte Caspar de zak met een eind touw stevig dicht en zei tegen Anna Magdalena: 'Vergeet de eieren niet.'

Het was goed dat hij haar eraan herinnerde, want het meisje maakte zich nu meer zorgen om de kip dan om de eieren. Toen ze de eieren in haar rok had gelegd en uit het kippenhok naar buiten stapte, zag ze de zak met de kip die wanhopig kakelde, aan een dikke tak hangen.

'Da's gemeen,' riep ze.

'Jammer dan. De kip moet eerst beseffen dat ze niet kan gaan zitten. Dan houdt die broedsigheid vanzelf op.'

Het kon Anna Magdalena niks schelen wat de volwassenen

bedachten. Echt gemeen. Moest die arme, dappere kip de hele dag duizelig zijn in een donkere zak, zonder water, zonder voer!

Hoewel haar man zo trots was op het prachtige dier, maakte moeder Wilke een paar weken later de bonte haan een kopje kleiner. Ze greep hem net zo moedig vast als Caspar dat met de broedse kip had gedaan. Toen de kop er met de bijl was afgehakt en de haan uitgetrappeld was, zei ze: 'Eindelijk rust.' Daarna riep ze de kinderen en droeg ze op het dier te plukken. 'Als hij kaal is, zal ik hem verder schoonmaken.'

De haan moest daarna nog twee dagen koud liggen, opdat het vlees goed zacht werd. De stad Zeitz bood haar burgers daartoe een uitstekende ruimte. Onder de stad bevond zich een uitgebreid gangensysteem. Op de hoek van de Rossmarkt begon een begaanbare weg die er geleidelijk heen afdaalde. Het maakte niet uit hoe vaak je er al was geweest, elke keer weer voelde je koude rillingen over je rug, en dat kwam niet alleen door de koude lucht. Je bevond je in een vreemde wereld, de onderwereld. Je stak een van de klaarstaande lampen aan en dan werd je door een magazijnknecht begeleid. Er waren ruimtes waar je wijn, bier en groenten koel kon bewaren. Niemand mocht alleen het koude gangenstelsel ingaan waar die duizenden bier- en wijnvaten stonden.

Anna Magdalena herinnerde zich later dat ze hier dikwijls met een van haar zusjes was geweest, en dat ze dan voortdurend hun hand had vastgehouden. Koud en vochtig was het geweest en je voelde je niet op je gemak, omdat er alleen maar dat flakkerende licht was van de lamp die ze meedroegen.

Dat Anna Magdalena haar zevende verjaardag en vele daarna heeft kunnen vieren, had ze te danken aan de oplettende hofkapelmeester. Die was – God zij dank – op het juiste moment bij de familie Wilke op bezoek. Wat was er gebeurd? Zoals veel gezinnen van Zeitz trok ook de familie Wilke er op een warme zondagmiddag op uit, naar de Weisze Elster. Er was een bepaalde plek waar de rivier al breed was en waar slechts fijne kiezel lag. Daar kwamen kinderen en volwassenen graag om in het water af te koelen, en met elkaar plezier te maken.

Vader en moeder Wilke hadden een deken meegebracht en bier. Ze waren er trots op dat hun oudste kinderen al konden zwemmen. Caspar dook zelfs al het water in. Hij klom in een boom, en hield zich in evenwicht op een tak die uitstak boven het water. En daarvandaan dook hij hoofd vooruit het water in. De kleine Anna Magdalena zou binnenkort ook leren zwemmen, dat stond vast. Maar voorlopig speelde ze nog braaf met de kiezelsteentjes en zocht spinnen en kevers.

Terwijl de kinderen hun kunsten vertoonden en vader en moeder met hun gast in gesprek waren, zei de hofkapelmeester ineens: 'Hé, kijk, daar drijft een kool in de rivier.' De man wees stroomafwaarts. 'Hij komt steeds boven en verdwijnt weer onder water,' zei hij. Plotseling schreeuwde hij: 'Nee, het is een hoofd, een kinderhoofd!'

Iedereen rende erheen en schreeuwde. Zonder te kijken wie van de kinderen er allemaal waren, wisten ze het al. Dat moest Anna Magdalena zijn. Tot nu toe had ze altijd heel braaf in een ondiep wiel van de rivier gespeeld. Nooit was ze tot bij het stromende water geweest. Erdmute en Johanna schreeuwden en schreeuwden. Iedereen die kon zwemmen was meteen het water ingesprongen, en probeerde het al ver weggedreven kind te bereiken. Maar het was de hofkapelmeester die Anna Magdalena in haar nek greep en naar de kant bracht. Hij was langs de oever gerend en was pas in het water gesprongen toen hij net iets voorbij het verdrinkende kind was, en toen dreef het meisje precies naar hem toe.

Wie ooit voor dood aan een waterkant heeft gelegen, wie ooit heeft meegemaakt dat het water zijn mond uitkomt als uit een bron, die is voor iedereen, als hij dan toch verder mag leven, als een herborene. Vader, moeder, de zusjes en Caspar, de hele familie en wie er maar waren, allen spraken over niets anders dan over de redding van Anna Magdalena. Wat altijd zo van-zelfsprekend had geschenen, vervulde de familie nu met grote dankbaarheid.

* * *

Er zijn van die perioden in een mensenleven waarin je in een onzichtbare wereld verkeert. Het is alsof er een gordijn is open-geschoven. Maar net zo onverwacht en net zo vanzelfsprekend als het gordijn opening, wordt het ook weer dichtgeschoven. Wat overblijft is de herinnering aan het alleen met jezelf zijn, maar gelukkiger en sterker dan daarvoor.

Anna Magdalena was zeven toen ze eindelijk alleen door de stad durfde te lopen. Voorbij was de tijd dat ze aan de hand van haar ouders of van een zusje liep. Voorbij de tijd dat ze voor een kwaaie haan wegliep, en niet alleen het ondergrondse gangen-stelsel in durfde. Het verbazendste vond ze dat alles haar zo anders voorkwam zodra ze alleen was. De stenen en de wind spraken met haar. Hun woorden bereikten haar zodra ze ze aanraakte of voelde. Ze had niet geweten dat bloemen, die eerst in de aarde verborgen zijn, en vervolgens al hun mooie kleuren en vormen in de tuin tentoonspreiden, haar voordat ze weer vergaan iets over het leven konden vertellen. Zelfs de plassen op straat wilden haar iets zeggen. Hoe vaak had ze er niet met haar zusjes uitgelaten in rondgespetterd, maar nu zag ze hoe zich de wereld erboven in het water weerspiegelde. Bijna devoot wachtte ze soms tot de plas weer tot rust was gekomen. Nergens was het meisje meer onzeker over of bang voor.

Zonder er met iemand over te spreken, wist Anna Magda-lena dat er drie werelden zijn. Er was de onderwereld van het grottenstelsel. In het schijnsel van de lantaarns lichtte het zand-steen daar roodbruin op, soms ook had het een groenige of zil-veren glans. Boven je hoofd waren stenen pegels, stalactieten, waar water afdroop, en die maakten dat van onderen, precies er-tegenover zuiltjes ontstonden, stalagmieten. Met elkaar vormden ze allemaal verschillende poortjes en doorgangen. Zonder die pegels had ze de afstapjes en uitgesleten treden niet van elkaar kunnen onderscheiden en zou ze nog altijd bang zijn geweest in de doolhof te verdwalen.

De tweede wereld was die van de mensen, de dieren en hun gedoe. De derde wereld kon je alleen maar zien als je buiten op de grond ging liggen en naar boven keek. Dat waren de bergtoppen, de zwaluwen en de roofvogels, de zaadjes die in de lucht zweefden, de zachte sneeuw, de wolken en de wind. Er ontging Anna Magdalena niets. Ze werd daar ook wel om uitgelachen.

'Als de verf niet allang droog was zou de papzak van het plafond vallen,' plaagde Caspar zijn zusje. Altijd als ze in het slot was bewonderde ze met grote ogen de schildering aan het plafond.

'Engelen vallen niet. Ze hebben toch zeker vleugels.'

'Die daar heeft alleen maar een paar duivenvleugeltjes, en hij is zo vet als een varken dat rijp is voor de slacht,' hield Caspar vol. Hij had wel gelijk. De vlerkjes van de engel waren nog kleiner dan van een kip, en reken maar dat als hij zou lopen, zijn dikke dijbenen bij iedere stap zouden blubberen. De engel had dunne blonde krullen en staarde met een vertrokken gezicht misprijzend naar het bouwplan voor het slot, waarmee hij door de druilerige hemel zweefde. Het lint dat om het papier gewikkeld was geweest, hing nog over zijn schouder en zijn dikke buik.

Eigenlijk was die engel daar alleen maar om het ontwerp voor het slot aan te bieden, maar voor Anna Magdalena was hij als het ware een poort, waardoorheen nu en dan een engel tevoorschijn kwam. En die was groot en stralend met glanzende blauwe vleugels, zoals aartsengel Michael op een plaatje dat ze bezat. Betrouwbaar, vertrouwenwekkend verscheen hij door een onzichtbare poort en verdween daar ook weer door. Ze keek naar hem en al vanaf dat ze kon praten, sprak ze met hem.

Voordat Anna Magdalena weer naar huis ging, liep ze nog door de zuilengalerij en naar de grafkelder. Ze had een nieuw geheim spel bedacht. Omdat haar vader erop had gestaan dat ook zijn dochters zouden leren lezen en schrijven, oefende ze alvast vlijtig. Ze was gelukkig toen ze vader verraste met wat ze zichzelf al had geleerd en hij van verbazing zijn wenkbrauwen hoog optrok. In de gangen van de grafkelder bevonden zich oude grafstenen en ze kon ontcijferen wat erop stond. Geduldig lagen hier de aanzienlijke doden in hun nissen. De kist met het lichaam van Johann Ernst Luther hadden ze begraven, maar zijn grafschrift kon ze het beste lezen. Haar moeder had uitgelegd dat hij een neef was van de man die de leer van de kerk zo had vernieuwd. Jazeker, hier had Maarten Luther gepredikt en in de Michaeliskerk konden de dominees nog altijd zijn stellingen lezen, want die werden daar zorgvuldig bewaard. Ze waren allemaal trots op de grondlegger van de reformatie.

Anna Magdalena was vol eerbied voor ieder die kon lezen en schrijven. Met diep ontzag liep ze door de Rahnstraße, want zo lang de inwoners van Zeitz zich konden heugen hadden daar nazaten van Luther gewoond. Als kleuter had ze al geleerd met gebogen hoofd een kleine buiging te maken als daar iemand een bepaald huis uit kwam. Ze begreep nu pas waarom al die mensen zich zo eerbiedig gedroegen: in dat huis lagen namelijk massa's boeken. Heel wat mensen kwamen en gingen door de grote deur en hadden bundeltjes boeken onder de arm.

Anna Magdalena bewonderde haar oudste zusje Katharina. Zij mocht haar vader begeleiden en zowaar ook voor de hertog zingen. Bovendien nam haar vader haar mee naar het slot als aan het hof nog een nette danspartner nodig was om de gasten een aangename avond te bezorgen. Ze kreeg daarvoor haar eerste schitterende jurk met diep uitgesneden decolleté. Maar het geweldigste aan de jurk was eigenlijk de onderrok. Daarin waren drie hoepels genaaid, zodat de rok wijd uitstond. Als ze die jurk droeg, leek het of Katharina niet liep maar zweefde. Als papa met zijn trompetkist en zijn oudste dochter naar het slot liep, wist Anna Magdalena dat zij ook snel groot wilde worden.

In 1710 kwamen er gasten uit Weißenfels. De vorst had warempel zijn eigen musici meegebracht en zo werd het Zeitzer orkest heel wat groter. 's Avonds speelden ze zowel serieuze als vrolijke muziek. Ook 's middags rond koffietijd werd gemusiceerd. De stukken die ze dan speelden, noemde men koffiemuziek. Een van de musici uit het Weißenfelser orkest was een zekere Georg Christian Meißner. Hij was net als vader Wilke hoftrompettist. Vader Wilke studeerde graag samen met zijn jonge collega. Ze konden het goed met elkaar vinden.

In die zomer maakte Anna Magdalena mee hoe haar vader zich gedroeg toen iemand om de hand van een van zijn dochters vroeg. Hij informeerde naar Meißners ouderlijk huis, liet zich op de hoogte brengen van zijn werk, zijn inkomen aan het hof en zijn toekomstplannen. Tussendoor vroeg hij de jongen wat trompetsolo's voor hem te spelen en ook nog een paar lastige stukken voor trommel, wat naar zijn mening een veel hogere kunst was. En vaak was Katharina, zogenaamd toevallig, daarbij in de muziekkamer. Anna Magdalena zag wel hoe gespannen haar zusje was of Georg Christian de test goed zou doorstaan. Het verbaasde haar dat ze knalrode wangen had, terwijl Katharina als ze zingen moest anders juist nogal bleek zag. Ook sliep ze veel te weinig, want ze duwde 's nachts steeds het dek van zich af en trok het meteen daarna weer over zich heen. En als Anna Magdalena dan vroeg of ze niet kon slapen, kreeg ze telkens hetzelfde antwoord: 'Jawel hoor, ik slaap best.'

Ook nadat ze aan Georg Christian haar jawoord had gegeven, en haar ouders met het huwelijk hadden ingestemd, kwam er van slapen niet veel terecht. Want de laatste vijf dagen dat Meißner nog in Zeitz was, maakte het stel iedere avond na het concert een lange wandeling. Als ze dan ver na middernacht in de slaapkamer van de meisjes verscheen, waren alle drie de zusjes nog wakker. Dan zeurden ze Katharina aan het hoofd dat ze alles moest vertellen wat er was gebeurd en wat hij had gezegd. Hoe slaapdronken ze ook waren, ze vonden het allemaal reuze spannend.

Ze bewonderden en benijdden hun zusje dat ze zo'n knappe man als Georg Christian Meißner zou krijgen. Hij was nota bene nog langer dan vader en had van dat mooie golvende haar. Als hij moest optreden had hij niet eens een pruik nodig. Een beetje poeder, dat was alles. Katharina beweerde dat haar mond hem dierbaarder was dan het mondstuk van een gouden trompet, en in haar ogen ging de zon voor hem op... ja, precies dat had hij gezegd. Terwijl ze dat vertelde, zuchtte ze toch zo mooi en Anna Magdalena zuchtte ook.

* * *

Op 28 september werd in Weißenfels Katharina's bruiloft gevierd. Aan het hof van Weißenfels werden in die tijd geen castraten meer geëngageerd, zoals dat elders nog gebruikelijk was. Hier stonden vrouwen naast mannen en zongen de sopraan- of altstem. Bij uitzondering werden begaafde meisjes en vrouwen zelfs tot professionele zangeres opgeleid.

'Onze Johanna en Anna Magdalena zullen ooit net zo zuiver en zelfs nog mooier zingen,' zei Caspar tegen zijn vrouw, die vanwege haar oudste haar tranen droogde.

'Vast en zeker,' zei ze. 'Ze zijn allebei door God gezegend. Maar Katharina zal haar man ook niet te schande zijn.' Het ergerde haar dat Caspar over hun dochters sprak als over muziekinstrumenten. Wie zong het zuiverst, wie het mooist? Wat begreep hij eigenlijk van haar verdriet omdat ze hun oudste zouden moeten missen?

Maar ieder had zo zijn eigen zorgen. Moeder had Katharina haar mooiste linnengoed, haar beste pannen en ook nog een kom zuurdeeg meegegeven, vader wendde zich na de koffietafel tot Meißner.

'Ik moet nog het een en ander met je bespreken.'

Anna Magdalena wilde nog even naar buiten. Ze had niet de bedoeling de mannen af te luisteren. Maar toen ze nog maar net in het park was, hoorde ze mensen lopen, en meteen daarna de stemmen van haar vader en haar kersverse zwager. Om niet te worden opgemerkt, bleef ze achter een dichte rozenstruik staan. De bottels begonnen al rood te kleuren, maar toch zaten de takken nog vol in blad. De twee mannen stonden precies bij de rozenstruik stil en iemand wreef met zijn voet in het grind. Anna Magdalena meende te zien dat het haar vader was. Ze hield haar hand voor haar mond, want het was iedereen streng verboden de paden slordig te maken.

Vader zei: 'We hebben niet veel tijd gehad. Normaal gesproken is het niet gebruikelijk...' Even later ging hij verder. 'Maar mijn dochter... ik wil graag dat ze goed terechtkomt. Ik weet wel dat Katharina het goed bij je heeft. Maar wat ik wou zeggen...' Hij zweeg. Maar hij bleef met zijn voeten in het grind wrijven. Georg Christiaan hielp hem over zijn verlegenheid heen door hem voor de allereerste keer met vader aan te spreken.

'Vader, ik ben toch je vriend. Zeg gerust wat je dwars zit.'

De nieuwe schoonvader wreef nog geruime tijd met zijn voet in het grind, maar eindelijk zei hij: 'Je weet toch hoe het bij de dieren in het veld gaat. De stieren en beren worden aan een ring in hun snuit naar buiten getrokken, en de koeien en varkens worden vastgehouden als ze nog niet eens volwassen zijn. En ook wordt er een doek om de neusgaten van een merrie gewikkeld, opdat ze de hengst verdraagt die ze kort tevoren nog in de ribben heeft geschopt.'

'Ik begrijp je zorgen,' zei Georg Christian. Hij lachte. Maar vader was nog niet klaar.

'Kijk eens in de wei, dan zul je zien hoe de stier soms uren achtereen zijn muil tegen de koe legt. En als beide dan staan te dampen als een brood dat zo uit het bakhuis komt...' Caspar zweeg, ook zijn voeten bewoog hij niet meer. 'Ik bedoel maar... Het is misschien beter... Het is niet alleen om kinderen te krijgen, zoals zo schijnheilig wordt beweerd.' Weer klonk dat fanatieke gewrijf. Maar nu had vader de kiezels weer netjes glad geschoven en de mannen verwijderden zich.

Anna Magdalena had haar vader nog nooit zulke gekke dingen horen zeggen. Toen ze het aan Johanna en Erdmute vertelde, zeiden ze dat hun zusje onzin uitkraamde. Anna Magdalena was beledigd omdat ze haar niet geloofden, en dat verknalde bijna haar vreugde over het feit dat ze nu eindelijk een bed voor zich alleen had.

Het geweldige van Weißenfels was dat het weliswaar best ver van Zeitz was, maar toch goed te bereiken, want één enkele weg verbond beide plaatsen. Als je voor het slot van Weißenfels stond, liep er rechts een weg naar Zeitz en links een net zo brede naar Leipzig. Het slot Neu-Augustenburg was even nieuw, maar nog schitterender dan de Moritzburg in Zeitz en eveneens op de ruïne van een kasteel gebouwd dat in de dertigjarige oorlog was verwoest. Waar de mensen ook vandaan kwamen, ze waren perplex. Dit was misschien wel het allergrootste nieuw gebouwde slot van midden-Duitsland. De hertogen van Saksen-Weißenfels hadden zelfs voor de tijd na hun dood gezorgd, want in de slotkerk bevond zich onder het altaar een grafkelder, waar hun gebeente zou worden bewaard.

Katharina woonde nu in Weißenfels en was daar voor iedereen de 'Meißnerin'. De oudste van de Wilkes opende voor haar zusters daarmee een belangrijke deur. Hier konden ze nu worden opgeleid tot zangeressen. In kerken mochten alleen jongens en castraten zingen, maar de vooruitstrevender vorsten kenden inmiddels beroemde zangeressen uit Italië en Frankrijk, en wisten de muzikale verrijking naar waarde te schatten.

In het begin mochten Johanna en Anna Magdalena alleen maar luisteren als Katharina zangles had, maar nog geen jaar later mochten beide meisjes de zanglerares zelf voorzingen. Deze luisterde aandachtig en zei toen: 'Ik moet met jullie vader overleggen.'

* * *

In Weißenfels stond het huis waar de componist Heinrich Schutz als kind al had gewoond en waar hij ook de laatste jaren van zijn leven zou verblijven. Hij had de muziek gecomponeerd waarbij Anna Magdalena de maat moest slaan, zodat haar broer de roffels op de trommel kon oefenen. Het was muziek die aanspoorde tot marcheren, gelijkmatig rechttoe rechtaan en nooit solo.

Caspar vertelde haar hoe de verschillende blaasinstrumenten heetten.

'En deze?' vroeg hij. Hij hield een lang instrument omhoog. Meteen na het mondstuk ging een buis wel een armlengte rechtuit, draaide om, weer helemaal tot het mondstuk, maar net voordat hij daar aankwam, draaide hij weer terug om aan het eind in een wijde trechter te eindigen.

Ze dacht na. De trompet was langer dan normaal. 'Een lange trompet?'

'Ja hoor. En wat is dit?' Hij wees op een goudglimmend blaasinstrument dat eruitzag alsof het zich had opgerold. Anna Magdalena zei: 'Een opgerolde trompet.'

'Hm. Een waldhoorn.'

O ja, voor in het bos. Ze had het kunnen weten. Want die gedraaide vorm deed haar denken aan een plant in de tuin, die zich om andere planten heen draaide en waarvan moeder zei: 'Onkruid. Weg ermee. Graaf de wortels uit en gooi ze in het bos.'

Anna Magdalena luisterde aandachtig als de mannen met elkaar spraken over hun muziek of over de klank van hun instrument. Zelfs als ze er hetzelfde uitzagen, of het nu blaas- of strijk- of toetsinstrumenten waren, ze hadden toch elk een andere klank, een eigen ziel. Maar dat hoorde alleen wie echt goed luisterde. Heel wat musici veranderden nog hier en daar zelf wat aan hun instrument terwijl de instrumentmaker er nog mee bezig was. De mannen vertelden elkaar dat de musicus Bach zelfs een geheel nieuw instrument had gebouwd, een viola pomposa. Dat was een strijkinstrument met vijf snaren, groter dan een viool, kleiner dan een cello. Je moest echt apart oefenen om daar goed op te kunnen spelen. Sommigen prezen de viola pomposa, anderen staken er de draak mee. Was voor meneer Bach op een gewone viool fiedelen niet goed genoeg?

Johanna verhuisde naar Weißenfels, trok bij haar zuster in en kreeg het zangonderricht waar ze al zo lang op gehoopt had. Maar vooral wilde ze Katharina werk uit handen nemen, want die verwachtte al gauw haar eerste kind. Anna Magdalena moest nog in Zeitz blijven om moeder te helpen. Maar ook haar vader had haar nodig, omdat ze hem kon begeleiden als hij concertjes gaf.

Toen Anna Magdalena twaalf was, kreeg ze klavecimbel-les. Daar had de hertog van Zeitz voor gezorgd.

'Het instrument ziet eruit als een liggende harp,' vond ze. 's Avonds gingen de kaarsen links en rechts van de toetsen aan. Zo kon ze ook spelen als het donker was. De dag dat ze voor het eerst foutloos een kleine prelude speelde, zou ze zich nog lang heugen. De aangeslagen snaren klonken als regendruppels. Vader hoorde bijna niet hoe haar vingers op de toetsen neerkwamen en ook moeder was trots. Ze omhelsde en kuste haar dochtertje. Dat was zo bijzonder dat Anna Magdalena nog lang van puur geluk wakker lag.

Niet lang daarna kon Anna Magdalena het hele gezin op de klavecimbel begeleiden. In die tijd begon ze ook voor haar vader en zusjes muziek te kopiëren, want die moesten ook de nieuwe composities uit Italië en Engeland kunnen spelen en zingen. Dat was niet bepaald makkelijk. Ze moest een vork met vijf tanden in de inktpot dopen, en dan, liefst in één keer, een notenbalk op het papier trekken. Als er te weinig inkt aan de vork zat, hield de notenbalk al midden in het papier op. Maar als er te veel inkt aan zat, kwam er nogal eens een lelijke vlek. Urenlang trok ze de vork gelijkmatig over het papier en legde de vellen op bed om te drogen. De sleutels en noten zette ze er later in met een speciale pennenschacht.

Het was doffe ellende, want ze moest steeds controleren of de pen niet begon te krassen of inktdruppels verloor. Als Anna Magdalena de muziek niet van tevoren in haar hoofd hoorde, zou er beslist nooit ook maar één bladzijde zijn klaargekomen. Haar hals en vingers waren stijf van angst dat ze een noot zou overslaan of zelfs een hele notenbalk en dat ze dan weer van voren af aan moest beginnen. De tekst schreef ze vervolgens met een gewone ganzenveer onder de balken. Daarbij moest ze al net zo geconcentreerd zijn. De woorden moesten natuurlijk op de juiste plaats onder de noten komen te staan en toch ook zo gelijkmatig mogelijk verdeeld. Als ze zo bezig was, kreeg ze al gauw brandende ogen, alsof iemand haar midden in de nacht had gewekt.

De liefde van Anna Magdalena's vader voor muziek werkte aanstekelijk bij alle leden van het gezin.

'Vandaag zetten we de orgelpijpen weer eens aan onze eigen mond,' zei hij als hij met meerdere blazers ging musiceren. Voor hem waren trompetten de orgelpijpen van de kleine man. Ook de draaiorgels die bij familiefeesten werden gespeeld of aan een ziekbed.

'En het klavichord, dat zijn de klokken, Anna Magdalena. Zoals de metalen plaatjes tegen de snaren slaan, zo slaat ook de klepel tegen de kerkklokken.'

Anna Magdalena vond het heerlijk als haar vader zo vrolijk was. Zelf raakte ze ook in verrukking als het om muziek ging. Haar moeder maakte zich er weleens zorgen om. Hoe kon ze mama uitleggen dat voor haar het klavichordspel als regen was. De tonen zweefden als regendruppels door de lucht en daalden zacht op aarde neer.

Een keer, toen ze op weg was naar huis, begon het te regenen, van die zachte regen zoals boeren graag hebben. Anna Magdalena kon de verleiding niet weerstaan: ze bleef aan de kant van de weg staan, stak haar hand uit en deed haar ogen dicht. Hoe geluidlozer de druppels vielen, hoe duidelijker ze de regenmuziek hoorde. Toen ze doornat was, stierf de melodie weg en ging ze naar huis. Moeder schrok toen ze haar dochter daar als een verzopen kat voor de deur zag staan. Maar Anna Magdalena straalde.

'O mama, het regent zo mooi!'

'Ja hoor, o mama, het regent zo mooi,' bauwde Margaretha haar na. Ze legde haar hand op haar dochters voorhoofd, om te voelen of ze koorts had. Daar was geen sprake van. Nog niet, dacht moeder zorgelijk. Die aanraking van moeder betekende alleen maar: 'Wat bezielt je. Je bent niet wijs.' Maar Anna Magdalena nam zich toch voor haar moeder niet meer zo op stang te jagen.

'Het mooiste van het leven in Weißenfels is de muziek die wordt gespeeld tijdens het koffieuurtje,' hoorde ze van Johanna. 'Er worden speciaal nieuwe cantaten voor vrouwenstemmen geschreven.' Opgetogen vertelde ze over een meneer Bach, die zowaar alle stijlen met elkaar kon vermengen. Ze had voor vader een stuk voor kleine bezetting gekopieerd, en tot genoegen van hertog Moritz voerde hij die in Zeitz uit. Het was voor gamba en blokfluit geschreven. Anna Magdalena kon het haast niet laten met de muziek mee te knikken. Het klonk net zo statig als in de kerk, maar toch kon je erop dansen, elkaar zacht wegduwen, elkaar de hand reiken en weer plechtig samen verdergaan.

Het was Johanna, die hun vader vroeg om eens te informeren of Anna Magdalena niet van de zangeressen van het hof van Zeitz les kon krijgen. Haar zusje had tenslotte nooit iets anders dan muziek in het hoofd.

'We zullen zien,' zei vader Wilke. Hun jongste was voor hem en zijn vrouw een belangrijke hulp. En als ze zangles kreeg zou ze voor haar ouders niet veel tijd meer hebben.

Twee jaar nadat Katharina was getrouwd, werd Anna Magdalena tante. En meteen van twee kinderen, want haar zusje baarde een tweeling. Dat verklaarde waarom Katharina zo dik was geweest.

'Nu kan ik eindelijk weer zelf mijn schoenen dichtrijgen,' lachte ze.

De bevalling was Katharina niet licht gevallen. Ze was nog niet echt fit. Er werd daarom besloten de kinderen thuis te dopen. Afgezien van de geestelijken was tenslotte iedereen toch al aanwezig: de ouders Wilke en de tweeëntwintigjarige peetoom Caspar en de opgewonden tantetjes. De jongetjes waren heel klein. Ze gaven tijdens de ceremonie geen kik.

Caspar hield in iedere arm een kind. 'Ik ben nu niet alleen oom, ik ben ook peetoom,' zei hij trots tegen wie het maar horen wilde.

'En ik ben grootvader!' lachte Wilke.

Ze waren allemaal dolgelukkig, maar natuurlijk brachten de kleintjes veel werk mee. Johanna hielp Katharina zoveel ze kon, opdat ze allebei nog tijd overhielden om te zingen. Maar al na een paar maanden zei Katharina: 'Eerlijk gezegd pas ik liever op de kinderen dan dat ik me steeds voor concerten moet kleden en mijn haar moet opmaken.' Johanna schrok ervan. Zijzelf zou nooit of te nimmer het podium opgeven voor koken en wassen.

Trouwen werkte blijkbaar aanstekelijk. Johanna, die inmiddels een volleerde zangeres was, leerde in Weißenfels de hof- en kamertrompettist Andreas Krebs kennen. Vader Wilke was daar zeer mee ingenomen.

Krebs was een voortreffelijk muzikant. Hij speelde zo mooi en met zoveel gemak, dat iedereen het met Johanna eens was: als iemand in het slot een eretitel toekwam, dan Andreas wel. Al gauw werd het huwelijk aangekondigd. Anna Magdalena en haar moeder poetsten en schrobden het huis en lapten de ramen, ze kookten en bakten voor de gelukkige bruid. Het huwelijk vond plaats in de slotkerk in Zeitz. Daarna wandelde het gezelschap via een omweg terug naar de Messerschmiedtsgasse, zodat veel inwoners van de stad bruid en bruidegom en de bruiloftsgasten konden zien. De vrouwen droegen hun mooiste kleren met kant en ruches. En ook Anna Magdalena droeg voor deze gelegenheid haar eerste hoepelrok. Ze voelde zich er geweldig in. Eindelijk kon iedereen zien dat ze een dame was.

Lucht is om te zingen

Zeitz, Weißenfels, Zerbst en Köthen, 1718-1723

'Je bent een holle pijp, waar de wind in zingt, een orgelpijp, die net zo lang doorklinkt tot alle lucht eruit is verdwenen. Die lucht, Anna Magdalena, is er om te zingen.'

De eerste uren dat ze les had en de lerares zo serieus tegen haar sprak, hield het meisje van schrik steeds haar adem in.

'Rechtop staan. Je voeten zijn het enige lichte contact met de vloer. Zing me nu na, en voel waar de tonen in je klinken.'

Anna Magdalena zong met gesloten ogen. Hoe had ze anders kunnen verdragen wat één enkele toon, op deze wijze gezongen, teweeg bracht? Ze voelde het. Met haar adem stegen tonen, mensen, engelen via haar neus, haar keel omhoog. Het geluk en het verdriet van biddende, lachende, huilende mensen vulden haar borst en haar buik. Door de muziek werd ze zelf dat waarover ze zong: een steen, een bloem. Ze was een moeder, een kind, ze lachte, ze huilde. Maar zoals haar hele lichaam de ene na de andere rol aannam, wierp het die ook steeds weer af, zoals een houten boegbeeld de wind aan beide zijden aan zich voorbij laat stuiven wanneer het schip door de schuimende golven glijdt.

Het was dankzij een terloopse opmerking van haar vader dat de hertog van Zeitz zijn beste zangeres opdroeg een meisje van nog maar twaalf les te geven.

'De uren die het deze dame zal kosten, zullen goed besteed blijken. Er zal immers geen sprake zijn van stemwisseling,' had hij de hertog voorgehouden. De hertogin, Maria Amalia van Saksen-Zeits, geboren markgravin van Brandenburg, had de bezwaren van haar man weggelachen, en de gelegenheid te baat genomen weer eens een goede daad te verrichten. Anna Magdalena vond haar niet alleen mooi en vriendelijk, in haar ogen zat ze als een heilige te paard en verrichtte ze dagelijks moedig goede werken.

Moeder Wilke had haar dochters over het leven van de hertogin verteld. Zo kwam het dat Anna Magdalena wist dat deze beeldschone vrouw vijf kinderen had gebaard. In het slot hing een schilderij waarop ze te zien was toen ze nog jong was. Iedereen in Zeitz kende ook het gedicht dat ze in Leipzig over haar hadden gemaakt. Het was normaal dat in dergelijke gedichten huichelachtige vleierijen aan het adres van de machthebbers stonden, maar in haar geval klopte het: zij was werkelijk een voorbeeld van natuurlijke charme en onbaatzuchtigheid. De enige van haar kinderen die de ouders overleefde, was Dorothea Wilhelmine. Toen de hoogbegaafde zoon van het hertogelijk paar stierf – hij was negen – had Anna Magdalena haar eigen vader zelfs zien huilen. Het overlijden van de prins trof iedereen aan het hof en ook erbuiten. De jongen was enorm leergierig geweest. Op zijn achtste kende hij al Latijn, Italiaans en Frans. Het vorstenpaar had zoveel plannen voor hun zoon gehad. Na zijn overlijden bogen de vrouwen van Zeitz niet alleen voor de vorstin, ze brachten hun medeleven ook tot uitdrukking door steeds verse bloemen bij het graf te leggen en meer dan ooit voor het welzijn van de familie te bidden.

Anna Magdalena's zusjes hadden dikwijls met Dorothea Wilhelmine gespeeld. Anna Magdalena bleef het meisje bewonderen. Ze had zo'n mooie mond, ze was altijd zo elegant gekleed. Als ze elkaar nu tegenkwamen, maakte Anna Magdalena verlegen een kleine kniebuiging, meer niet. De meisjes konden natuurlijk niet weten dat ze elkaar later, toen ze allebei al moeder waren, opnieuw zouden ontmoeten in Kassel.

Door de bemoeienis van de hertogin werd Anna Magdalena een ander mens. Ze was niet alleen maar een meisje. Haar lichaam kon ook een instrument worden. Zoals violen en fluiten klonken, kon ook zij een en al muziek zijn. Hoe wonderbaarlijk had God haar toch geschapen. Sinds ze mocht zingen was haar mooiste droom bewaarheid. Zelfs als de hand van haar lerares alleen maar onderzoekend op haar borst of buik lag, of wanneer ze op haar gezicht goedkeuring of kritiek zag: zij was uitverkoren om een van de besten te worden.

Het jaar 1715 bracht ellende naar de Moritzburg. De bewoners waren overgeleverd aan de eisen van de broer van de hertog, Christian August, de kardinaal van Saksen-Zeitz. De kardinaal dwong de hertog, die een fervent aanhanger van de leer van Luther was geworden, met alle middelen die hem ter beschikking stonden, zijn geliefde geloof af te zweren. De hertog had de nagedachtenis aan Luther en zijn nakomelingen altijd in ere gehouden. Hij had kosten nog moeite gespaard om de Martinuskerk te renoveren en de bevolking kon op zijn loyaliteit rekenen.

De druk op de familie werd steeds groter. Ook financieel probeerde de kardinaal zijn broer te benadelen. Het orkest van Zeitz ging dan ook onzekere tijden tegemoet, want als de hertogelijke familie katholiek zou zijn geworden, moesten ze Zeitz verlaten, en dan zou het hofleven worden opgeheven. Vader Wilke wilde niet wachten tot hij zijn aanstelling verloor. Zijn schoonzoons Meißner en Krebs wisten te regelen dat hij bijtijds een aanstelling kreeg in het Weißenfelder slot. Slechts nu en dan keerde hij als gastmusicus terug naar Zeitz.

Dorothea Wilhelmine had intussen twee gunstige huwelijksaanzoeken afgeslagen. Ze wilde niet met de koning van Zweden trouwen en evenmin met de zoon van tsaar Peter de Grote van Rusland. Op 27 september 1717 werd het laatste grote feest gevierd in het residentiële slot Zeitz: het huwelijksfeest van de zesentwintigjarige Dorothea Wilhelmine en de toekomstige landgraaf Wilhelm VIII van Hessen-Kassel, de man die het mooiste rococo-paleis van Duitsland liet bouwen. Bij dat feest waren ook de Weißenfelser muzikanten aanwezig. Anna Magdalena en Johanna zongen de huwelijksaria's, en ook vader Wilke zette voor de hertogelijke familie zijn beste beentje voor.

'Ik wens het kind alle geluk van de wereld, ach, ik wens het meisje zozeer toe dat ze een makkelijker leven zal hebben dan haar moeder,' zei mevrouw Wilke.

Anna Magdalena vroeg zich af wat die zorgen van de hertogin dan wel konden zijn.

'Dorothea Wilhelmine trouwt nog wel vandaag en ze is gelukkig,' zei ze niet begrijpend tegen haar moeder.

'Ja, maar dat wil ook zeggen dat haar dochter vanaf nu een man heeft en kinderen kan krijgen die kunnen sterven.' Moeder wilde zich gewoon niet laten opvrolijken. 'Ik weet het wel zeker, Anna Magdalena: het moeilijkste moet voor hertogin Maria Amalia nog komen. En als ze haar geloof moet afzweren en Zeitz moet verlaten... het zal haar hart breken.' Moeder was heel geëmotioneerd terwijl ze sprak.

Misschien is dat zo als je ouder wordt, dacht Anna Magdalena. Zelf zag ze alleen het schitterende paar en ze genoot die dagen in de Moritzburg in hun eigen vroegere stad. Ze logeerden in hotel 'De drie zwanen' en kregen voor hun optreden een goed salaris. Wat kon je nog meer wensen?

Kort daarna werd hertog Moritz inderdaad katholiek. Nu moest hij dan toch met Maria Amalia Zeitz verlaten. Voor de familie Wilke hield dat in dat ze hun huis in de Messerschmiedtsgasse verkochten en definitief niet meer naar Zeitz zouden terugkeren. Maar wat eerst zo verdrietig en naar leek, bleek ook een goede kant te hebben. De ouders en hun kinderen vonden elkaar immers weer in Weißenfels.

Johanna en Anna Magdalena voelden zich door het samen musiceren weer net zo innig verbonden als destijds, toen ze nog klein waren. Zo kon het gebeuren dat Johanna op een dag haar zusje Anna Magdalena iets toevertrouwde.

'Ik weet niet of ik het mama ooit kan zeggen... Maar aan jou móét ik het vertellen, anders voel ik me zo slecht en liefdeloos...' Anna Magdalena wachtte. Het duurde even voordat haar zusje verder sprak: 'Voor mij is muziek mijn leven. Als ik een opera mag zingen ben ik gelukkiger dan Katharina was toen er een kind in haar groeide. Een nieuwe opdracht is voor mij zoiets als een ontvangenis. De repetities zijn voor mij als een zwangerschap, en het optreden 's avonds, als ik in mijn concertjurk zing, betekent voor mij zoiets als een geboorte. Als Andreas dan ook nog in het orkest zit, zijn we als goden die boven de oceanen vliegen.' Johanna zweeg. Ze stond tegen een muur geleund, en begon hartstochtelijk te huilen. 'Ik schaam me zo vreselijk. O, Anna Magdalena, als moeder dit wist, zou ze wensen dat ze me nooit ter wereld had gebracht. Eerst trouw ik, en dan verkies ik de opera boven kinderen.' Anna Magdalena omarmde haar zusje stevig. Johanna voelde de kracht van het jongere zusje, en terwijl ze nog stil huilde kwam het haar voor alsof alles wel goed zou komen.

Anna Magdalena wist niet waar het aan lag dat Johanna geen kinderen kreeg. Was haar lichaam van nature daarvoor gesloten? Of deelden de echtgenoten een geheim, hoe je elkaar kon liefhebben zonder dat de vrouw bevrucht werd? Of kwam het door het gesprek tussen de zusjes? Had God de vertwijfeling bij Johanna gezien en was dit zijn antwoord? Nooit spraken ze meer over dit voorval. Het waren zulke ongewone en nieuwe gedachten, dat ze het ook niet waagden God voor de kinderloosheid te danken.

Sinds ze in Weißenfels woonden, kreeg Anna Magdalena zangles van de primadonna van het hof aldaar, Pauline Keller. In het begin had de beroemde diva en zangeres het meisje geïntimideerd. Deze dame kon zelfs in het Frans en in het Italiaans zingen. Anna Magdalena verstond er geen woord van, maar evengoed bezorgde het haar kippenvel. Samen met Johanna volgde ze heel nauwgezet de aanwijzingen van hun lerares op. Anna Magdalena kon dan wel een toon zo lang aanhouden als vereist was, maar het gebeurde wel dat ze er zowat bij omviel omdat ze geen lucht meer kreeg. Van Pauline Keller leerde ze nu haar adem in te delen en ook om met haar hele lichaam adem te halen. Ze haalde de lucht uit haar armen, haar vingertoppen, ja zelfs uit haar haren. Een malle voorstelling van zaken, vond Anna Magdalena, maar het hielp.

* * *

Katharina baarde opnieuw een jongetje. Anna Magdalena speelde graag met haar neefjes. Christoph Friedrich knaagde net als vroeger zijzelf met zijn tandjes aan tafelranden en aan allerlei voorwerpen, ook aan de vingers van degene die op hem paste. Het jongetje was veel bij het gezin Wilke. Katharina was een gelukkige moeder die nu het zingen graag aan haar zusjes overliet.

Caspar, Anna Magdalena's broer, was niet mee verhuisd naar Weißenfels, want hij had een aanstelling in Zerbst gekregen. Omdat hij niet alleen trompet maar ook uitstekend viool speelde, was hij in het orkest op meerdere plaatsen inzetbaar. In het slot van Zerbst leerde hij al spoedig zijn toekomstige vrouw kennen.

Zo belangrijk als indertijd het contact met het hof van Weißenfels voor de Wilkes was geweest, van evenveel betekenis werd nu het contact met het hof van Zerbst. De Zerbster vorstin Sophie was een geboren prinses van Weißenfels en ze was een groot liefhebster van opera en solozang. Ze organiseerde dan ook reizen van de primadonna Pauline Keller en andere Weißenfelser musici naar Zerbst. Toen ze hoorde van de uitzonderlijk muzikale familie Wilke, rustte ze niet voordat Wilke en Andreas Krebs vrijaf kregen om met Johanna en Anna Magdalena in haar slot te komen musiceren.

Ze hadden eenvoudige stukken uitgezocht. En ook wat bewerkingen van opera's voorbereid. De zusjes waren een sprookje in hun lange getailleerde jurken. Die van Anna Magdalena eindigde in een kleine sleep en glansde als de borst van een ijsvogel. Beiden droegen het haar feestelijk hoog opgestoken.

De vorstin verbaasde zich vooral over de jongste Wilke-dochter. Licht als een veer stond ze daar met in haar linkerhand de muziek. De rechterarm bewoog ze bevallig, een enkele keer maakte ze een vuist of hield ze haar hand op haar hart. Haar gezicht vertoonde geen overdreven emoties. De jonge vrouw zong met haar hele lichaam. Hoezeer ze zich concentreerde, was alleen aan haar hoge voorhoofd af te lezen.

De vorstin was zo ontroerd over het optreden van de meisjes, dat ze hen in de jaren die volgden steeds weer naar Zerbst liet komen. En ze betaalde de musici en de zangeressen er goed voor.

Anna Magdalena leerde om zich tijdens een optreden geheel in dienst van de muziek te stellen. Ook als ze verdriet had of na een slapeloze nacht moe was. Tijdens een concert kon ze zichzelf helemaal wegcijferen. Ze was niet de enige die om vrienden en familieleden treurde. Ook andere zangeressen, musici en componisten verloren dierbaren. Ze wilde een voorbeeld nemen aan de hofcomponist van Köthen, Bach. Zijn vrouw, Maria Barbara, was plotseling gestorven, juist toen hij met vorst Leopold in Karlsbad was. Hij treurde om haar, maar hij ging nog steeds op reis en de muziek die hij schreef was lieflijker dan ooit. Anna Magdalena kende de familie wel, en ook zijn levenslustige vrouw, die overigens bij iedere geboorte ternauwernood aan de dood was ontsnapt. Voor hoeveel kinderen moest haar man nu zorgen?

Anna Magdalena vroeg het aan vorstin Sophie en zo kwam ze te weten dat die arme Bach er vier had. Nog vier van zeven.

Het was Bach die voor het hof van Köthen een sopraan nodig had. Hij kende Anna Magdalena Wilke van haar optredens in Zerbst en vond haar stem en voordracht voorbeeldig. Anna Magdalena's lievelingszuster Johanna maakte met haar man de sprong naar het hof van Zerbst en Anna Magdalena werd aan het hof van Köthen aangesteld. Daar zou zij, als volleerde zangeres, voor de vorst en de vorstin zingen. Ook Erdmute was inmiddels getrouwd en met haar man, Christian August Nicolai, naar elders vertrokken. De ouders Wilke bleven met hun oudste en met de kleinkinderen in Weißenfels wonen.

Voor haar vertrek maakte Anna Magdalena met haar zusje Johanna nog een lange wandeling langs de rivier. Ze spraken over hun beider liefde voor het zingen en over Anna Magdalena's verbazing over de zangkunst van vogels. Ze waren bedroefd en ze hadden plezier met elkaar.

'Onze wegen scheiden zich, maar we zingen,' troostte Johanna haar zusje, die naar het verre Köthen vertrok.

* * *

De volgende dag nam Anna Magdalena afscheid van iedereen. Het viel haar zwaar.

'Wat zal ik je wensen, mijn kind?' vroeg moeder zich af. 'Je krijgt nu het inkomen van een ambtenaar, dus je zult goed voor jezelf kunnen zorgen. God behoede je.'

'Jou en je stem,' voegde vader daaraan toe. Een mooier compliment had hij haar niet kunnen maken.

Later zat Anna Magdalena met haar bagage in de koets, en ze geneerde zich niet voor haar tranen. Ze had nooit gedacht dat ze zich verlaten en bang zou voelen, zoals een klein kind dat haar familie niet in de buurt heeft. Ze zat kaarsrecht te midden van haar medereizigers. Zo rechtop en mooi zat ze dat ondanks haar tranen niemand het waagde haar te troosten.

Toen de zon wat minder fel scheen en de schemer inviel, zag Anna Magdalena dat er een dikke nevel over de velden kwam. De bomen en heuvels tekenden zich scherp af, maar de paarden en schapen leken op wolken te dobberen. Af en toe vloog een zwerm spreeuwen op uit de damp om er even later weer in te verdwijnen. Ze rekte haar hals om alles goed te kunnen zien en was het liefst uitgestapt.

'Mooi, hè?' Dat had een eenvoudig geklede oudere medereiziger gezegd. Hij wees op de lage nevel en tekende met zijn verweerde handen de omtrek van bomen na. Toen een vlucht kraaien overvloog, bewoog hij zijn vingers als op een toetsinstrument. En net zoals de zwarte vogels in de nevel doken, liet hij zijn handen onder zijn jas verdwijnen.

Anna Magdalena lachte. 'Ja, schitterend hè?' zei ze.

'Daarom heb ik zin om weer thuis te zijn. Dan kan ik 's morgens in alle vroegte de wei maaien, nog voordat de hazen tevoorschijn komen. Ik hou ervan de zon te zien opkomen en mijn adem als een wolk voor mijn gezicht te zien.'

'Ik dacht altijd dat wie op het land leeft, helemaal niet meer ziet hoe mooi de natuur is.' Anna Magdalena had direct spijt van wat ze had gezegd, maar de aangesprokene lachte alleen maar.

'We praten er alleen niet zoveel over en we kijken er niet zo nieuwsgierig naar als u, jongedame.' Nu moest Anna Magdalena lachen. Ze had nu een inwoner van Köthen leren kennen en die was al meteen heel aardig. Dat gaf moed. Ze vroeg haar medereiziger naar het slot.

Hij was er zelf nog nooit geweest, maar hij kende de musici en de kapelmeester Bach.

'Daar zijn de beste musici van het opgeheven Berlijnse hoforkest. Vorst Leopold krijgt het voor elkaar de beste artiesten naar zijn hof te halen. En wat bent u van plan in Köthen te gaan doen?' informeerde hij.

'Ik ga daar zingen. Sopraan. Ze hebben een zangeres nodig.'

'Zozo, een zangeres.' Hij keek haar ongelovig aan.

Anna Magdalena was beledigd. Ze begon resoluut te fluiten. Eerst als een mees, toen als een leeuwerik, daarop volgde een zanglijster en als klap op de vuurpijl deed ze de trillers van een nachtegaal na.

'Wel heb je ooit, dat doet geen van mijn vrienden je na, en we proberen altijd vogels te imiteren om ze te lokken.'

Anna Magdalena knikte tevreden. Kennelijk was ze niet de enige bij wie de vogels in het hoofd zongen, zoals haar moeder zei.

In Köthen wilde Anna Magdalena tegelijk met de andere reizigers uitstappen, maar de koetsier hield haar tegen. Hij zei: 'Wie bij het slot moet zijn, wordt ook bij het slot afgezet.' En dus nam ze afscheid van de vriendelijke Köthenaar. Vervolgens reed de koetsier met haar Köthen weer uit en daarna rechtdoor naar het slot. De paarden namen de brug over de slotgracht, en zo kwamen ze op de binnenplaats.

'Rrrr,' deed de koetsier. In een stofwolk bracht hij zijn paarden tot staan. Toen hij even later een dikke fooi ontving, begreep Anna Magdalena waarom hij haar zo bereidwillig naar het slot had gereden.

Nog voordat al haar bagage was uitgeladen, kwamen er steeds meer mensen aanlopen om haar te begroeten. Daar had ze absoluut niet op gerekend. Om te beginnen was er een nogal lawaaiige groep. Dat bleken de hofkomedianten te zijn. Ze maakten een enorm spektakel en bekeken haar zo ongegeneerd van alle kanten, dat ze dacht dat ze aan haar zouden gaan plukken om te zien of ze wel echt was. En er kwamen ook andere bewoners van het slot: knechten en meiden, kinderen, muzikanten... Ze keken niet alleen, maar begroetten haar vriendelijk en vroegen hoe de reis was geweest. En toen was daar ineens, alsof hij een van de velen was, vorst Leopold zelf. Ook hij heette haar hartelijk welkom en hij wees twee vrouwen aan, die juffrouw Wilke zouden bijstaan. Een man greep haar bagage en droeg alles de poort weer uit. Anna Magdalena protesteerde maar niet. Het zou allemaal wel zo horen. 'Straks laten we juffrouw Wilke haar nieuwe onderkomen zien,' zei de vrouw met het schort voor. 'Gaan jullie maar vast vooruit, dan zien we elkaar bij de buitenste artisjok,' zei de andere vrouw, die eruitzag alsof ze zelf ook een zangeres was.

'Artisjok?' vroeg Anna Magdalena niet-begrijpend. De vrouw met het schort legde fijntjes lachend uit: 'Zo noemen we de drie torens, want ze zien eruit als artisjokken.'

'O. Maar ik weet helemaal niet wat artisjokken zijn,' zei Anna Magdalena.

'Als ik niet in de keuken werkte, wist ik het ook niet,' zei de vrouw. 'Vorst Leopold brengt van zijn reizen altijd de merkwaardigste dingen mee. Artisjokken komen uit Frankrijk. Ze lijken een beetje op grote distels.' De vrouw vormde met twee handen een soort kelk en zei: 'Ongeveer zo groot zijn ze, en er zitten allemaal schubben aan, zoals bij een vis.' Anna Magdalena probeerde te doen alsof ze het allemaal heel normaal vond. 'Wij hadden eerst ook geen idee wat we ermee moesten doen. Maar nu is dat geen probleem meer, hoor. We hebben nu Franse en Italiaanse koks.'

Anna Magdalena viel van de ene verbazing in de andere. De vrouw ging opgewekt verder met haar relaas. Leopold was dol op reizen. Hij bracht niet alleen groenten en koks mee naar huis... Op het terrein bevond zich ook een grote tuin met exotische gewassen. En omdat hij dol was op Italiaanse kerkmuziek en opera's reisde hij vaak naar Italië om de muziek te laten voorspelen en kopiëren. En wat hij allemaal nog meer meebracht... 'U zult nog wel zien. Het slot is net een museum!'

Het was voor Anna Magdalena een belevenis hoe aan dit hof de adellijken en het personeel ongedwongen met elkaar omgingen. Zij werd nu dus wegwijs gemaakt door een keukenhulp. Tot nu toe was ze gewend geweest dat het personeel aparte toegangsdeuren gebruikte. En dat de kunstenaars zich altijd strikt gescheiden van het keukenpersoneel door de gebouwen bewogen. Nog voor ze ernaar kon vragen, kreeg ze er al opheldering over.

'U moet ons dat rommelige gedoe van daarstraks maar niet kwalijk nemen. Als er iemand nieuw in het slot aankomt, vormen allen groepsgewijs een erehaag en worden dan voorgesteld. Maar we dachten dat u pas morgen zou komen. Er is iets fout gegaan.' Maar aan dit hof scheen dat geen probleem te zijn. Het begon Anna Magdalena wel te duizelen.

'Ik laat u nu de stallen en schuren zien, en zal u het personeel voorstellen,' zei de vrouw. De vorst wil namelijk dat u weet dat u altijd bij ons terecht kunt, voor alles wat u nodig hebt.' En bijna verontschuldigend maar heel tevreden zei ze nog: 'Vorst Leopold behandelt ons alsof we familie van hem zijn. Iedereen aan het hof. Hij is ontzettend aardig.'

Anna Magdalena ging met haar begeleidster trap op, trap af, nam een kijkje in de keuken en de stallen. Op een gegeven moment had ze zoveel gezien en gehoord dat ze niets meer kon opnemen. Ten slotte kwamen ze bij de buitenste 'artisjok'. Daar hing bij de deur een koord. De vrouw trok eraan, en er galmde een bel. Even later verscheen een andere vrouw. Ook zij was vriendelijk.

'Hier draag ik u aan deze dame over,' zei de vrouw met het schort. 'Zij is harpiste. Zij zal u wegwijs maken bij uw werk als zangeres.' En daarmee nam ze afscheid.

De harpiste had ook al niets dan lovende woorden over vorst Leopold. Ze prees hem vanwege zijn vioolspel en zijn vaardigheid op toetsinstrumenten.

'Hij zingt ook graag baspartijen. U zult vast nogal eens samen met hem musiceren.' Anna Magdalena werd nog door de belangrijkste vertrekken en zalen gevoerd en kreeg te horen hoe een normale dag in het slot verliep. En eindelijk werd ze naar haar kamer gebracht.

Die bevond zich in een huis buiten het terrein van het slot, maar er vlakbij. Hij was ruim en er was een wastafel en een grote spiegel. Alles was heerlijk schoon en het bed was fris opgemaakt. Anna Magdalena kon alle maaltijden van de vrouw des huizes krijgen. Daar zij al vaak musici had gehuisvest, was ze eraan gewend dat er op de onmogelijkste uren van de dag werd gestudeerd. Het kwam vaak voor dat haar gasten in één dag een nieuw stuk moesten instuderen en dan uitvoeren. Zelfs als de musici in het slot studeerden en oefenden, maakten ze dikwijls nog gebruik van de nachten om de moeilijke passages erin te krijgen, tot ze er bijna bij neervielen. De andere bewoners, kleine kinderen incluis, konden meegenieten, want reken maar dat het geluid door de houten wanden heen drong. Maar de gastvrouw had haar kinderen zoveel respect voor de artiesten bijgebracht, dat niemand klaagde. Voor haar gezin was het aanbieden van een onderkomen aan de kunstenaars van het slot een welkome bijverdienste.

Kortom, Anna Magdalena was heel tevreden. Wat ze alleen nog nodig had, was iemand die haar enorme harenvracht zou kunnen opmaken. Want hier aan het hof moest ze er natuurlijk wel altijd verzorgd uitzien, niet alleen tijdens optredens. In Weißenfels had haar moeder met papillotten, spelden en schuifjes de beeldigste kapsels voor haar getoverd.

Ze stapte kordaat naar haar hospita.

'Weet u iemand die mijn haar zou kunnen doen? Ik denk dat ik daar iedere morgen om een uur of zes iemand voor nodig zal hebben.' De hospita was dolblij met deze vraag. Alsof ze erop had gewacht prees ze onmiddellijk haar zuster aan, die in het slot het kapsel van veel van de adellijke dames verzorgde. Ze bezat ook zeker veertig pruiken, voor het geval juffrouw Wilke het zich wat makkelijker wilde maken. Nee, dat wilde ze niet.

Voortaan kwam de zus van de hospita iedere morgen bij Anna Magdalena, met een koffertje vol krulspelden, kammen en watertjes. En ook een zinken emmer met gloeiende kolen en ijzers. Ze doopte de ijzers kort in water, veegde ze af en wikkelde het haar eromheen. Soms had ze nog geen half uur nodig om Anna Magdalena aan een vorstelijk kapsel te helpen.

'Is juffrouw Wilke tevreden?' vroeg ze dan en hield twee spiegels omhoog. Ja, ze was tevreden. De vrouw verstond haar vak.

Voor Anna Magdalena begon nu een tijd van hard werken. Omdat er aan het hof maar één andere zangeres was, moest ze bij alle repetities aanwezig zijn. Tussendoor nam ze de muziek mee, zocht een muziekkamer, waar ook een klavecimbel stond, om de stukken van tevoren te bestuderen en het tempo en de inzetten voor haar eigen stem te vinden. Ook de andere musici studeerden voortdurend. Het ging er soms toe als in een bijenkorf.

De hofcomponist Bach eiste veel van zijn musici. Hij verlangde dat zowel oude als nieuwe stukken perfect werden uitgevoerd. Anna Magdalena kende hem nog wel van de concerten vroeger in Weißenfels. Ze was toen nog een kind geweest en hij had de musici zo fanatiek aangevoerd, alsof hij niet met een rol papier maar met een degen dirigeerde. Als er iets fout ging of niet goed klonk bij de repetities, was zijn commentaar messcherp. Zijzelf vond het een enorme eer dat Bach haar naar Köthen had laten komen en tevreden was over haar prestaties. De laatste keer dat ze hem had gezien, had hij een wat smaller gezicht gehad. Nu was alles aan hem wat weker, zachter: wangen, mond, kin, neus. Was dat zo gekomen door het verdriet om zijn vrouw?

Vorst Leopolds ongedwongen omgang met iedereen aan het hof was een voortreffelijke voedingsbodem om te experimenteren met alle vormen van kunst en verschillende stijlen te vermengen. Dat beviel hofkapelmeester Bach. Het was duidelijk dat de twee mannen goed bevriend waren. Toen Bachs vrouw was gestorven, had vorst Leopold niet alleen alle kosten voor de begrafenis op zich genomen, maar ook de familie een extra portie meel, olie en hout geschonken. Hij had het zichzelf kwalijk genomen dat Bach met hem in Karlsbad was, toen Maria Barbara stierf.

Köthen betekende voor Anna Magdalena een betrekking waarvan ze de consequenties pas op den duur zou overzien. Ze was niet meer de leerling en ook niet meer gewoon maar een zangeres. Ze had de top bereikt, en ervoer nu de daarbij vereiste inzet, maar dat was wel iets waar ze nog aan moest wennen. Het kwam voor dat ze de neiging had zich om te draaien om te zien wie daar achter haar eigenlijk werd bedoeld. Maar nee, zij was het die op iedere kritiek, op iedere opmerking moest reageren.

Ze had in haar kamer een bureautje. Daar zat ze bijna dagelijks aan. Als ze niet muziek aan het kopiëren was voor haar familie, schreef ze aan haar ouders of aan haar lievelingszusje Johanna. Ze had van Johanna ook al drie keer post ontvangen. De brieven lagen tussen twee uit hout gesneden steenuiltjes, die bedoeld waren om haar dierbare boeken tussen te zetten. Een afscheidscadeautje van haar vader.

Ach, vader, moeder, de zusjes... Anna Magdalena miste ze. Ze troostte zich door maar weer aan een brief te beginnen:

Mijn allerliefste zusje en lieve vriendin Johanna. Omdat ik vandaag het huis niet meer uit ga, heb ik alle spelden en schuifjes uit mijn haar genomen, en kan zo lekker ontspannen aan mijn dierbare zusje schrijven. Ik heb het hier enorm getroffen. Ik ben daar God iedere dag dankbaar voor. Mijn probleem wat betreft dure kleren is opgelost, want wij zangeressen krijgen van het hof ieder kwartaal stof en naaibenodigdheden. Anders dan de musici, die om er netjes uit te zien, hun oude mantels en broeken moeten laten keren. Wij vrouwen kunnen met onze stoffen ook naar de hofnaaister gaan en tegen een redelijke prijs een jurk op maat laten maken. Ik weet wel dat jij veel geld besteedt aan kleding. Mij lijkt het een goed idee om, als we elkaar weer eens zien, onze kleren te ruilen. Ik bezit nu een heel bijzondere jurk, die uit drie delen bestaat (rok, lijfje, blouse) waarin jij in Zerbst zeker ook succes zou hebben. Onze hofnaaister is heel goed in het benutten van restjes stof, enerzijds doordat ze gewend is voor de komedianten hier allerlei speciale kleding te naaien of te vermaken, anderzijds omdat vorst Leopold van zijn reizen afbeeldingen van de mode in andere landen meebrengt. Ik heb zo'n idee dat onze vorst net zo graag in de kleermakerij het passen van kleren bijwoont als onze uitvoeringen. Hij heeft er veel verstand van en is er dol op.

Hoewel de zwaluwen nog niet zijn teruggekeerd, laat hij al een paviljoen bouwen, waar hij meerdere architecten voor heeft ingehuurd, omdat hij de akoestiek belangrijk vindt. Ik denk dat de raad van onze hofkapelmeester daartoe nuttiger is dan die van twintig architecten. De heer Bach heeft echt veel verstand van hoe muziek klinkt, in wat voor ruimte ook.

Ik leer de musici steeds beter kennen. We zijn met maar twee zangeressen hier, een alt en ik. Ik ben 's winters dan ook weleens bezorgd over mijn stem, want iedereen is weleens ziek of heeft weleens last van een vervelende hoest. De heer Bach is tevreden over mijn sopraan, en ik heb ook al met veel plezier met vorst Leopold mogen musiceren. Hij heeft een voortreffelijke bas. Toch heb ik al weleens gevraagd of er een mogelijkheid is dat ik mijn stem verder ontwikkel.

Meneer Bach is bepaald veeleisend. Hij staat erop dat alles altijd perfect is. Maar jij hebt toch ook meegemaakt, hoe onze lerares met ons oefende en ze ons lichaam kende, alsof we van glas waren. Díé kunst beheerst de kapelmeester niet.

Vandaag ben ik al voor de derde maal sinds ik in Köthen ben, peettante geworden. Een onverdiende eer. Maar ik leid eruit af dat de mensen hier vertrouwen in me hebben. Ik vraag Gods hulp om mijn taak als peettante goed te volbrengen.

Ik hoop spoedig bericht uit Zerbst te krijgen. Groet je lieve man van me, ik omhels je in gedachten, voor altijd:

je jou liefhebbende zusje Anna Magdalena Wilke

Het huis van haar hospita lag als gezegd niet ver van het slot. Ze kon zich voor de concerten dan ook alvast thuis omkleden. Ze hoefde dan alleen haar rok op te schorten om naar het slot te gaan. Anna Magdalena liep graag langs de slotgracht waar de zwanen, omdat ze gevoederd werden, overwinterden. Ze hield dan de pas in, ook als ze een beetje haast had, en dan was ze pas tevreden als ze ze alle zes had gezien. Zo soepel en probleemloos als de zwanen over het water gleden, zo wilde zij ook haar diensten bieden aan het hof.

Wat later, als ze pauze hadden, kon ze vanuit een van de bovenramen de zwanen ook zien. Twee paren waren al een nest aan het bouwen. Binnenkort zou het warmer worden en dan zouden ze 's middags in het paviljoen musiceren. Wat was het toch prettig allemaal. Over ongeveer een week zouden ook de nieuwe stoffen komen. Ze zou dan een lichte stof kiezen. Ze hoopte dat er iets in lindengroen bij zou zijn. De naaister kon dan misschien in het bovenstuk met brokaatgaren allerlei geraffineerde patronen stikken...

Ook in Köthen was iemand bij wie ze altijd terecht kon. Dat was de moeder van de vorst, Gisela Agnes. Deze dame verstond de kunst om haar lutherse geloof en haar rijkdom zo in te zetten dat nog lang na haar dood in de door haar opgerichte school onderwijs werd gegeven. Ze stichtte bovendien een weeshuis, dat al spoedig ook een opleidingsinstituut voor leraren werd. Niet alleen kregen de kinderen er te eten en hadden ze een dak boven het hoofd, ze kregen bovendien een praktische opleiding. Met name meisjes en jonge vrouwen waren aangewezen op instellingen zoals deze van Agnes. Ze gaf aan hun opleiding evenveel uit als aan die van de jongens. De wezen mochten zelfs boeken uit haar bibliotheek lenen. Kosteloos. Ze moesten alleen beloven er zorgvuldig mee om te gaan. Anna Magdalena maakte er geregeld gebruik van. Altijd lag er wel een exemplaar in hout of leer gebonden op haar tafel, en zo bracht ze de lange winteravonden heel plezierig door.

Gisela Agnes had een bijgebouw van het slot zo ingericht dat daarin twaalf vrouwen konden wonen. Ze waren allemaal van adellijke komaf, en ofwel altijd alleenstaand geweest of weduwe geworden. Ze waren de moeder van de vorst uitermate dankbaar voor haar sociale en financiële steun.

Maar toch, al wat goede kanten heeft, heeft meestal ook een schaduwzijde. Gisela Agnes probeerde voortdurend haar zoon Leopold te betuttelen, te meer omdat hij een zwakke gezondheid had. Maar hij was evangelisch-gereformeerd en wenste een vrij leven te leiden en open te staan voor nieuwe ideeën.

Hij reisde veel en vaak, ongetwijfeld ook om op die manier aan de bemoeizucht van zijn moeder te ontkomen. Hij wilde graag zoveel mogelijk van de wereld zien en beleven. Wie weet hoeveel tijd hem nog vergund was. Op zijn reizen maakte hij kennis met allerlei geloofsovertuigingen. En wat muziek betreft: hij was dol op vrolijke stukken, maar ook hield hij van plechtige cantates. Trouwens, alle muziek was voor hem een bewijs van de grootheid van God.

Bach, die in Köthen niet voor de kerk- en orgelmuziek verantwoordelijk was, schreef hier veel schitterende orkestwerken. Vorst Leopold was nog opgetogener over het concert dat aan de markgraaf van Brandenburg was opgedragen, dan de markgraaf zelf. Dat kwam doordat de vorst zulke uitstekende musici had.

Bach had zich bij zijn composities laten inspireren door de Italianen, maar hij overtrof ze nog in kleurrijke klank. Blokfluiten, hoorns, schalmei-achtige hobo's, trompetten, de fluwelen toon van de altviool en de rustige gamba's. Zij gaven zijn muziek dat speciale karakter, en met de dwarsfluit liet hij ook nog eens een leeuwerik boven de muziek fladderen. Zo kwam het Anna Magdalena in elk geval voor.

Bach componeerde ook tafelmuziek. De ene na de andere compositie. Terwijl hij nog bezig was met de repetities voor de uitvoering van het ene stuk, improviseerde en componeerde hij alweer een andere melodie. Viool, altviool, hobo, en daarbij de troostrijke tekst van een dichter: '*Weichet nur, betrübte Schatten.*' 'Verdwijn nu, trieste schaduw.' Niet alleen Anna Magdalena met haar mooie stem, ook de andere musici, of het nu blazers waren of toetsenisten, strijkers of slagwerkers, voor allen was de hofkapelmeester een bron van inspiratie, die het kunstenaarschap van zijn musici tot grote hoogte bracht.

De mannen spraken er openlijk over: ze vonden dat de vorst maar eens moest trouwen. Het voorjaar was in aantocht. En dat maakte ieder die alleen was onrustig. De zwanen bleven trouw aan hun vroegere metgezel en toonden met gratie hun saamhorigheid. Andere diersoorten vochten nog om een partner en een territorium.

'Voor de zekerheid,' zei Bach, 'voor de zekerheid en omdat het altijd van pas kan komen, studeren we bruiloftscantates in.' Hij zweeg even en voegde er toen met een ondeugende blik naar de vorst aan toe: 'Wie weet wat dit jaar ons gaat brengen.'

Anna Magdalena zong de aria's die voor festiviteiten en als gelukwens voor een bruiloftsfeest waren bedoeld. Maar tegelijk verwoordde ze daarmee ook het nieuwe verlangen van Bach zelf:

Wenn die Frühlingslüfte streichen	Als het lentebriesje wervelt,
und durch bunte Fluren wehn,	speurt naar bloemen in het veld,
pflegt auch Amor auszuschleichen	wil ook Amor weten hoe het
um nach seinem zu sehn,	met zíjn streven is gesteld.
welcher, glaubt man, dieser ist,	En dat is, geloof 't gerust,
dass ein Herz das andere küsst...	dat een hart een ander kust.

Anna Magdalena zag, ook als ze geconcentreerd zong, haar nieuwe groene jurk al voor zich.

Hier quellen die Wellen,	Hier zwellen de golven,
hier lachen und wachen	hier waaien en zwaaien
die siegenden Palmen	de juichende palmen
auf Lippen und Brust.	op lippen en borst.

En ze dacht aan haar zusjes, haar broer, die een partner hadden gevonden en ze wenste van ganser harte:

Sehet in Zufriedenheit	Zie toch in tevredenheid
tausend helle Wohlfahrts tage,	al uw wonderschone dagen.
daß bald in der Folgezeit	Dat uw liefde in de toekomst
eure Liebe Blumen trage.	vele bloemen moge dragen.

Anna Magdalena bewonderde Bach, omdat hij de kunst verstond de musici en zangers tot één geheel te smeden. Voor hem was muziek dat wat het leven de moeite waard maakte, en hij werkte dag en nacht als een goudsmid, die smelt, vijlt, politoert en zelfs in zijn dromen inspiratie opdoet. Het was niet altijd eenvoudig de gedachtegang van Bach te volgen, want voor hem was alles glashelder. Wie nieuw in het orkest kwam of wie privéleerling van hem werd, had het zwaar te verduren. Hij spaarde niemand, hij eiste volledige inzet en iedere leerling kon als hij wou en als hij volhield onder zijn leiding beter worden.

Maar een dichter was hij niet. Al klonken de strijkinstrumenten, de klavecimbel en de fluiten in de serenade voor Leopold nog zo mooi, ook al zongen Anna Magdalena en de bas nog zo perfect en met volle stem, en al ging de tekst dan wel over het bedoelde onderwerp, aan rijm en ritme werden veel te veel offers gebracht:

Durchlauchtester Leopold,	O Leopold, doorluchtige,
es singet Anhalts Welt	Anhalts wereld zingt tot u
von neuem mit'.	uit volle borst, in vreugde.
Dein Köthen sich dir stellt,	Köthen staat gereed voor u
um sich für dir zu biegen,	en buigt zich voor uw deugden,
durchlauchtester Leopold!	O Leopold, doorluchtige!

Bach had, naast zijn werkzaamheden aan het hof, ook altijd nog leerlingen, want daarmee kon hij zijn inkomen aanvullen. Anna Magdalena kwam erachter dat hij voor zijn zoons eenvoudige stukken had gecomponeerd, zodat zij konden leren spelen. Zelf had ze dolgraag weer klavichordles gehad, om zich verder te bekwamen, maar dat had ze nooit tegen meneer Bach gezegd, want hij was onverbiddelijk wat perfectie aangaat. Als hij een leerling aannam, moest deze eerst een paar maanden lang niets anders doen dan met beide handen een mooie, lichte aanslag zien te bereiken. Als zo'n leerling in die maanden zijn geduld verloor, dan schreef Bach kleine stukjes die verband hielden met de oefeningen. Maar zelfs deze etudetjes waren zo voortreffelijk gecomponeerd, dat het op zichzelf al kunstwerkjes waren. Nieuwe stukken speelde hij gewoonlijk eerst voor, en dan zei hij: 'Zo moet het klinken.'

'Zo moet het klinken!' Anna Magdalena hoorde het zinnetje al, als ze de kapelmeester van verre zag aankomen. Maar een troost was, dat hij haar alleen kon voor*spelen* hoe ze het moest zingen. Zingen kon zij het alleen.

* * *

Het was voor Anna Magdalena een grote opluchting toen aan het hof van Köthen nog twee zangeressen werden aangenomen. Het waren zusjes en het was leuk om met ze te zingen. Maar dat niet alleen. Nu zij niet meer de enige sopraan was, kon ze eindelijk weer eens naar Weißenfels en Zerbst gaan.

Johanna en haar man hadden het naar hun zin in Zerbst. Ze hadden een woning die het hof hun voor weinig geld ter beschikking stelde. De zusjes hadden elkaar zoveel te vertellen, dat ze al begonnen voordat Anna Magdalena haar pelerine had afgedaan.

'Weet je Johanna, als ik die twee nieuwe zangeressen zie, hoeveel plezier ze met elkaar hebben, en zich toch ook helemaal aan de muziek wijden, dan vraag ik me weleens af: waarom hebben wij dat niet ook zo gedaan? Gewoon bij elkaar blijven.' Maar eigenlijk wisten ze allebei dat het goed was zoals het was. De ene leefde met haar man, en de andere had de beste kans die ze kon krijgen aangegrepen.

'Laat me nu eindelijk eens de kleren zien die je in Köthen draagt.' Johanna kon haast niet wachten. Ze was bloednieuwsgierig.

'Even geduld. Mag ik alsjeblieft eerst mijn overschoenen uitdoen?'

'Natuurlijk. Wacht, ik haal wat te drinken voor je, en een voetenbankje.' Ze gingen zitten, allebei met hun benen omhoog, en dronken kamillethee.

'Hoe is vorst Leopold?' vroeg Johanna. 'Ik heb hem nog nooit gezien.' Anna Magdalena vroeg zich af wat haar zusje van hem zou willen weten. Ze vertelde over zijn liefde voor muziek en in het algemeen voor kunst, dat hij de vertrekken met kostbaar damast liet bekleden... dat hij ziekelijk was en daarom een paar keer per jaar naar Karlsbad moest.

'En hoe ziet hij eruit?' vroeg haar zusje samenzweerderig.

Anna Magdalena had best door dat Johanna wilde weten of ze een oogje op de vorst had. Ze koos haar woorden dus zorgvuldig: 'Hij lijkt op een grote hermelijn, want je ziet hem nooit zonder zijn cape. Zijn haar is dun, en hij draagt het als een fazant. Hij zorgt ervoor dat hij de wind altijd recht van voren heeft, zodat het geen warboel wordt. Hij heeft trouwe honden-ogen, en zijn wenkbrauwen...' Zo babbelden ze er net als vroeger lustig op los.

'Genoeg gerust,' zei Anna Magdalena. 'We gaan mijn bagage bekijken.'

Ze zeulden de twee koffers naar de bovenetage. Daar waren drie slaapkamers, althans zo was het toen Anna Magdalena hier de laatste keer was geweest. In de grootste kamer stond nu geen bed meer. In plaats daarvan was langs de muren een stang aangebracht waar kleren aan hingen, rokken, blouses, jasjes. En op een plank lagen allemaal hoeden.

'Zo! Jullie hebben een aparte kleedkamer ingericht. Als in een herenhuis!'

'Deze kamer was bedoeld als kinderkamer, maar ik heb er nu mijn lievelingskleren hangen,' biechtte Johanna een beetje gegeneerd, maar ook wel trots op.

'Echt zijden bloesjes!' riep Anna Magdalena. 'Zijn die niet... zijn die überhaupt betaalbaar?'

'Och, de ene is al betaald en de andere heb ik op rekening laten maken.'

'Laat je kleren op rekening maken? Maak je schulden, Johanna?'

'Ach, schulden. Maakt niet uit. Over twee maanden heb ik ze afbetaald.' Daarna liet Johanna haar zusje de nieuwe praktische hoedenmode zien. En het patroon van nog een heel chique jurk, waarvan Anna Magdalena wel begreep dat ook die op afbetaling werd gemaakt.

Welja, en Johanna bezat toch al zoveel meer kleren dan andere zangeressen. En pas over twee maanden zou Johanna de zijden blouses hebben afbetaald. Anna Magdalena's plezier in haar eigen groene jurk was behoorlijk geslonken. Niet omdat ze hem nu minder mooi vond, maar ze had haar zusje een plezier willen doen, hem een week of drie aan haar willen uitlenen.

Daarna zou Johanna hem goed verpakt weer met de postkoets kunnen meegeven.

Gelukkig beviel de jurk Johanna wel heel goed. Ze trok hem aan en stond erop dat Anna Magdalena nu een van haar jurken aanpaste.

De tijd vloog om. Ze hadden helemaal niet gemerkt dat Johanna's man was thuisgekomen.

'Voor het geval jullie zo dadelijk niet meer uit al die ruches en bandjes tevoorschijn weten te komen, wil ik wel graag mijn kleine schoonzusje begroeten.'

Zwager en schoonzus omhelsden elkaar hartelijk. 'Ik mag wel uitkijken, met die vrouwen die zich alsmaar verkleden. Straks ga ik er met de verkeerde vandoor. Niet dat ik daar een probleem mee zou hebben.'

'Och, ik hou ook wel van een verzetje,' pareerde Anna Magdalena.

Vader Wilke liet zich niet het plezier ontnemen de volgende dag ook naar Zerbst te reizen om net als vroeger met zijn beide dochters op te treden. Ze waren op elkaar ingespeeld en het kostte ze dan ook geen moeite ook nieuwe stukken ten gehore te brengen. Toen vader aan Anna Magdalena haar deel van de vergoeding wilde afdragen, zei ze: 'Doe maar niet. Gebruik het maar voor Katharina's kinderen. Jullie hebben het moeilijker dan ik.' Hij sputterde niet tegen. Zelf zou hij het ook zo hebben gedaan.

Wilke was blij dat zijn dochter het zo goed maakte. Hij vroeg naar vorst Leopold en wilde weten hoe het met de hofkapelmeester ging. Hij had hem vaak ontmoet en kende hem goed. Maar Anna Magdalena wist weinig van Bachs privéleven. Ze was lyrisch over zijn composities en vertelde haar vader dat iedereen het een eer vond met hem te mogen musiceren. 'Hij is altijd aardig tegen me, en hij is tevreden over mijn zingen... maar wat weet jij van hem?'

'Nou ja, vroeger was hij nogal een vechtjas,' begon vader, 'en het schijnt dat hij dat nog wel is als je hem ergert. De muziek zit niet alleen in zijn hoofd, zijn persoonlijke geloof en zijn hele leven is ervan doordrongen. Zoals Luther tweehonderd jaar geleden met zijn theologische opvattingen een nieuwe weg insloeg. Bach wordt daar nogal eens door mensen op aangesproken. Ze willen hem hebben en dan toch weer niet. Wie erg vroom is vindt hem te werelds en te losbandig, terwijl de heren aan de hoven zijn muziek juist te vroom vinden. Daar hoor je hoe langer hoe meer opera's en dansmuziek.' Wilke keek eens naar zijn dochter en zei terloops: 'Hij moet nodig weer een vrouw hebben. Hoognodig. Het zou me niet verbazen als hij binnenkort om de hand van mijn jongste komt vragen.'

Anna Magdalena wist niet wat ze hoorde. Hoe kwam haar vader erbij? Ze was blij dat hij haar verblufte gezicht niet zag. Of zij voor de kapelmeester víel, wou hij warempel nog weten. Nee, bepaald niet. Voor andere musici wel, o ja. Voor sommigen van hen was haar hart wel heftig tekeergegaan. Die zangers met hun diepe warme stemmen. Van hen droomde ze af en toe, al sprak ze daar met niemand over. Maar van Bach? Nee zeg, van hem had ze nog nooit gedroomd. Hij was gewoon de dirigent, en ze deed haar werk zoals iedereen. Ze vond het ontzettend fijn dat ze aan het hof mocht zingen.

Anna Magdalena was wel met haar vader eens dat Bach een achtenswaardig mens en hij moest beslist opnieuw trouwen. En zijn nieuwe vrouw moest hij met zorg uitkiezen. Maria Barbara, zijn overleden vrouw, was zijn nichtje en ze was zijn jeugdliefde geweest. Ze was heel muzikaal geweest, had haar man gesteund en de kinderen met muziek grootgebracht. Net als bij Anna Magdalena zelf thuis was het centrum van het huis de muziekkamer geweest. Waarom trouwde Bach eigenlijk niet met de zuster van zijn vrouw? Ze was er toch vanaf het begin bij geweest en nu zorgde zij voor de kinderen. Was ze hem te oud? Of was het omdat ze niet kon zingen en ook niet klavichord kon spelen? Ze had medelijden met Friedelena. Die had de hoop waarschijnlijk opgegeven.

Het gesprek met haar vader had tot gevolg dat Anna Magdalena niet meer echt op haar gemak was als ze de kapelmeester zag. Zo erg zelfs dat ze niet wat langer naar zijn handen kon kijken zonder een kleur te krijgen. Hij zou dan misschien in haar ogen hebben gelezen dat ze als ze alleen was zich voorstelde hoe het zou zijn als ze zijn vrouw was. Zijn handen waren voor haar altijd als vogels geweest. Vogels die dan weer fladderen, dan weer stil zitten. Soms brak hij bij het dirigeren een maat zo abrupt af, dat iedereen direct stil werd. De strijkers legden onmiddellijk braaf hun handen op de snaren, opdat de toon die de kapelmeester zo ergerde niet nog doorklonk. Het leek wel alsof Bach er zijn specialiteit van maakte zijn muzikanten bij de geringste wanklank aan het schrikken te maken. Zijn manier van doen was eigenlijk net als van een roofvogel die zich op een prooi stort. De roofvogel duikt en onmiddellijk is alles doodstil. In Bachs handen vibreerde de muziek zoals de lucht in de vleugels van de roofvogel. Zodra hij ze bewoog klonk voor Anna Magdalena muziek.

Ze was verbaasd over zichzelf, want als haar vader niets had gezegd over dat trouwen van de kapelmeester zou ze zich nooit maar dan ook nooit hebben voorgesteld hoe het zou zijn als ze een uur alleen met hem zou doorbrengen, laat staan een slaapkamer, ja zelfs haar hele leven met hem zou delen.

Voordat Anna Magdalena in de dagen die volgden alle gedachten op een rij kon krijgen, vroeg Bach haar na de repetitie nog even te blijven om iets te bespreken. Ze nam voor zichzelf de zojuist gezongen aria door. Wat was er niet goed geweest? Wat had beter gekund? Bach zei dat hij alleen met haar wou spreken. Hij wilde haar niet compromitteren en stelde daarom voor naar de lege muziekkamer te gaan.

'Ik kan me geen situatie voorstellen, waarbij het oneerbaar zou zijn om met meneer kapelmeester te spreken,' antwoordde Anna Magdalena. 'Waarom zou u wel met muzikanten alleen kunnen zijn en niet met zangeressen?'

'Omdat ook de allerbeste muzikant me niet zou kunnen bewegen waartoe u mij beweegt.'

Ineens begreep Anna Magdalena wat hij bedoelde. En tegelijk schoot haar te binnen dat Bach een paar dagen geleden door Weißenfels was gekomen. Hij was met een paar musici aan het hof van graaf Heinrich XI in Schleiz geweest. Wie weet had hij op de terugweg met haar vader gesproken. Zo was het natuurlijk gegaan. Hij was door Weißenfels gekomen en had haar ouders opgezocht. Had Bach daar om haar hand gevraagd? Hadden de twee mannen over haar gesproken? En dat wat voor haar vader zo vanzelfsprekend was, moest zij nu even in een paar minuten beslissen? Het duizelde Anna Magdalena. Maar toen ze Bach aankeek, zag ze dat ook hij moeite had de juiste woorden te vinden. Eigenlijk wilde ze zelf iets zeggen, maar ze wachtte af.

Na een lange stilte zei hij: 'Mijn broer heeft ook zijn vrouw verloren. Zoals ik mijn geliefde Barbara. En zoals het hem is vergaan, is het nu ook met mij. We konden ons geen van beiden een andere vrouw aan onze zijde voorstellen. Een lieve vriendin en een moeder voor de kinderen. Toch heeft hij nu met dezelfde hartstocht een andere vrouw zijn jawoord gegeven...'

Daar heb je het al, dacht Anna Magdalena, je zult zien dat mij niets wordt gevraagd. Maar ze had het mis.

'Ik zou graag willen dat u... mijn gezin leert kennen en dat u dan wilt overwegen of u... ja, of u mijn vrouw zou willen worden. Ik zou het echter wel heel fijn vinden als u hier kon blijven zingen. Mag ik over twee weken een antwoord van u verwachten? Dan kom ik namelijk weer in Weißenfels en dan zou ik mijn opwachting bij uw vader kunnen maken.'

Anna Magdalena was totaal overrompeld. In haar hoofd tuimelden de gedachten en gevoelens door elkaar. Ze moest dus de komende twee weken Bachs familie leren kennen, en dan een beslissing nemen. Kennelijk had hij al tegen zijn schoonzuster en kinderen gezegd dat de zangeres juffrouw Wilke de komende dagen zo vaak ze wou gast mocht zijn in zijn huis. Anna Magdalena dankte Bach voor zijn 'vriendelijke woorden', iets anders kon ze absoluut niet zo gauw bedenken. Het liefst had ze onmiddellijk ja gezegd, alleen maar omdat ze de kapelmeester nog nooit zo onzeker had meegemaakt.

De juiste zin viel haar zowaar net op tijd in: 'Als de twee weken voorbij zijn, zal ik u niet op een antwoord laten wachten.' Bach was kennelijk heel blij met dit antwoord. En het klonk als een eerste belofte, toen hij zei: 'Er zal geen dag voorbijgaan dat ik God niet vraag mijn hartewens in vervulling te doen gaan en mij u als echtgenote te geven.'

* * *

Meteen de volgende dag, na de ergste middaghitte, ging Anna Magdalena op weg naar het huis van de familie Bach. Ze had haar gewone kleren aan, zoals ze droeg als ze thuis was. Op de rok hadden de kinderen van haar zuster al gezeten en in de blouse met de vele ruches verstopten haar neefjes graag hun gezicht.

'Kom binnen,' zei Friedelena vriendelijk. 'We verwachtten je al.' Anna Magdalena stelde zich aan alle vier de kinderen voor, hoewel ze toch geen onbekende voor hen was. Zoals ze dat gewend was, begroette ze eerst de jongste en vervolgens op rij de anderen. Bernhard was zes, Emanuel een jaar ouder, Friedemann was elf, Dorothea dertien.

Van de kinderen vond Dorothea het het fijnst dat Anna Magdalena Wilke op bezoek kwam. Vader had gezegd dat ze wel vaker langs zou komen, om het gezin Bach te leren kennen. Het meisje hoopte dat ze ook met haar zou kunnen zingen, want tante Friedelena kon totaal geen wijs houden. Sinds moeder was gestorven leek het wel of alleen vader en Friedemann beslisten wat er gespeeld en gegeten werd en waarover werd gesproken. Ze keek gefascineerd naar Anna Magdalena's lange kastanjebruine haar. Zelfs nu ze met spelden en linten op haar achterhoofd waren vastgezet, kon je wel raden dat ze tot op haar heupen reikten.

Dorothea werd niet teleurgesteld. Al direct de volgende dag

nam Anna Magdalena Bachs dochter bij de hand en liep met haar naar het slot. Ze gingen naar de kleine zaal zodat ze een repetitie van de toneelspelers konden bijwonen. Friedemann was ook uitgenodigd, maar hij had voor de eer bedankt. Hij had gedaan alsof hij geen belangstelling had. Hij nam werkelijk iedere gelegenheid te baat om de nieuwe moeder in huis te dwarsbomen, en gedroeg zich soms onmogelijk. Maar Anna Magdalena had heus wel gezien hoe jaloers en verlangend hij naar zijn zusje had gekeken toen ze het huis verlieten. Dorothea probeerde Friedemann te verontschuldigen. Ze vertelde Anna Magdalena dat haar broer tegenwoordig tegen ieder vrouw zo lelijk deed. Maar eigenlijk was hij heel aardig. 'Nou ja, alleen als we met z'n tweeën zijn. Dan helpt hij me en als ik verdrietig ben, troost hij me. Zodra er anderen bij zijn is hij helemaal anders. Maar je moet me beloven... dit blijft tussen ons, hè?'

Anna Magdalena stelde haar gerust. 'Dorothea, maak je geen zorgen, ik vertel dit aan niemand. Dank je wel dat je mij in vertrouwen hebt genomen. Nu weet ik dat Friedemann ook een plekje heeft waar hij nog de jongen kan zijn die hij wat zijn leeftijd betreft eigenlijk is.'

'Ja, Friedemann vertelt mij ook waarover hij ongelukkig is, en dan probeer ik hem te troosten,' zei het meisje.

Zou hij het gevoel hebben dat ik hem zijn liefste en enige zusje afhandig wil maken? vroeg Anna Magdalena zich af.

Na de repetitie van de toneelgroep liet ze het meisje nog de schilderijen en de orangerie van het slot zien. Samen met Dorothea had ze plezier in alle nieuwe dingen die het meisje ontdekte. Haar vader had de jongens al wel vaker meegenomen naar het slot, maar dat zijn dochter dat ook wel zou willen, was niet bij hem opgekomen.

'Jullie zijn veel te laat voor het avondeten,' mopperde Friedemann toen ze thuiskwamen. 'Vader heeft een hekel aan laatkomers en aan beuzelarij.' De jongen blies de kwestie zo op dat Friedelena zich schaamde.

'O,' zei Anna Magdalena, 'dan zullen we volgende keer beter

op de tijd letten.' Ze zei het heel ontspannen. Ook al omdat ze wist dat meneer Bach helemaal niet thuis was. Het commentaar van de jongen baarde haar trouwens totaal geen zorgen.

Anna Magdalena kon er niet achter komen hoe Friedelena over haar dacht, maar wel viel haar op dat deze vrouw een wandelend geschiedenisboek was. Alle belangrijke en onbelangrijke dingen die zich in de familie en ook daarbuiten hadden voorgedaan, zaten stevig in haar hoofd. Ze kon het niet laten om voor wie ze maar horen wilde, uit haar voorraad anekdoten te putten.

'Iedereen noemt me Friedelena. Zeg jij dat ook maar,' zei ze tegen Anna Magdalena. 'Meneer Bach en ik hebben dezelfde grootvader. Dat was ook de grootvader van mijn lieve zuster, Maria Barbara, God hebbe haar ziel.'

'Maar tante Friedelena, dat weet juffrouw Wilke toch! Zusjes hebben toch altijd dezelfde grootvader.' Dorothea hield haar tante altijd een beetje in toom bij haar eindeloze verhalen.

'Toen ik nog een kind was, toen ik nog jullie leeftijd had, zoals jij Emanuel en jij Bernhard, toen waren we nog niet zo eigenwijs als tegenwoordig. We gedroegen ons zoals God ons had geschapen: bescheiden en fatsoenlijk. Pas toen ik een jong meisje was, begonnen de mensen aan het hof en ook de burgers overdreven en deftige taal te gebruiken, maar wat stelt het nou eigenlijk voor? Elk gesprek, elke brief, alles, kunst, godsdienst, 't is allemaal zo opgeblazen tegenwoordig. Mannen? Het zijn net baltsende hanen. Ze lopen rond met krullen en pruiken, en ze dragen een soort staatsiekleding met afstaande panden, boorden, tressen, wijde mouwen en enorme kleppen op hun zakken. De schoenen moeten tegenwoordig zilveren gespen hebben, en mijn hemel, als een man geen driekante steek heeft en geen degen...'

Friedelena hapte naar lucht en Friedemann maakte van de pauze gebruik door zijn oude tante eraan te herinneren dat er toch zeker ook hartstocht in het leven moest zijn: 'De mens heeft pathos nodig, tantetje,' zei hij. En voordat Friedelena daarop kon ingaan, zei Dorothea: 'Hebt u niet zelf onder de ruches van vaders blouses een extra strook kant genaaid, zodat hij er nóg eleganter zou uitzien? En heb ik u daarbij niet goed geholpen?'

'Nou ja, het is tegenwoordig gebruikelijk. Dan moet het maar,' verdedigde Friedelena zich. 'Ik wou alleen maar zeggen dat het vroeger anders was.'

'Tsja, toen waren de zeden nog anders,' zei Friedemann, alsof hij minstens tachtig was.

'Waag het niet kwaad te spreken van je voorouders!' Friedelena sloeg hard met haar vuist op tafel. Anna Magdalena schrok ervan. 'Mijn voorouders moesten net zo goed op de vijfentwintig reglementen van het *Instrumental-musikalisches Kollegium* zweren om te worden erkend als professionele fluitist,' zei Friedelena koppig.

'Wat heeft dat er nou mee te maken,' zei Friedemann.

Anna Magdalena zei: 'Ook mijn voorouders en ook nog mijn vader moesten een dergelijke eed afleggen.'

'Als ze van nature fatsoenlijke mensen waren geweest, hadden ze helemaal niet hoeven zweren!' beet Friedemann van zich af. 'Wij zijn namelijk van nature losbollen. Het zit ons in het bloed. Dat moet iedereen weten die bij de familie Bach op bezoek komt.'

Anna Magdalena vond dit gekissebis eerder grappig dan dat ze zich erdoor van de wijs liet brengen.

Friedelena, die al net zoveel hield van sterke verhalen als van de nog niet zo lang geleden ontdekte koffie, mocht dus graag de oude gebruiken in herinnering brengen: 'Jazeker, ze moesten zweren dat ze geen oneerlijke instrumenten, zoals doedelzakken, draaiorgels of triangels zouden bespelen, zoals bedelaars dat doen voor aalmoezen. Want daarmee wordt het aanzien van kunst geschaad, vond men. Je moest je ook niet laten verleiden obscene, onkuise liedjes te zingen, omdat God daarover vertoornd zou zijn, en eerbare burgers zich zouden ergeren...'

'Ik vind die regels heel goed, prima,' zei Anna Magdalena. 'Zo scheid je het kaf van het koren. En zo wordt het beroep van muzikant niet met godslastering en liederlijkheid over één kam geschoren.' Anna Magdalena keek Friedemann aan. 'Ik dank God dat ik zingen kan en mag en ik zing voor hem.'

De jongen liep naar het klavichord, nam zijn muziekboekje, liet het aan Anna Magdalena zien en zei: 'Dat zegt mijn geëerde vader ook. Kijk maar wat hij altijd onder zijn stukken schrijft.' Ze las: 'Soli deo gloria,' en ze voelde tranen in haar ogen. 'Slechts ter ere van God.' Haar ouders hadden zoiets nooit opgeschreven. Maar meneer Bach deed het.

'Friedemann, zou je iets voor me willen spelen?' vroeg Anna Magdalena aarzelend.

'Laten mijn broers dan eerst ook horen wat ze kunnen?' wilde Friedemann weten. En toen speelde de kleine Bernhard foutloos een liedje voor. Anna Magdalena stond ervan te kijken. Toen Emanuel aan de beurt was, had ze zich al ingesteld op een geweldige prestatie, en ze werd niet teleurgesteld. Terwijl Emanuel speelde, zag Anna Magdalena van opzij tot haar blijdschap dat Dorothea onopvallend haar arm om Friedemanns schouder had gelegd en dat hij zich dat liet aanleunen.

'Nu jij,' zei Emanuel en hij wees naar Friedemann. Anna Magdalena had na het spelen van de jongetjes geklapt.

'Goed, maar ik wil hier thuis geen applaus,' zei Friedemann voordat hij begon. Hij speelde drie korte stukjes, die zijn vader speciaal voor hem had gecomponeerd. Anna Magdalena was onder de indruk van de inzet en de nauwgezetheid. Maar hoe had het ook anders kunnen zijn met een vader en leraar die precies wist hoe het moest klinken.

'Soli deo gloria,' zei Anna Magdalena tegen Friedemann, toen hij klaar was. En dat was voor hem een nog verrassender compliment dan welke bijval ook had kunnen zijn.

Wat Anna Magdalena zo ontroerend vond in Bach, dat begreep Friedelena niet goed. Hoe had ze anders zo bitter kunnen opmerken: 'Ik begrijp niet dat mijn zwager, ondanks de rouw om mijn liefste zuster, zijn vrouw, nog altijd zulke mooie muziek kan componeren.' Ze had misprijzend het hoofd geschud. 'En waarom twijfelt hij niet aan Gods goedheid, nu hij ons zo hard treft?' Bij die gelegenheid maakte Anna Magdalena een van Friedelena's plotselinge huilbuien mee. Ze schokte en jammerde zo dat de kinderen haar moesten troosten en ondersteunen en ten slotte zelf ook hartstochtelijk meehuilden.

Anna Magdalena stond er machteloos bij. Pas jaren later begreep ze hoe weldadig het labiele gestel van Friedelena voor de kinderen moest zijn geweest. Ze maakte dat ieder zijn tranen kon laten lopen. Maar die eerste keer probeerde Anna Magdalena het gedrag van Bach te verklaren: 'Je doet je zwager onrecht, als je denkt dat hij moet twijfelen en klagen. Zijn twijfel heeft de muziek nodig als antwoord en troost. En als hij niet aan God twijfelt, dan komt dat alleen doordat hij met al zijn problemen bij Hem terecht kan en vertrouwen in Hem heeft. Zie je niet dat dit nou juist echte kunst is? Ook anderen die geen steun meer vinden in hun geloof, kunnen als ze zijn muziek horen, herstellen en weer vertrouwen in de toekomst krijgen. Friedelena, begrijp het toch, dat het juist zijn geloof en zijn genialiteit is, die anderen tot God brengt.'

Het liefst had ze Friedelena door elkaar geschud, omdat ze haar zwager zo ten onrechte een koud hart toeschreef. Pas toen Anna Magdalena zei: 'Had je dan liever gehad dat hij van ellende nooit meer een orgel had aangeraakt en dat hij zich iedere avond in de kroeg een gat in zijn kraag had gedronken?' kreeg ze vat op Friedelena.

'Nee, nee,' mompelde die.

'Vergeet niet dat meneer Bach, om jullie allemaal te onderhouden, niet voortdurend met zijn gevoelens te koop kan lopen. Misschien begrijpen jullie dat beter?

Friedelena accepteerde aarzelend wat Anna Magdalena zo vanzelfsprekend vond. En daarna vertelde ze haar hoe zij zelf als onbemiddelde wees ervoor had gestaan. Bach had niet alleen haar zuster Maria Barbara gehuwd en in haar levensonderhoud voorzien, maar ook haarzelf, Friedelena, in zijn huishouden opgenomen.

'Toen Barbara en Sebastian in Dornheim in de echt verbonden werden, waren ook mijn eigen zorgen over mijn toekomst voorbij. Hij had Barbara namelijk beloofd mij als zijn eigen zuster te beschouwen. Toch kan ik het Sebastian nog altijd niet vergeven dat hij noch bij haar dood, noch bij haar begrafenis aanwezig was.'

'Maar daar zit hij zelf toch ook mee, en hij heeft er beslist verdriet van dat hij niet samen met jullie allen afscheid van haar heeft kunnen nemen,' troostte Anna Magdalena de verbitterde vrouw. 'Het is met rouw iets heel merkwaardigs. Mensen die rouwen zijn vaak heel eenzaam.' Anna Magdalena probeerde het de kinderen uit te leggen. Zij begrepen het en ze vertelden hoe ze ieder op hun eigen manier met hun verdriet omgingen. Dorothea miste vooral de uren dat ze 's morgens met haar moeder alleen was geweest, als ze haar hielp, haar haren borstelde, haar korset strakker aantrok.

'En ik mis moeder altijd als vader weggaat van huis. Maar dat mag je hem in geen geval vertellen, hoor.' Friedemann had altijd onmiddellijk spijt, die enkele keer dat hij zich blootgaf in de familiekring.

Friedelena was verbaasd. 'Ik dacht dat kinderen nooit níet ongelukkig zijn, als hun moeder is gestorven,' zei ze.

'Dat zou vreselijk zijn,' zei Anna Magdalena.

'Voor mij is 's avonds en 's morgens genoeg,' zei Bernhard.

Alle keren dat Anna Magdalena de dagen daarop in huize Bach kwam, maakte Friedelena tijd om haar vragen te beantwoorden. Eindelijk had ze iemand gevonden die zich voor de geschiedenis van de familie interesseerde.

'Wist je dat hij vanwege zijn koppigheid een keer vier weken in de gevangenis heeft gezeten? God zij geloofd dat hij er geen nare gevolgen van heeft ondervonden, dat hij alleen in ongenade is gevallen en daarheen moest waar hij toch al naartoe wou: naar Köthen.'

'Heeft Bach in de gevangenis gezeten? Hoezo?' Daar stond Anna Magdalena toch van te kijken.

'Nou en of. En wij vrouwen vreesden indertijd dat Sebastian na die veroordeling uit trots verder voor iedere aanstelling zou bedanken.'

'Maar waaróm zat hij in de gevangenis?'

Het verbaasde Friedelena dat die geschiedenis niet allang de ronde had gedaan onder de musici. Maar ja... als zíj niet voor de verspreiding van nieuwtjes zorgde... Haar zwager zweeg er natuurlijk over. Ze zei: 'Het begon ermee dat Sebastian een muziekwedstrijd had gewonnen, en niet de Franse musicus Marchand. Maar wat heet? Gewonnen... Marchand had bij nacht en ontij Dresden verlaten, omdat hij niet aan de wedstrijd wou deelnemen. Door die prijs kreeg Sebastian meer bekendheid en hij kreeg ook aanbiedingen van vorsten die hem beter zouden betalen dan de hertog Willem Ernst van Saksen-Weimar. Zoals vorst Leopold uit Köthen. Op zichzelf zou de verandering geen probleem zijn geweest, maar de heren lagen met elkaar overhoop, en daarom kreeg Sebastian zijn ontslag niet. Op eigen gezag engageerde Sebastian toen de musicus Schubart voor zijn cantor-betrekking in Weimar, en reisde zelf doodleuk naar Köthen. Dat ging dus al gauw mis. Onderweg werd hij tegengehouden, zo, midden op straat, en hup, de gevangenis in.'

'Zomaar? Vier weken lang?'

'O ja, dat overkomt je sneller dan je denkt. We mochten hem natuurlijk wel opzoeken. Hij heeft nooit ook maar met één woord gezegd dat het hem speet. En omdat we hem papier en inkt brachten, benutte hij zijn tijd en schreef tijdens zijn gevangenschap het *Orgelbüchlein*.'

Anna Magdalena vroeg zich af of Friedelena's fantasie met haar op de loop ging.

'Ik zie wel aan je dat je me niet gelooft,' zei Friedelena, 'maar ik kan het bewijzen.' Ze nam een houten kistje uit de kast waarin ze krantenknipsels bewaarde. 'Hier heb ik het al,' mompelde ze. 'Kijk. Zo stond het in de stukken: "Op 6 november is de tegenwoordige concertmeester en hoforganist Bach vanwege zijn halsstarrige verklaringen en veronachtzaming van zijn werk zonder toegestaan ontslag van rechtswege gearresteerd."'

Anna Magdalena schoot in de lach. 'Ik kan het me voorstellen,' proestte ze. 'Of nee, ik kan het me juist helemaal niet voorstellen.' Friedelena lachte vrolijk met haar mee. Ze was blij dat Johann Sebastians toekomstige vrouw gevoel voor humor had.

'Het is waarschijnlijk helemaal niet zo gek dat meneer de kapelmeester nogal onverzettelijk is. Hij vindt altijd wel een oplossing,' zei Anna Magdalena. Ze dacht dat het onderwerp hiermee wel afgehandeld was. Maar Friedelena kwam nu pas lekker op stoom.

'Zou je denken? We hebben al zoveel ellende gehad vanwege dat opvliegende karakter van hem. Ik geloof eerlijkgezegd dat hij degene is die altijd begint met schelden. En als hij dan zijn degen trekt... Het komt gewoon niet bij hem op hoe slecht het voor hem, maar ook voor de kinderen, kan uitpakken.'

Hoewel er voor Anna Magdalena in deze dagen een heel nieuwe wereld openging, zong ze even geconcentreerd en aandachtig als altijd. De muziek weerhield haar ervan te tobben. Zo was het altijd gegaan. Zodra ze zich aan de muziek wijdde, bestond er niets anders meer.

'Ik had nooit gedacht dat een zangeres zo slecht zou spelen.' Friedemann sloeg zijn ogen ten hemel toen Anna Magdalena op de klavecimbel in een eenvoudig muziekstukje al voor de vierde keer dezelfde fout maakte. Haar adem stokte. Het was voor haar de gewoonste zaak van de wereld om een muziekstuk eerst te studeren, pas na meerdere malen lukte het dan meestal wel het foutloos te spelen. Maar de verwaande toon van de jongen kwetste haar.

Friedelena had het gehoord. Ze kwam aanlopen, trok de jongen aan zijn haren van zijn stoel en dreigde: 'Als je juffrouw Wilke nog één keer beledigt, zeg ik tegen je vader dat je een fiks pak slaag verdient. Zoiets zou je toch zeker ook nooit tegen je moeder hebben gezegd.'

'Maar ze is mijn moeder niet. En ze kijkt steeds tussendoor naar de toetsen... dat is streng verboden!'

'Laat maar, Friedelena. Hij is nog maar een kind,' kwam Anna Magdalena tussenbeide. 'Maar je hebt wel mijn plezier vergald, Friedemann.' Ze deed de klep dicht en stond op. 'Ik moet trouwens nodig weg.'

Friedemann wilde zijn tante voor zijn. Hij vertelde zelf aan zijn vader wat er was gebeurd.

'Je mag denken wat je wilt, maar ik wil nooit ook maar één onaardig woord van je horen, of merken dat je ongehoorzaam bent, als het om Anna Magdalena gaat. Ik zou heel gelukkig zijn als ze hier bij ons zou willen spelen en musiceren. En daarvoor moet ze op haar eigen manier kunnen studeren. Luister toch eens hoe schitterend en zuiver ze een aria zingt, dan weet je dat ze die kunst beter beheerst dan welke vrouw ook die je ooit hebt gehoord. Zelfs je moeder zou haar stem hebben bewonderd.' Omdat Sebastian zich ergerde over de hooghartige uitdrukking op Friedemanns gezicht, voegde hij er nog aan toe: 'Anna Magdalena toont daarbij meer ijver en kunde dan jij tot nu toe op een toetsinstrument.'

Dat kwam hard aan. Friedemann wist nu aan welke kant zijn vader stond.

Ondanks de botsingen met Friedemann, voelde Anna Magdalena zich thuis in het gezin Bach. Het herinnerde haar aan de tijd dat ze nog bij haar ouders had gewoond en de druktemakertjes van haar zuster daar zo vaak waren. Dorothea had zich met hart en ziel aan haar gehecht, want voor haar was de nieuwe vriendin des huizes een poort naar de grote wereld. Ze scheelden maar zeven jaar, en het meisje was liever vandaag dan morgen in Anna Magdalena's voetstappen getreden.

Dorothea wilde liefst onmiddellijk van haar vlechten af en snel volwassen worden. Anna Magdalena bedacht leuke nieuwe kapsels voor haar. Vervolgens overlegden ze bij welke gelegenheid Dorothea haar haar zo zou dragen. Anna Magdalena zocht bij ieder kapsel een passend lied. Soms was het iets uit een opera, soms een eenvoudig volksliedje. Het meisje was gelukkig. Niet alleen had ze een nieuwe moeder gevonden. Anna Magdalena was ook de liefste vrouw die ze ooit had ontmoet.

Als tegenprestatie leerde haar nieuwe vriendin aan Anna Magdalena hoe een quodlibet moest worden gezongen. De overige familieleden kwamen er niet onderuit mee te zingen, en ze zochten liedjes uit die onderling volstrekt verschillend waren, maar die tegelijk konden worden gezongen. Friedelena zette bijvoorbeeld een treurig lied in, terwijl de tekst van Friedemann over woeste rovers ging en Anna Magdalena een ode aan de muziek bracht. Dorothea zong er een ondeugend liedje bij, en de bijdrage van de twee jongsten ging over kwakende kikkers.

'Zoiets doen we op onze jaarlijkse familiebijeenkomsten,' zei de heer des huizes half trots, half verontschuldigend tegen Anna Magdalena, toen hij er een keer bijkwam en direct mee wou doen. Bach koos:

Kraut und Rüben	Kool en bieten,
haben mich vertrieben;	hebben mij verdreven.
hätt mein Mutter Fleisch gekocht,	Had mijn moeder vlees bereid,
dann wär ich länger blieben.	zou ik zijn gebleven.

En Friedemann zong nu in plaats van over de rovers, de door jongens zo geliefde tekst:

Ich bin so lang nicht bei dir gewest,	'k Verlang zo naar jou, ik zie je zo
ruck her, ruck her, ruck her;	geerne,
mit einem stumpfen Flederwisch	kom gauw, kom nu, vandaag,
drüben her, drüben her, drüben her.	Kom naar me toe, mijn liefje, mijn
	deerne,
	Al kom je met stoffer en raag.

Bach verlangde van al dat zingen naar zijn pijp. Hij haalde zijn leren tabakszak tevoorschijn en stopte hem. Meteen had hij daar weer een passende tekst bij.

Wenn ich meine Pfeife hab,	Een tevreden roker
ist es für mich keine Frag',	is geen onruststoker
laßt sie mich stopfen, daran ziehn,	sta toe dat ik mijn pijpje stop,
den letzten Krümel verglühn.	tabak doe in die pijpenkop.
Paff, schmauch, rauch an...	paf, paf, rook maar door...

Toen ze uitgezongen waren, gloeide het pijpje mooi bij iedere trek en verspreidde een bitterzoete geur.

Friedelena genoot. Ze zei: 'Geen muzikant kan het zonder zijn pijp stellen. Daarom zijn er natuurlijk ook zoveel liedjes over roken.'

'Roken heeft ten onrechte een slechte naam,' bromde Bach. 'We moesten er maar eens een stichtelijk lied over maken.'

'En dat moet dan zeker gebeuren door iemand die zelf zo'n walm verspreidt. Voor die arme vrouwen, van wie de maag omdraait van die goedkope rommel, valt er dan weinig goeds te verwachten,' merkte Anna Magdalena op.

'Ik moet u gelijk geven, juffrouw Wilke,' zei Bach. 'Tabak van slechte kwaliteit wordt echt niet beter door het te roken.' Anna Magdalena wist wel dat meneer Bach heel goed had begrepen wat zij met haar opmerking had bedoeld, en zij begreep ook de boodschap die híj nu overduidelijk overbracht.

'Laten we hopen dat er altijd voldoende geld in huis is voor *goede* tabak,' zei Anna Magdalena, om een eind te maken aan het elkaar op stang jagen. Maar Friedemann moest zo nodig het thema nog verder uitmelken.

'Je hebt er een hekel aan als vader rookt,' zei hij.

'Als iemand plezier aan iets beleeft, kan ik meegenieten, hoor Friedemann. Ieder orgel heeft z'n blaasbalg nodig. Ook je vader. Hoe zou hij zulke welluidende muziek kunnen componeren, als hij zich niet prettig voelde?'

Friedemann liet nu eenmaal geen gelegenheid voorbij gaan om te stoken. Maar Anna Magdalena negeerde de scherpe ondertoon. Ze was een geboren vredestichtster. Ze maakte dat Bach gelukkig was, en kalmeerde intussen ook Friedemanns boze bui. Als vroeger in het ouderlijk huis iemand eens een boze bui had, werd daar niet zo'n punt van gemaakt. Daar voelde iedereen zich prettig bij. Deze kinderen tilden overal zo zwaar aan. Als er maar even iets niet naar hun zin was, moest het tot op het bot worden ontrafeld. Misschien was aan dat doorwroeten in dit gezin wel te danken dat onder Bachs handen de eenvoudigste etudes muzikale meesterwerkjes werden. Ze waren nog maar een eerste opzet en konden nog worden verbeterd, verfijnd. Die simpele oefeningetjes dienden er juist toe om de fantasie te stimuleren.

Het *Klavierbüchlein* voor de oudste zoon was daar een goed voorbeeld van. De noten stonden amper op papier, of Friedemann kreeg er nieuwe ideeën door. Hij wenste alles perfect te doen. Hij nam er geen genoegen mee als zijn vader *tevreden* over hem was, hij wilde dat zijn vader versteld van hem stond.

* * *

Anna Magdalena zat op haar kamer aan de kleine eikenhouten tafel met de gedraaide poten. Ze had het raam opengezet, zodat haar haar, dat ze zojuist had gewassen, zou drogen. Ze maakte met een scherp mesje een nieuwe ganzenveer klaar en doopte het schuin gesneden uiteinde in een flesje inkt.

Köthen oktober 1721

Mijn allerdierbaarste zusje en vriendin Johanna,
Twaalf dagen geleden heeft de heer Bach, onze geëerde hofkapelmeester – jullie kennen hem wel – mij gevraagd of ik wil overwegen zijn vrouw te worden. Hij bood me de gelegenheid zijn gezin te leren kennen. Over drie dagen hoopt hij mijn antwoord te krijgen, want dan

moet hij weer op reis en komt door Weißenfels. Hij zou vader dan om mijn hand kunnen vragen.

Als dit nieuws je overvalt, kun je wel nagaan dat ik nog veel verbaasder was toen ik de bedoeling van meester Bach begreep. Ik heb me sindsdien serieus afgevraagd of ik deze man mijn hele leven hulp en genegenheid kan beloven.

Als ik daar nu opnieuw over nadenk, zie ik geen enkel probleem als het erom gaat zijn kinderen groot te brengen. Vooral omdat, zoals je weet, zijn schoonzuster voor het huishouden zorgt. En de oudste dochter mag me kennelijk graag. Ook ben ik ervan overtuigd dat Bach oprecht hoopt dat ik zijn vrouw wil worden, en ik heb er vertrouwen in dat ik hem niet zal teleurstellen, want als ik bij hem thuis ben, dan weet ik enerzijds zo heerlijk precies waar ik aan toe ben, terwijl ik anderzijds voel dat alles nog tot in de hemel kan groeien. Wel maak ik me zorgen om zijn temperament, waarmee hij soms het hele orkest de stuipen op het lijf jaagt. Pas nog, toen hij stond te dirigeren, legde hij zijn baton weg en ging verder met zijn degen, om ons in te peperen dat muziek een serieuze zaak is. Daar schrok ik van. Ik kon er niet om lachen. Maar tegen zijn kinderen en zijn schoonzuster doet hij zo niet en omdat hij alleen zo streng is als het om muziek gaat, hoop ik dat hij ook tegen mij alleen maar zachtmoedig zal zijn. Overigens, als we elkaar nu tegenkomen, gedraagt meneer Bach zich vaak zo onbeholpen dat ik, tussen ons gezegd en gezwegen, ook zijn zwakke kant leer kennen. En dat maakt mij juist sterker. Je begrijpt dat vast wel. Gelukkig zijn wij vrouwen bevoorrecht: we hebben het heus wel door als mannen naar ons verlangen.

Ik zal hier overigens kunnen blijven zingen en aan het eind van iedere maand zestien daalders en zestien groschen van vorst Leopold krijgen. Daarmee ben ik dik tevreden. Meneer Bach krijgt het dubbele. En zoals je weet krijg ik voor een gastoptreden op één dag vaak zes daalders. Welke vrouw kan dat zeggen?

Ik kan geen reden bedenken waarom ik het hartelijke verzoek van de heer Bach zou afslaan.

Dit is wat ik je wilde vertellen. Ik moet nu opschieten, want zoals je begrijpt heb ik het deze dagen nogal druk.

*Wees hartelijk en liefdevol gegroet door je zusje wie God zo ge-
nadig is,*
Anna Magdalena Wilke

Ze vouwde de brief op en schoof hem in de enveloppe. Toen ze
bedacht dat ze waarschijnlijk binnenkort zou trouwen, schoot
haar de bruiloft van haar eigen zusje Erdmute te binnen. Die
zei toen: 'Dit zal wel de laatste bruiloft zijn waarop nog iemand
van ons Wilke heet.' Ze bedoelde: de volgende die aan de beurt
is, ben jij, de jongste Wilke-dochter, zij dus, Anna Magdalena!
Dat was op dat moment helemaal niet tot haar doorgedrongen.

Maar zo ging het inderdaad. Bij de volgende bruiloft waar
Erdmute bij aanwezig was, nam de jongste Wilke-zuster de
naam Bach aan.

Johanna en moeder kwamen al een paar dagen eerder, om
alles voor het feest voor te bereiden. Terwijl moeder Wilke, Friedelena en de keukenmeid in de keuken met elkaar overlegden,
bekeek Johanna de bruidsjurk. Ze vond dat hij nog wel een extraatje kon gebruiken en ze nam Anna Magdalena mee naar de
naaister. Die maakte het decolleté wat dieper en naaide op de
wijde rok nog vier extra lagen stof. Met de vele kleine plooitjes
in de taille stond hij bijna horizontaal.

Iedereen wilde Anna Magdalena werk uit handen nemen,
ja ze probeerden zelfs het denken van haar over te nemen. En
zo moest de bruid, als ze de lieve vrede wilde bewaren, iedere
beslissing aan anderen overlaten. Ondanks haar privébesognes,
gingen de orkestrepetities gelukkig gewoon door. Ze klampte
zich daaraan vast als een schipbreukeling aan een stuk hout.

Vader Wilke kwam samen met het hele gezin van Katharina.
Anna Magdalena's broer kwam, de tantes en Bachs eigen uitgebreide familie. Iedereen was in opperbeste stemming. Anna
Magdalena herinnerde zich dat het haar ook elke keer zo was
vergaan. Maar als je dan zelf de bruidsjurk aantrekt, en maar
hoopt dat alles goed zal gaan, voelt dat toch heel anders, wist
ze nu. Iedereen groette haar, kuste haar, vroeg haar van alles...

maar waar was ze zelf? Johanna en haar moeder hielpen haar bij het aankleden. Daarvóór had de zuster van Anna Magdalena's hospita het haar van de bruid in een zee van roodbruine krullen omgetoverd. Als kurkentrekkers wipten er een paar op haar schouders.

Anna Magdalena had ineens een vreemd wee gevoel in haar maag. Dat werd beter toen moeder zei: 'Kind, je ziet bleek. Neem een slokje wijn.' Alle vier de vrouwen dronken een glas, en Anna Magdalena nog een tweede. Ze merkte direct hoe goed haar dat deed. Ze kreeg weer kleur op de wangen, en ineens had ze echt zin om te gaan trouwen.

Vader Wilke kwam de dames afhalen. Zijn vrouw stak haar arm in zijn rechter- en Anna Magdalena de hare in zijn linkerarm. Johanna vlijde zich tegen haar zusje aan en zei steeds maar: 'O, Anna Magdalena, wat ben je mooi. Geweldig! Let op mijn woorden. Ze zullen niet weten wat ze zien.'

'Op vorstelijk bevel' vond op 3 december de huwelijksvoltrekking plaats. De zesendertigjarige kapelmeester van het vorstenhof huwde de eenentwintigjarige zangeres juffrouw Wilke. Het huis van de familie Bach was die dag zowel kerk als logement. Er werd gebeden, gezongen, gegeten, en vooral zoveel gedronken dat er niet meer op de kinderen werd gelet en dat die eindelijk hun eigen feest konden vieren. Anna Magdalena was blij met alle lieve geschenken, maar het meest van alles met de verrassing van Sebastians kinderen. Ze hadden iets voor haar ingestudeerd, waar Dorothea bij zong. Friedemann had warempel zelf iets voor Anna Magdalena gecomponeerd en dat ook eigenhandig op papier gezet.

Nog nooit had Anna Magdalena zoveel wijn gedronken. Tegen de avond had ze het gevoel op witte wol te lopen. Nee, dat was geen wol, het waren complete schapen, die allemaal in verschillende richtingen liepen. Dus bleef ze maar braaf zitten, en hield zich, voortdurend proberend of het alweer ging, stevig aan haar wiebelende stoel vast. Sebastian hield zijn vrouw goed in het oog. Toen het middernacht was geweest, nam hij vriendelijk afscheid van de gasten. Toen verzocht hij Anna Magdalena hem stevig te omhelzen en haar voeten op zijn schoenen te zetten. Dat was geen eenvoudige opgave, want de rok was bepaald weerbarstig. Na een oefenrondje lukte het Bach met zijn vrouw op zijn voeten de kamer te verlaten. Onder luid applaus en gelach liepen ze zo de trap op.

Toen Anna Magdalena de volgende morgen haar ogen open deed, deed ze ze ook onmiddellijk weer dicht. Hemel, wat een hoofdpijn. Ze hoorde haar moeder zeggen: 'Zeg het maar, waar heb je vooral pijn?'

Anna Magdalena greep haar hoofd met beide handen vast en zei: 'Overal, mama, overal.'

'Ja, al die wijn gisteren ... je hebt een kater, meisje. Ik was er al bang voor.'

In een mist zag Anna Magdalena Johanna naast hun moeder staan. Die zei: 'De mannen zijn allemaal al aan het werk in het slot. We hebben gezegd dat we wat later komen.'

'Blijf voorlopig nog maar liggen. Je krijgt een koude doek op je voorhoofd en in je nek.'

Moeder Wilke ontfermde zich over haar jongste en Anna Magdalena probeerde om zich heen te kijken. Het was tenslotte haar nieuwe slaapkamer waar ze in wakker werd. Ze zag de bruidsjurk. Hij was achteloos op een stoel gelegd. Hij lag daar niet gewoon, nee, hij gleed steeds weg. Ook de muren waren niet recht.

'O jé, o jé,' kreunde ze. Johanna begreep het verkeerd. Ze wilde haar zusje geruststellen: 'Ik wist ook niet dat het de eerste keer zo'n pijn doet. Ik heb zonder erbij na te denken mijn arme Andreas een draai om zijn oren gegeven. En waarschijnlijk was ik nog veel verliefder dan jij.'

'O jé, o jé,' zei Anna Magdalena alleen maar. Ze herinnerde zich absoluut niets. Maar ze vond het gek om dat te zeggen. Eindelijk kwam moeder terug. Met een emmer koud water en zachte doeken. Zorgzaam depte ze met een natte doek haar dochters hals. Toen haalde ze een flesje tevoorschijn, goot een scheutje in een beker en zei: 'In één teug opdrinken.' Het was een duivels drankje. De tranen sprongen Anna Magdalena in de ogen en ze hapte naar lucht. Maar de kamer draaide niet meer. Keurig stil en niet meer wazig zaten moeder en Johanna aan haar bed. Ze kreeg nog een koude doek op haar voorhoofd, en moest een poosje rustig blijven liggen, zei moeder. Daarna hielpen de twee haar bij het aankleden en kappen. De dag had niet mooier kunnen beginnen.

Een paar uur later was Anna Magdalena weer zoals iedereen haar kende. Rechtop en charmant onderhield ze zich met de gasten, en toen de eersten waren vertrokken begon ze alweer plannen te maken.

Toen een paar dagen later de rekening voor de wijn kwam: tweeëndertig maten en een fust wijn, zat Bach er totaal niet mee dat hij daarvoor zevenentwintig daalders moest neertellen, want de dag had hem groot geluk gebracht. Anna Magdalena was de bekoorlijkste bruid die hij zich maar kon wensen. Ze had zich op haar hoogtijdag met de gasten en met de kinderen beziggehouden, ze had waarachtig ook nog in de keuken gekeken of daar alles naar wens ging, en was toch altijd in zijn buurt als hij haar nodig had. Hij kon het nog nauwelijks bevatten. Deze mooie, begaafde vrouw hoorde nu bij hem.

Voortaan werd Anna Magdalena met 'geëerde mevrouw Bach' aangesproken, maar ze kreeg amper tijd om deze verandering te laten doordringen, want acht dagen later trouwde vorst Leopold, en daar waren heel wat concertrepetities voor nodig. Sebastian schaafde en veranderde nog tot het laatst aan zijn composities. Hij kwam dan ook altijd pas ver na middernacht in bed. En nu, drie dagen voor de vorstelijke bruiloft, lag ook Anna Magdalena nog altijd niet in bed, omdat ze muziek aan het kopiëren was. Overdag hadden Dorothea en ook Friedemann alles voor hun stiefmoeder klaargelegd: inkt, papier, ganzenveren, een mesje om de schacht bij te slijpen en de vijftandige vork voor de notenbalken.

'Dank jullie wel,' zei Anna Magdalena... 'Fijn dat jullie zo goed meehelpen, en Friedemann, vooral ook bedankt omdat je zoveel begrip toont als ik probeer klavecimbel te spelen.'

'We hadden ook zomaar een afschuwelijke stiefmoeder kunnen treffen,' lachte Dorothea.

'Dat zou vader ons niet hebben aangedaan!' zei Friedemann.

'Och, je weet maar niet. Er lopen weleens van die vreselijke dames om hem heen die zich maar niet laten afschudden.'

'Van die stomme troela's? Daar zou vader nooit voor zijn gevallen. Vaders vrouw moet op z'n minst mooi zijn. En als ze niet kon zingen... Dan had hij altijd haar geblèr moeten aanhoren.'

Op dat moment stond Friedelena op, ging naar de keuken en deed de deur achter zich dicht. Anna Magdalena had wel gezien dat haar ogen vochtig waren. Ze begreep ineens dat zij de plaats had ingenomen waar Friedelena op had gehoopt. Bovendien bedacht ze dat zij zelf helemaal niet zo'n geweldige echtgenote was. Ze voelde zich schuldig over de bruiloftsnacht. Ze had alles goed voorbereid, dat wel, maar op de avond zelf had ze zoveel wijn gedronken, meer dan ooit. Hoe de uren waren verlopen nadat Sebastian en zij naar boven waren gegaan, kon ze zich niet eens meer herinneren. Dat hij haar op zijn voeten had gezet, dat had ze van anderen moeten horen. Dat zou dan wel. Hoe ze uit haar kleren was gekomen, dat bleef een raadsel. De schone doek die ze om de matras te sparen op het onderlaken had gelegd, lag er de volgende dag nog steeds, schoon en onschuldig. Ze moest onmiddellijk toen ze de lakens voelde zijn ingeslapen.

'Ik wou dat ik Friederica Henriëtta von Anhalt-Köthen was, dan trouwde ik morgen met de vorst,' zei Dorothea.

Anna Magdalena troostte haar: 'Hij is niet de enige vorst op de wereld. De jouwe komt nog wel. Trouwens, je bent nog een beetje te jong. De nieuwe vorstin is al negentien.' Toen dat Dorothea niet troostte, zei Anna Magdalena ook nog: 'Ze ziet er overigens niet alleen uit als een aangeklede pop, ze laat zich ook zo bedienen. Ze heeft nog nooit haar eigen haren gekamd, nog nooit in de rivier gezwommen... Ruil maar niet met de toekomstige vorstin, want je zou met al die rokken over elkaar alleen nog maar heen en terug door een zaal kunnen lopen, en zelfs voor het kortste eindje zouden ze je in een draagstoel moeten zetten. En wat nog erger is: ze kan niet tegen zon, niet tegen wind, van luide muziek wordt ze ziek, en ze moet vier maal per dag even gaan liggen, omdat ze anders geen lucht krijgt.'

Anna Magdalena en Sebastian waren allebei betrokken bij de feestelijkheden. Of alles naar wens zou verlopen? Hij had meerdere sopraanaria's geschreven, die allemaal schitterend bij haar stem pasten. Zíj kon tussendoor pauzeren, maar híj was die hele dag in touw. 's Morgens moest hij zich tussen de plechtigheden door met de gasten onderhouden, en vooral de avond was zwaar. Daarvoor was er een wedstrijd met andere muziekensembles georganiseerd, waartoe hij zich had laten overhalen.

Toen ze laat die nacht naar huis gingen, waren ze bekaf, maar ook gelukkig omdat de dag zo succesvol was verlopen.

Het was de eerste nacht waarin datgene gebeurde, wat daarna iedere nacht zo vanzelfsprekend zou zijn. Anna Magdalena lag nog lang klaarwakker naast haar geliefde man. Ging dat dus zo snel tussen man en vrouw? Nog sneller dan het stemmen van een viool. Anna Magdalena dacht weer aan die allereerste nacht na de bruiloft. En dat haar moeder haar had aangemoedigd een slokje wijn te nemen. De volgende dag had ze nog gezegd: 'Een bruid kan nooit te veel wijn drinken op haar trouwdag,' Ze had Anna Magdalena natuurlijk willen troosten dat ze zo'n kater had gehad. Het was beslist goedbedoeld geweest, maar ze wist niet dat haar raad ertoe had geleid dat Johanna haar man een draai om zijn oren had gegeven en dat zij, Anna Magdalena, als een klein kind in plaats van als een bruid in bed was gestopt. Om dit alles moest Anna Magdalena nu hartelijk lachen.

Johann Sebastian sliep kennelijk ook nog niet. Hij zocht in het donker haar hand, kuste die en zei: 'Wat prettig je te horen lachen.'

Alles was helemaal goed, helemaal toen Sebastian zijn arm onder haar hoofd schoof en zij met haar rug lekker tegen zijn warme borst aan kon liggen. 'Ik voel me kiplekker,' zei ze. 'Of nee, zoals een kuiken in zijn ei. Ik denk dat dit dé manier is om lekker te slapen en de volgende ochtend weer met plezier op te staan.'

'Goed zo,' beaamde Sebastian. 'En 's morgens ben je net zo mooi als 's avonds. Met jou gaat voor mij nu iedere dag de zon op.'

***

Sebastian had als vanzelfsprekend meteen na de bruiloft stukken bij elkaar gezocht en gecomponeerd waar zijn vrouw speciaal van hield, of die ze goed kon gebruiken om te studeren.

Het was een heuglijk moment toen Anna Magdalena haar ganzenveer en inkt nam en op het kaft van haar eigen muziekverzameling schreef:

Klavierbüchlein für Anna Magdalena Bachin
Anno 1722

Ze moest lachen als Sebastian, zoals bij al zijn leerlingen, een nieuw stuk eerst zelf voorspeelde en dan aanmoedigend zei: 'Zo moet het klinken.' Ze lachte ook toen ze eraan dacht wat Sebastian over de lichamelijke liefde had gezegd: 'Eerst hoor je een melodie in je droom, daarna wil je hem liefst direct kant en klaar opschrijven. Het is een heilige voorstudie, een oefening. Als je het thema eenmaal hebt, zijn er vele variaties mogelijk, je wilt steeds een nieuwe proberen. En in alle, mijn liefste, loven we de barmhartige God.'

Anna Magdalena genoot ervan als Sebastian zo tegen haar

sprak. Dan vergat ze de leraar, de heethoofd, de perfectionist Bach. Het kwam niet vaak voor dat ze over zichzelf spraken, en dat hoefde ook niet. Ze voelden zich net zo innig verbonden als het werk goed lukte, als de kinderen ijverig studeerden, als het huishouden goed liep. Friedelena en het keukenhulpje gaven geen aanleiding tot ergernis of zorgen, ze waren een zegen. Daardoor konden de echtelieden al hun aandacht aan de muziek en de kinderen geven.

'Laten we vrolijke liederen uitzoeken om voor het vorstenpaar uit te voeren,' zei Anna Magdalena tegen haar man. De jonge vorstin Friederica Henriëtta was beeldschoon, en als zij iedere dag drie uur lang voor de schilder stil moest staan, deed ze dat heel ladylike. Maar dikwijls beëindigde ze de sessie voortijdig.

'Ik heb het gevoel dat ik poseer voor als ik straks dood ben. Ik wil gaan liggen. Ik ben moe.' Ze klaagde voortdurend. Over ademnood, over hoofdpijn, en ze liet zich door het minste of geringste afleiden. Vorst Leopold bedacht van alles om het haar naar de zin te maken.

Omdat de vorst nu veel minder aandacht had voor de muziek, had ook Sebastian last van de situatie. Verder stierf nog voor de winter voorbij was zijn broer Johann Jakob, veertig jaar oud. Als je broer of zuster sterft is dat niet alleen verdrietig. Het is ook een schok. Je denkt: is mijn generatie nu aan de beurt?

Anna Magdalena wist de juiste woorden te vinden als haar man zulke sombere gedachten had. En dan zei Sebastian: 'Zolang jij maar bij me bent, vrees ik de dood niet. Je lieve handen en je zachte stem troosten me, wat het ook is dat me verdrietig maakt.' Zo dierbaar waren haar die woorden van hem. Anna Magdalena wist het zeker. Ze wilde nog heel lang met hem leven en peinsde er niet over om, zoals de vorstin, alleen maar op haar dood te gaan zitten wachten.

'Geen melk, alsjeblieft geen warme melk,' zei Anna Magdalena. Friedelena was ervan overtuigd dat ze melk moest drinken, dan ging de misselijkheid wel over.

'Het is niet alleen omdat melk de stembanden plakkerig maakt, ik word al niet goed als ik alleen maar kijk naar dat slijmerige witte goedje.' Anna Magdalena probeerde uit alle macht aan iets anders te denken dan aan haar rebellerende maag. Ook tijdens een concert had ze er last van. Maar ze wist het zo goed te verbergen dat niemand iets in de gaten had.

Wat haar goed deed, dat waren de kinderen thuis. En om haar af te leiden verzamelde Sebastian nog meer composities voor haar muziekboek, en ook Anna Magdalena zelf voegde er mooie teksten aan toe. Zo kon op ieder moment als er bezoek was, in huize Bach een concertje worden gegeven.

'Nee Friedelena. Ik wil ze niet.'

Dorothea en Friedelena waren perplex. 'Waarom wil je de kleren van moeder niet dragen? Ze zijn toch speciaal zo ontworpen dat ze in de taille niet ingesnoerd hoeven te worden.'

'Ik laat twee nieuwe jurken maken die ik van achteren kan dichtknopen en daar draag ik dan een dunne doek overheen. Dat lijkt me het beste. En, Dorothea, jij wilt dan vast wel voordat ik moet optreden, die doek zo vastknopen dat mijn buik niet zo opvalt. Dan heeft niemand in de gaten dat ik in verwachting ben.'

Anna Magdalena liet niet alleen twee geschikte jurken naaien, maar ook een goudkleurig hesje, dat ze thuis kon dragen. En omdat ze nu toch bezig was, keek ze ook maar eens naar de garderobe van de kinderen. De jongens moesten dringend broeken hebben, Dorothea kreeg twee leuke rokken, en Friedelena een rok en een feestelijke blouse. Dat kostte Anna Magdalena bijna al haar spaargeld. Wat over was bewaarde ze voor een jurk voor Dorothea, maar ze hoopte dat Sebastian eindelijk uit zichzelf zou inzien dat zijn oudste nu echt geen kinderkleren meer aankon.

'Ik wacht nog drie maanden,' besloot Anna Magdalena. Een meisje van Dorothea's leeftijd had toch echt ook een jurk voor feestelijke gelegenheden nodig. En liefst met instemming van haar vader.

'Dorothea, ik weet wat. We doen onze nieuwe kleren aan, als we onze liederen voorzingen, en ik weet ook wel voor wie.'

'Wie dan?'

'Ik denk dat mijn tante Hesemann het leuk zou vinden als we haar eens opzoeken. Ze is in verwachting. Het kind wordt binnenkort geboren. En dan kan ik meteen mijn ouders weer eens zien.' Tante Hesemann was een halfzuster van Anna Magdalena's vader, die ongeveer even oud was als zijzelf.

'Hebben we daarom zoveel muziek gekopieerd?'

'Ja, we nemen alles mee, want ze hebben gevraagd of ik daar ook een concert wil geven.' Dorothea vond het geweldig. Ze had nog nooit zo'n grote reis gemaakt, en wat ook zo fijn was, dan hoefde ze nu eens niet op Emanuel en Bernhard te passen. Die bleven in Köthen onder de hoede van Friedelena.

In de dagen voorafgaand aan de reis had Anna Magdalena inderdaad urenlang muziek voor haar familie gekopieerd. Voor haar vader had ze de mooiste stukken voor trompet uitgezocht, en in elk geval zou ze met Johanna, haar vader en haar broer een concert geven.

Dorothea leerde van Anna Magdalena hoe je met de vijftandige vork regelmatige notenbalken kon trekken.

'Ik was nog heel wat jonger dan jij toen ik het leerde. Ik deed het om mijn vader te helpen.' Anna Magdalena dacht graag aan die tijd. Want toen had ze begrepen dat je alleen mooi kunt zingen en spelen als je je helemaal op de muziek concentreert. 'Wat voor een huisvrouw een opgeruimde keuken is en haar netjes geordende recepten, dat is voor de musicus zijn muziekpapier.'

'Maar de noten intekenen, dat vind ik nog veel lastiger. Ik dacht altijd dat je de inktdruppels gewoon maar uit de ganzenveer kon laten vallen.'

'Ach, de noten op zichzelf zijn niet zo moeilijk, maar ze goed over de notenbalk verdelen, en opletten of ze open of zwart moeten zijn, dat is best lastig. Maar ook dat went, en neem me niet kwalijk als ik je vader citeer.'

'Hoezo?'

'Oefening, ijver en nauwkeurigheid.'

'Ai. Dat had ik zelf kunnen bedenken,' zuchtte Dorothea. 'Ja, dat krijgen die arme broertjes van me altijd weer van vader te horen.'

'Voor mij is het kopiëren van muziek ook nog iets anders,' zei Anna Magdalena met een fijn lachje.

'Nou?'

'De lijnen, dat is de hemel. De noten en streken zijn de vogels, die in de hemel vliegen. En de muzikanten en zangers geven het geheel een stem.'

Dorothea, die zojuist haar eerste vijflijnige notenbalk op een wit blad papier had getrokken, keek verrast op. 'Dan heb ik nu dus de horizon getekend.'

'Ja, voor mij is dat ook een horizon, en als we ons werk goed doen, gaat in Weißenfels de hemel voor ons open.' Na een kleine pauze voegde ze eraan toe: 'Ik ben het hof in Weißenfels mijn levenlang dank verschuldigd, want zonder hun aanmoediging zou ik nooit zangeres zijn geworden. Weet je Dorothea, ik heb al een brief geschreven aan Pauline Keller, mijn vroegere zanglerares, en ik heb haar gevraagd of ik haar in Weißenfels mag voorzingen. Misschien kan ze me raad geven, hoe ik mijn stem kan verbeteren. En hoe ik met mijn steeds dikker wordende buik toch nog met mijn hele lichaam kan zingen. Die ervaren vrouwen kennen heel wat trucjes. Vaak blijkt wat eerst een probleem is, na enige oefening juist een voordeel te zijn. Je komt er nog wel achter wat ik bedoel. Als je wilt, ga je overal mee naartoe.'

'Ik ga dolgraag mee. Dat weet je toch.'

In Weißenfels werden ze heel hartelijk ontvangen. Anna Magdalena was nu voor iedereen de 'Bachin'. Zelfs haar moeder en de zangeressen noemden haar zo. En ook Dorothea werd hier voortdurend met juffrouw Bach aangesproken.

'Nou, je ziet het. We zijn een geweldig duo.' Anna Magdalena gaf de algemene lofprijzingen voor ieder die Bach heette ook aan Dorothea door.

'Het liefst zou ik hier blijven,' verzuchtte het meisje. 'Je vader zei dat jij hier zangeres bent geworden. Kan ik dat niet ook proberen?'

'Zodra we terug zijn zal ik het met je vader bespreken,' beloofde Anna Magdalena. Ze wisten allebei dat hij daar niets voor zou voelen. 'Als Dorothea trouwt, zal ze zo'n opleiding helemaal niet nodig hebben. Is het jullie niet voldoende wat je van mij kunt leren?' Iets dergelijks zou hij zeggen. En wat zou Dorothea daarop moeten antwoorden? Tegen een vader die altijd op het punt stond weg te gaan, die altijd haast had als ze hem wou spreken.

Voor Dorothea was het concert als de begrafenis van haar droom. De zangeressen troffen elkaar, hadden plezier met elkaar als jonge meisjes. Ze hielp haar stiefmoeder in haar korset. Eerst bevoelden de vrouwen haar buik nog.

'Het beweegt al!' zei de alt.

'Ja, het trappelt al sinds een hele poos als een goudvis in een net,' beaamde Anna Magdalena. 'In het begin voelde het alsof er een blaadje in mijn buik ritselde. Heel zacht. Alsof een vogeltje in zijn slaap zucht en dan zijn kopje weer onder zijn vleugel legt.'

Dorothea kamde ook Anna Magdalena's haar. Ze had nog nooit zulk mooi haar gezien. Met een heleboel haarspelden stak ze het op. 'Van een zangeres moet je altijd het hele gezicht, de hals, de nek en het decolleté zien, zodat de luisteraars niet alleen de stem horen, maar ook kunnen zien hoe ze ademt,' zei Anna Magdalena. Johanna droeg een van haar lievelingshoeden, terwijl Anna Magdalena zoals gewoonlijk met haar opgestoken haren een volmaakt plaatje was.

De man van tante Hesemann speelde ook mee. Tijdens het concert zou Dorothea naast tante Hesemann zitten. Ze kon zien hoe blij Anna Magdalena was toen ook haar vader en broer hun trompet namen en de stukken uit Köthen meespeelden. Maar nog voordat de zangeressen waren opgekomen, begon tante Hesemann zwaar te ademen. Dorothea vond het beter snel met haar naar huis te gaan. Lang na middernacht, toen alleen nog de vroedvrouwen en de aanstaande vader op waren, kwam het kind ter wereld. Het werd in schone doeken gewikkeld en in de armen van de uitgeputte moeder gelegd.

De volgende morgen bewonderden allen het pietepeuterige nieuwe mensje, Johann Friedrich, maar toen was het ook de hoogste tijd om weer terug naar huis te gaan.

'We komen nog door Halle. Daar hebben we wat oponthoud.' Anna Magdalena verheugde zich erop het meisje de stad te laten zien. 'In Halle is iets heel bijzonders, daar gaan we naartoe. Meer verklap ik niet.' Ze stapten uit de koets, die pas drie uur later de reis zou voortzetten, en wandelden door de straten.

'Hier is het,' zei Anna Magdalena. Ze bleef staan voor een groot gebouw, waarop *Koffiehuis* stond.

'Een koffiehuis!' Dorothea was door het dolle heen. Ze kozen een tafeltje op de eerste verdieping. Jammer genoeg waren er geen plaatsen meer vrij bij de ramen. Op de tafeltjes lag wit damast en daarop stonden vaasjes met versgeplukte bloemen. De decolletés van de vrouwen die de koffie inschonken waren zelfs nog dieper dan van de hertogin. Eén van hen kwam naar hun tafeltje: 'Wat mag ik de dames brengen? Zoete koffie met melk of chocola?'

'Twee zoete koffie graag.' Anna Magdalena was zo zeker van haar zaak, dat Dorothea de kans niet kreeg om te zeggen dat ze nog nooit... En daar kwam de koffie al en er stond een kannetje room bij en een schaaltje met suiker. Aan het tafeltje naast het hunne zaten twee keurige dametjes, die weliswaar in gesprek waren, maar eigenlijk toch meer geïnteresseerd waren in de twee nieuwkomers die koffie hadden besteld. Er liepen ook mannen rond, maar die gingen een etage hoger koffie drinken. De meesten hadden een pijp, en in het hele gebouw rook het naar koffie en tabak. Dorothea nam een voorzichtig slokje van de warme drank, en Anna Magdalena keek vertederd naar haar.

'Waarom vindt vader koffiehuizen ongepast en kijkt hij neer op vrouwen die er komen?'

'Nou kijk, de vrouwen daar aan die verste tafel zijn aan het kaarten, sommigen roken zelfs. Dat bevalt de mannen niet. Ze vinden het maar niks als vrouwen zich gedragen zoals zij. Overigens worden de meeste koffiehuizen juist door vrouwen geleid. En dat bevalt eigenaren van gewone drinkgelegenheden al helemaal niet. Die vrouwen worden ervan verdacht hun zaak met liefdesdiensten te bekostigen.'

'En? Doen ze dat?' wilde Dorothea weten.

'Ik zou het niet weten, maar ik vermoed dat het vooral een verzinsel is van mannen. Want geloof me maar: het zou ze niet slecht uitkomen. In Leipzig moesten alle vrouwen die een koffiehuis hebben, een verklaring tekenen dat zij geen dames van lichte zeden in dienst hebben, en dat er bij hen in de zaak niet wordt gegokt.'

Er gleed een lachje over haar gezicht. Dat zag Dorothea heus wel. Ze wilde het naadje van de kous weten en zei: 'Waarom lach je?'

'Er was een weduwe in Leipzig die de verklaring niet wilde tekenen. Ze weigerde net zolang tot de gemeenteambtenaren alle mannelijke aanspreekvormen in het formulier hadden doorgestreept en door de vrouwelijke vorm hadden vervangen. Vorig jaar is dat ten slotte gebeurd.'

'Hoe weet je dat allemaal!'

'Tsja, als wij zangeressen onder elkaar zijn, dan vertelt deze of gene weleens wat over de koffiehuizen. Het is net alsof ik ze allemaal al ken. Ik hoef er alleen nog maar naartoe te gaan.'

Dorothea had het gevoel alsof ze in een totaal nieuwe wereld terecht was gekomen. Ze keek naar haar stiefmoeder en zei verbaasd: 'Het voelt zo licht in mijn hoofd.'

'Het wordt niet alleen lichter in je hoofd. Als je koffie hebt gedronken, val je ook niet meer zo makkelijk in slaap. Met wijn is dat anders. Wijn benevelt je en maakt moe. Het mooie van koffie is dat het als een warm medicijn je lichaam stimuleert, en je wordt er niet dronken van.'

'Maar het smaakt lang zo lekker niet als chocola.'

'Dat vindt je kleine zusje of broertje kennelijk ook, want die is me daar aan het schoppen!' Voor Dorothea en het kindje bestelde Anna Magdalena toen dus nog warme chocolade. En omdat die zo lekker was en omdat ze de thuisblijvers ook een pleziertje gunden, ook nog een zak cacao. Dorothea hield de vettige zak met twee handen vast, alsof ze bang was dat iemand hem haar afhandig zou maken.

Het scheelde maar een haar of ze hadden de koets gemist. Ze renden de hele weg terug. Gelukkig hadden de anderen gewacht.

'Ja ja, koffie maakt overmoedig!' Hoezo wist de koetsier waar ze waren geweest?

In Köthen was iedereen blij dat de twee reizigsters weer thuis waren. Friedelena werd aangewezen als directrice over de cacao. Op zondagen zouden de kinderen een beker chocola krijgen. Maar toen wilden ze ineens allemaal kind zijn, inclusief Friedelena en Sebastian. En omdat Bernhard de jongste was, kreeg hij een beker extra. Daar waren ze het allemaal mee eens.

Anna Magdalena was gelukkig. Het kind in haar buik groeide, en de jonge vorstin raadde haar aan gewoon lekker zittende wijde kleren te dragen. Ze gaf Anna Magdalena zelfs een baal blauwe stof cadeau, die ze zelf niet nodig had, zei ze, want ze zou niet lang meer leven, zo zwak voelde ze zich.

Bach ergerde zich daaraan. 'Dit schepsel zal nog lang leven, maar de muziek in Köthen niet. Daar zal door haar toedoen een eind aan komen. Het is nu al zo dat we concerten in het slot hebben moeten afbreken omdat madam hoofdpijn had en niet in de stemming was voor muziek. Dan gaat de vorst met haar in het park wandelen. Alsof ze een kind is. Of erger nog: hij gaat aan haar bed zitten en houdt urenlang haar handje vast. Zo'n vrouw is een ramp voor iedere fatsoenlijke man.' Het was maar goed dat Sebastian zulke dingen niet hardop zei als hij in het slot was.

Het gezin zat aan tafel en Sebastian vertelde dat er in Leipzig een cantor werd gezocht voor de Thomaskerk. Wat zouden ze ervan zeggen Köthen te verlaten en naar Leipzig te verhuizen.

'In Leipzig is een opera en als vader kerkmusicus wordt, dan kunnen wij vast ook in de kerk en bij de opera zingen.' Dorothea zag het wel zitten. Ze zou dan in een grote stad wonen, waar koffiehuizen waren en vrouwen die gedichten schreven...

Maar Sebastian onderbrak haar: 'Dat denk ik niet. De opera van Leipzig gaat sluiten. En in de kerk mogen geen vrouwen zingen.' Anna Magdalena liet haar stiefdochter merken dat ze het er later nog samen over zouden hebben.

'Ik vind het belangrijk dat mijn zoons daar kunnen studeren,' ging Bach verder, 'en dat ik weer orgel kan spelen en de kerkdienst mee vorm kan geven. Zelf ben ik graag bereid daar Köthen voor te verlaten. Want als hier de vorst de hofmuziek niet in ere houdt, weet ik niet wie het wel zal doen.'

'Maar Sebastian, ík zou in Leipzig niet meer kunnen zingen. Bovendien zoeken ze er toch vooral een leraar Latijn, en een dirigent voor het Thomaskoor. De vorige sollicitanten zijn allemaal afgevallen, omdat de stad het werk zo matig honoreert...'

Anna Magdalena was nog niet uitgesproken, of Friedemann zei: 'We vinden het goed genoeg als jullie thuis zingen, en vader bedoelt natuurlijk dat hij jullie nodig heeft voor het kopiëren van muziek.'

'Er is nog lang niet besloten of ik wel ga solliciteren. Ik moet alles rustig overwegen en dan zal ik beslissen. Geen zorgen, ik ben me ook aan het oriënteren of we van het inkomen kunnen rondkomen.'

Anna Magdalena zei niet zoveel. Hoe moest ze Dorothea vertellen dat er in Leipzig zelfs geen geaccepteerde gelegenheid was voor vrouwen om elkaar te ontmoeten.

'In de koffiehuizen en parken worden wel concertjes met zangeressen georganiseerd, maar ik denk niet dat je vader daar verrukt van is. Er is niet zo lang geleden een groot koffiehuis in Leipzig geopend: Onder de Arabische koffieboom. Daar zwaait de weduwe Lehmann de scepter. Ze zeggen dat August de Sterke haar dat pand heeft geschonken. Voor bewezen liefdesdiensten.'

'Klopt dat?' wilde Dorothea weten.

'Ik weet niet. Misschien alleen het plastiek op de gevel. Een afbeelding van de boom,' zei Anna Magdalena. 'Maar dat doet er helemaal niet toe. Het gaat erom of ik een goede betrekking kan krijgen. En die heb je niet in Leipzig. Ook vrouwen die gedichten schrijven, worden er door mannen niet serieus genomen. Ze houden het hoofd alleen boven water door het een welgestelde man naar de zin te maken. Maar denk maar niet dat ze dat altijd uit hartstocht doen. Ik heb horen zeggen dat zo'n beetje de enige die echt geaccepteerd wordt door de Leipziger samenleving, Marianne von Ziegler is. En mevrouw Lehmann. Die twee zul je wel leren kennen, de weduwe Lehmann en mevrouw Von Ziegler.'

Anna Magdalena had gelijk, ook wat de andere sollicitanten betrof. De componisten Telemann en Graupner hadden weliswaar naar het Thomascantoraat gesolliciteerd, maar vervolgens hun sollicitatie weer ingetrokken. Beiden hadden, juist door het vooruitzicht op die nieuwe baan, van hun werkgever meer waardering gekregen, en daarmee betere voorwaarden en meer salaris. En dus was Leipzig niet meer aantrekkelijk voor ze, want welke musicus wilde zich bezighouden met Latijn- en godsdienstonderricht?

Het salaris voor de Thomascantor bedroeg slechts een kwart van Bachs inkomen aan het hof van Köthen, nog afgezien van het feit dat Anna Magdalena er niets zou kunnen verdienen. Wel kon hij wat bijverdienen als hij bij begrafenissen en huwelijken de muziek verzorgde, en ook bij officiële feestelijkheden. Moest hij dus maar hopen dat voldoende mensen zouden sterven? Wel zou hij voor iedere leerling van de Thomasschool nog eens per week anderhalve pfennig ontvangen. Bach rekende zich suf, maar het totale bedrag bleef beangstigend laag.

Wat een najaar. Bach was natuurlijk teleurgesteld, maar hij was vooral laaiend op vorst Leopold, die de muziek nu als een onbelangrijk tijdverdrijf beschouwde. Anna Magdalena kende haar man wel en ook zijn ongeduld. Het was een prettige afleiding dat in deze tijd de jaarlijkse bijeenkomst van de uitgebreide familie Bach plaatsvond. Allemaal reisden ze daarvoor naar Schweinfurt, en daar waren ze dan met zo'n vijftig mensen, plus nog de zuigelingen.

Sebastian was dol op zijn vrouw, en hij verheugde zich erop haar aan iedereen voor te stellen, en vooral hoopte hij op een gelegenheid dat iedereen haar zou kunnen horen zingen.

'Omdat alle kinderen hun muzikale vaardigheden gaan tonen, neem ik aan dat Dorothea en ik ook een paar liederen ten gehore kunnen brengen.' Dat was Anna Magdalena's eerste zet.

'O beslist. Een prima idee, liefje,' zei Sebastian.

En Anna Magdalena ging verder, maar nu meer alsof ze in zichzelf sprak: 'Wat fijn dat ik nog stof heb, en dat we zo'n goede naaister hebben die voor Dorothea een geschikte jurk kan maken.' Voordat Sebastian kon reageren, was ze de kamer al uit, op zoek naar hun dochter.

Het familiefeest was als een bruiloft zonder bruidspaar. Iedereen was uitgelaten, en zelfs de ouderen en rouwenden voelden zich getroost door de hartelijke sfeer, zodat het ook voor hen fijne dagen waren.

Anna Magdalena leerde in Schweinfurt ook Sebastians neef Elias kennen. Hij was van zo'n beetje dezelfde leeftijd als Dorothea.

Toen Dorothea hem zag aankomen, zei ze: 'Hoe zou hij mijn jurk vinden?' Zíj droeg dus voor het eerst een jurk, zoals volwassen meisjes en vrouwen, en híj een degen en op zijn hoofd een driekante steek. Allebei waren ze geen kinderen meer. Toen Anna Magdalena, begeleid door haar man op de klavecimbel, een paar liederen zong, fluisterde Elias Dorothea in het oor: 'Wat een charmante vrouw.'

'Ja,' beaamde Dorothea. 'Ze is niet alleen mooi, ze is ook de allerliefste stiefmoeder van de hele wereld.'

In december 1722 solliciteerde Bach naar het Thomascantoraat in Leipzig. Het verbaasde Anna Magdalena niet. Ze begreep wel hoezeer deze aanstelling een bevrijding voor hem zou betekenen. In Leipzig zou hij zijn artistieke gaven weer in dienst kunnen stellen van wat hij als zijn missie zag. En die kon hij het best vervullen als hij geestelijke werken produceerde. Sebastian had het plan opgevat een stuk te componeren, speciaal voor Pasen. Het passieverhaal van de evangelist Johannes, en daar dan orgel en zangstemmen bij. In Leipzig zou hij als cantor een dergelijk stuk kunnen uitvoeren.

Anna Magdalena wist echter heel goed dat haar man niet alleen vanwege de kerkmuziek zou worden aangesteld. 'Ze zoeken vooral een leraar. Voor de school,' wist ze. Als Sebastian de aanstelling kreeg, zou hij zich niet alleen voor de kerkmuziek en het koor moeten inzetten, hij zou ook de schooljongens les moeten geven. Die knulletjes met al hun kwajongensstreken, die ook nog eens in hetzelfde gebouw zouden wonen als zij... Hun eigen gezin zou dus in zekere zin samen met al die jochies deel uitmaken van het internaatsleven.

* * *

Anna Magdelena had het idee dat ze poppenkleertjes klaarlegde. Ze stond voor de houten wieg, waar alle kinderen uit het huwelijk van Sebastian met Maria Barbara hadden gelegen. Ze maakte hem grondig schoon met warm water en zeep. Emanuel en Bernhard hielpen, en daarna zetten ze het hout in de was tot het mooi glansde. Omdat de lichte zijwandjes in bonte kleuren waren versierd, zorgde Sebastian voor verf om de verbleekte ranken en bloemen ook een opknapbeurt te geven. Ze waren allemaal trots op het resultaat.

'Nu kan de volgende musicus zijn opwachting maken.' Sebastian was over de inspanningen van zijn gezin dik tevreden.

De kinderen vertelden dat hun jongste broertje, het laatstgeboren kind van Maria Barbara, met vingerlange haren was geboren, en dat hij al heel snel naar hen had gelachen, maar dat hij toen allemaal rode vlekken had gekregen en was gestorven.

'Ik hoop dat jóúw kind ooit heel groot en sterk zal zijn, zodat het een emmer water uit de put omhoog kan hijsen,' zei Friedelena tegen Anna Magdalena. Ze wist dat ze de aanstaande moeder moed moest inspreken. Een paar weken geleden was het bericht gekomen dat het zoontje van tante Hesemann in Weißenfels was gestorven, en vanaf die dag had Anna Magdalena bijna iedere nacht onrustig geslapen. Ze liep dan in de slaapkamer heen en weer. Friedelena hoorde het hout kraken. Sebastian sliep zo vast, die had niets in de gaten.

Er kwam geen musicus ter wereld, maar in het voorjaar van 1623 lag Anna Magdalena's eerste dochtertje in de zo mooi opgeknapte wieg. De kinderen waren in de nacht dat ze werd geboren geen van allen wakker geworden van het gedoe in huis, en dus was het een verrassing dat hun vader en stiefmoeder ze 's morgens samen kwamen wekken om naar het nieuwe zusje te komen kijken. Ze begroetten haar met een lied en een gebed. Het meisje zou Henriëtta heten. Ter ere van de jonge vorstin. Jammer genoeg toonde de vorstin zoals gezegd helemaal geen belangstelling voor muziek. Anna Magdalena sloofde zich uit om haar op te vrolijken.

'Het einde nadert,' zei vorstin Friederica Henriëtta altijd maar weer. Als Anna Magdalena daarna naar huis liep, voelde ze zich bijna schuldig. Haarzelf ging het zo goed, zo zeldzaam goed.

'Dorothea kom, laten we genieten. We hebben al het geluk van de wereld en nog veel meer.'

's Avonds nam Anna Magdalena alle spelden en schuifjes uit haar haar. Ze vlocht er daarna niet, zoals veel vrouwen deden, twee vlechten in, maar verdeelde het wel in tweeën en legde in de uiteinden van beide helften op haar buik een knoop. Daarin legde ze Henriëtta, zodat ze zonder hulp de borst kon vinden, ook als mama sliep. 's Morgens lag het meisje nog altijd in de haren, als in een draagzak. Pas na de eerste voeding werd ze aan de zorgen van Friedelena overgedragen.

's Middags onderwees Sebastian zijn eigen zoons en ook een paar andere leerlingen. Daarna bleef meestal nog wat tijd over voor het echtpaar, om wat zich zoal voordeed te bespreken. Als puzzelstukjes verzamelden ze alvast teksten, die misschien voor Pasen geschikt zouden zijn. Sebastian hield van de versregels van een Hamburgse gelovige:

Erwäge, wie sein blutgefärbten Rücken	Bedenk hoe zijn bebloede rug
in allen Stücken	geschonden
dem Himmel gleiche geht,	ten hemel gaat,
daran, nachdem die Wasserwogen	maar hoe daar na vergeving van
von unserer Sündflut sich verzogen,	de vloedgolf onzer zonden
der allerschönste Regenbogen	een regenboog als teken dan
als Gotes Gnadenzeichen steht.	van Gods genade staat.

Anna Magdalena vertelde haar gezin dat ze als kind maar niet had kunnen begrijpen dat Maria Magdalena Jezus niet onmiddellijk had herkend na Zijn wederopstanding, en dat ze dacht dat Hij een tuinman was. Waarschijnlijk zag ze niet meer scherp doordat ze zo veel had gehuild.

'Als ik met eigen ogen zou zien hoe ze een vriend van me doodden, zou ik ook niet zomaar kunnen geloven dat hij plotseling weer ergens vrolijk opduikt,' zei Emanuel.

'Ik zou denken dat ze twee mensen met elkaar hadden verwisseld,' zei Bernhard.

Dorothea zei: 'De eerste dagen en nachten zijn het ergst als iemand sterft.' En allemaal dachten ze aan het overlijden van hun moeder en het immense verdriet dat ze toen hadden.

'Ook in de passie moet één vers alleen maar over het verdriet om de dood van Jezus gaan,' vond Anna Magdalena. Later zong ze de aria:

Zerfließe, mein Herze, in Fluten der Zähren
den Höchsten zu Ehren,
erzähle der Welt und Dem Himmel die Not:
Dein Jesus ist tot.

In tranenvloed verdrinkt mijn smart.
Aan God schenk ik mijn hart.
Verkondig de wereld, de hemel uw nood:
Uw Jezus is dood.

Terwijl de kleine Henriëtta iedere dag ronder en steviger werd, stortte de vorstin Friederica Henriëtta totaal in. Was haar huid op de dag van haar huwelijk nog zo gaaf als van een Venetiaanse pop, nu leek het alsof haar lichaam zich achter haar skelet wilde verbergen. Niet alleen haar wangen waren ingevallen, ook de huid rond haar hals en armen. Botten en pezen waren te zien. Hoewel vorst Leopold de beste artsen voor haar liet komen en hoewel ze continu door twee verpleegsters werd verzorgd, kwam de dood, op wie ze de laatste dagen zo had geleken, haar op 3 april halen. In het slot hing nu het grote schilderij van Friederica Henriëtta, en het leek wel of ze er zelf nog was. Je had bijna het idee dat ze zo uit de lijst zou stappen, dat ze de hermelijnen cape wat strakker om de schouders zou trekken, naar de spiegel zou lopen, om te zien of de krulletjes en de bloemen die ze in het haar droeg nog wel goed zaten. En dat was natuurlijk allemaal piekfijn in orde...

's Avonds na de rouwdag liepen Anna Magdalena en Sebastian naar huis. Op die korte wandelingetjes met z'n tweeën, konden ze over hun belevenissen en indrukken praten. 'Steeds moest ik er vandaag aan denken dat wij *leven*. Sebastian, wij leven, en we kunnen zoveel doen!'

'Ik voel dat ook zo. Ik ben zo dankbaar dat ons huis vol leven is.' En hij voegde eraan toe: 'Ik hoop zo dat wij beiden tevreden samen oud kunnen worden.'

'De vorst heeft niet veel geluk met zijn vrouwen,' zei Anna

Magdalena. 'Zijn moeder vindt dat hij nooit iets goed doet, en toen hij eindelijk een vrouw had, duurde hun geluk maar kort.'

'Ja, dat is zo, maar wie weet, misschien komen er voor hem ook nog betere tijden.' Dat zei Sebastian meer tegen zichzelf dan tegen zijn vrouw.

'Zou dat een reden kunnen zijn om hier in Köthen te blijven?' vroeg Anna Magdalena.

'O, zeker zal de vorst nu de muziek weer meer naar waarde schatten. Maar we moeten toch niet de voordelen die Leipzig ons gaat bieden onderschatten. Alleen in een grote stad kunnen onze zoons een goede opleiding krijgen. Ze kunnen naar de Thomasschool. Kosteloos. En de universiteit van Leipzig is één van de beste van het hele land. In Köthen kunnen we onze kinderen dat alles niet bieden.'

De jongens verheugden zich inderdaad op de grote stad en een goede school. De vrouwen zwegen.

Sebastian had in Leipzig al een cantate uitgevoerd. Als proeve van bekwaamheid. Hij had daarin zelf de bassolo gezongen: 'Jesus nam de twaalf tot zich...' De Leipziger gemeenteraad had eigenlijk niets aan te merken op de religieuze muziek van Bach, maar toch zouden ze liever een bekende cantor uit een belangrijke stad hebben aangesteld. De vorige cantor was een voortreffelijke jurist geweest, die bovendien zijn talen uitmuntend beheerste. Bach niet. Ook na langdurige onderhandelingen, hadden als gezegd noch Telemann, noch Graupner (de twee kandidaten die de voorkeur van de stad hadden) de door de gemeente geboden arbeidsvoorwaarden geaccepteerd. En zo moest Leipzig wel met Bach genoegen nemen. Spoedig daarna hoorde hij dat het uiteindelijk op voorspraak van de burgemeester was geweest dat hij was gekozen, omdat hij bereid was ook Latijn en de Latijnse catechismus te onderwijzen. Er werd van Bach verlangd dat hij geen wereldse muziek ten gehore zou brengen, want bij zijn proefoptreden was hij bij de meesten wat onbesuisd overgekomen, en zo iemand zou bepaald nadelig zijn voor het onderwijs.

'Ik moest waarachtig ook mijn handtekening zetten onder een verklaring dat ik de stad alleen maar zal verlaten met toestemming van de burgemeester,' vertelde hij thuis geïrriteerd.

'En? Heb je dat gedaan?'

'Ja, dat moest wel.'

'Dat wordt nog wat,' lachte Anna Magdalena. Ze kende haar man intussen.

Het slot is nu een school...

Leipzig, 1723-1732

De volgeladen wagens ratelden achter elkaar van huize Bach in Köthen naar een stad die Anna Magdalena nog nooit had gezien. Maar niet alleen de wielen draaiden, ook de weg waarop Friedelena stond, leek plotseling linksom te draaien.

Dorothea stond naast haar stiefmoeder en keek ook de wagens na, die allebei door twee paarden werden voortgetrokken, toen Anna Magdalena viel. Dorothea kon haar nog net opvangen, zodat ze niet met haar hoofd op de keien knalde.

'Haal koud water!' Sebastian had onmiddellijk zijn nette jas uitgetrokken en onder Anna Magdalena's hoofd gelegd. Maar nog voordat de kinderen met het water kwamen, wilde Anna Magdalena alweer opstaan. Haar slapen klopten en haar mond was droog. Het was maar goed dat ze werd tegengehouden en eerst een slok te drinken kreeg.

'Wat is er met je?' vroeg Sebastian geschrokken.

'Ach niets. Er was zoveel te doen dat ik vergat te eten.'

'Of misschien wou ze niet eten om onderweg niet in de nek van de koetsier over te geven,' zei Friedelena.

''t Is alweer over. Niks aan de hand,' loog Anna Magdalena. 'Kom, we moeten de kisten met de kleren nog opladen en dan moeten we de kinderen klaarmaken voor de reis.' De kinderen waren opgewonden en allang helemaal klaar. Ze verheugden zich op de grote stad. Ze hadden hun beste kleren aangetrokken, zodat ze niet zouden worden uitgelachen.

'We stappen pas in de koets als je fatsoenlijk hebt gegeten,' zei Sebastian streng. 'Al spuug je de koetsier en mij drie maal onze jassen vol, alles liever dan dat we ons zorgen over je moeten maken.' Anna Magdalena vond het verschrikkelijk een kom gortepap en brood te moeten eten onder het toeziend oog van het hele gezin. Gelukkig sliep de kleine Henriëtta tevreden in de armen van Friedelena.

'Jullie hoeven er van de winter niet meer om te vechten wie de kleine mag vasthouden. Voordat Henriëtta kan lopen, zullen we nog zo'n schatje hebben,' verkondigde Anna Magdalena.

'Joepie!' De kinderen juichten, en Sebastian straalde. Zo snel als schrik in blijdschap kon omslaan! Alleen Anna Magdalena kon niet lachen. Niet alleen was ze straalmisselijk, ze had ook nog steeds een barstende hoofdpijn. De pap en het brood werden binnen de kortste keren aan de kant van de weg net buiten Köthen door een stelletje kraaien gevonden.

Als er in Köthen ook maar één koets of huifkar de stad in reed, bleven de mensen al nieuwsgierig staan. In Leipzig was dat wel anders. Al toen ze de stad naderden, waren hun koetsen slechts enkele van de vele en het was een hele opgave om bij elkaar te blijven. Eenmaal in de stad, hielpen alle inzittenden om de weg te vinden en de paarden netjes over het plaveisel te leiden. Geen mens keek. Pas toen ze om de waterput heen reden op het grote plein waar de Thomasschool aan lag, bleven er wat nieuwsgierigen staan.

De nieuw aangekomenen wisten zelf niet waar ze het eerst naar zouden kijken. Naar het enorme kastachtige gebouw met al die ramen, dat hun nieuwe huis zou worden? Of naar de Thomaskerk met zijn smalle hoge ramen en plompe toren, die er een rechte hoek mee maakte... Dorothea's blik en ook die van Friedemann werd onweerstaanbaar naar de overzijde getrokken. Daar bevond zich de zilver- en goudsmederij van de koopmansfamilie Bose. Het leek wel of het hele Leipziger leven zich daar voor de grote toegangspoort, of meer nog daarachter afspeelde. Emanuel en Bernhard wilden vooral in de stenen stadsput kijken. Zo acclimatiseerde ieder op zijn eigen manier.

Friedelena droeg Henriëtta als breekbare waar overal rond. Anna Magdalena liep een keer helemaal om de school heen, zag banken, een tuin, een keurige rij lantaarns, en ze was tevreden.

Toen ze helemaal rond was, stond Sebastian nog bij de put, met zijn vier oudsten om zich heen. Een niet alledaags tafereeltje. Hun vader legde hun iets uit over de school.

Al gauw verschenen buren, scholieren, allerlei behulpzame lieden, zodat alle spullen binnen de kortste tijd in de fris opgeknapte vertrekken stonden. De kasten werden ingericht, de bedden werden opgemaakt met schone lakens en slopen voor de kussens en dekbedden, en ze vochten erom wie de keuken in orde mocht maken. Alsof de grootste held degene was die een mooi vuur kon aanleggen.

Die eerste avond renden Emanuel en Bernhard als wilden door het hele gebouw. Hun ouders waren druk met het inrichten van het huis. Ze moesten ten slotte een ware zoektocht ondernemen om ze te vinden. Het werd pas stil in huis toen ook de Thomasleerlingen hun bed hadden opgezocht en de eigen kinderen naar hun nieuwe slaapkamers waren gegaan.

Sebastian gebruikte de rust in het gebouw om de instrumenten te proberen. Na de tocht van Köthen naar Leipzig moesten ze opnieuw worden gestemd. Hoelang dat zou duren, wist Anna Magdalena niet. Ze kwam eindelijk tot rust, ging op bed liggen en gaf Henriëtta de borst. Dat kleine meisje was puur genieten. Alles aan haar was zacht. Ze keek al met grote ogen om zich heen, en als haar buikje vol was, viel ze in slaap en glimlachte in haar droom.

Toen Anna Magdalena eindelijk ook de ogen sloot, was het haar alsof ze nog in de wiebelende koets zat en nog steeds de houten wielen onder zich voelde draaien. Maar ze was zo uitgeput dat ze toch in slaap viel en een lange droomloze nacht maakte.

Hoewel Anna Magdalena haar ogen nog dicht had, had ze het gevoel of er naar haar werd gekeken. En jawel. Als twee geduldige uilen zaten Dorothea en een onbekend meisje op de klerenkist bij het bed.

'Dit is mijn vriendin Sybilla.' Dorothea straalde. 'Sybilla

woont aan de overkant, en haar moeder heeft ons gisteren brood en zout gebracht.'

'Ach, ben jij een dochter van mevrouw Bose?' zei Anna Magdalena, nog maar half wakker. Waar was Sebastian? Hoe laat was het eigenlijk? Acht uur al! Dan was Sebastian al naar de eerste dienst. En hij had haar laten slapen. Maar voor de tweede zou ze op tijd zijn. En o ja, vanmiddag kwam er bezoek. Wie ook weer? Drie dagen zou hij blijven. Hoe had ze nou toch zo lang kunnen slapen? Iedereen in de Thomasschool moest om zes uur opstaan. Voor Anna Magdalena betekende dat vijf uur, als de dag nog niet eens was begonnen, zodat alles op tijd klaarstond.

Dorothea zag wel dat haar stiefmoeder nog niet echt wakker was. 'Ik regel alles wel,' zei ze.

'Jij regelt alles wel?' zei Anna Magdalena verbaasd. Dat had Dorothea nog nooit op die manier gezegd. 'Wij regelen alles wel,' verbeterde Dorothea zichzelf. En toen begreep Anna Magdalena wie Dorothea's nieuwe coach was: Sybilla. Die twee schenen werkelijk alles voor elkaar te hebben. Sybilla wist een aardig meisje dat juist op zoek was naar een nieuwe baan, en dat ook een heel handige kapster was. Trouwens, Anna Magdalena hoefde zich sowieso niet te haasten. Friedelena had natuurlijk iedereen goed verzorgd en Friedemann was met z'n vader meegegaan.

Friedemann en Emanuel zouden de komende week al naar school kunnen, en ze vonden zichzelf daardoor al heel volwassen. Bernhard moest nog een jaar geduld hebben, maar 's middags kon hij samen met zijn oudere broertjes, aan de lessen van papa Bach meedoen.

'Nee, ik leg mijn viool niet bij de andere instrumenten in de kast. Het stikt er van de houtwurmen en houtmolm.' Friedemann was radeloos. Ook Friedelena had sinds hun aankomst in Leipzig een probleem. Waar moest ze Sebastians mooie geitenharen pruiken bewaren? In de Thomasschool was altijd wel een hoofd waarop luizen zich thuis voelden.

'Anna Magdalena, het is echt beter als je hier een kapje draagt,' zei ze.

'Moet ik met zo'n wit dienstbodenmutsje lopen?' Anna Magdalena voelde er niets voor. Maar de angst voor de plaaggeesten kwam vanzelf, met iedere stap die ze buiten hun eigen vertrekken in het grote gebouw zette. Want overal kwam je de verwaarloosde Thomasleerlingen tegen.

'Goede morgen, tante,' begroetten ze haar hartelijk, en ze hoopten te worden uitgenodigd om met de familie mee te eten. Er zaten dan ook steeds meer kinderen mee aan tafel.

Het eerste ontbijt dat Friedelena in Leipzig had klaargemaakt, smaakte Anna Magdalena uitstekend. Alsof de hemel had ingezien dat er iets moest worden gedaan. Het was heerlijk en bleef waar het hoorde.

'Vanmiddag wil ik dat jullie allemaal de dienst bijwonen,' zei Anna Magdalena. De kinderen werden netjes aangekleed, zodat Bach met zijn gezin voor de dag kon komen. De dienst was bepaald vermoeiend, zeker voor de kinderen, want hij duurde drie lange uren. Anna Magdalena had ze van tevoren gezegd dat ze geen vragen mochten stellen en niet mochten gaan zitten schuiven en draaien in de kerkbank om alle schilderijen en beelden te bekijken. Ze zag wel dat Sebastian vol energie was en zich verheugde op zijn nieuwe werk.

Al op weg naar de kerk werd ze helemaal blij. Voor de ramen waar mensen woonden hingen overal kooien met sijsjes, lijsters en nachtegalen. Ze kwinkeleerden en hupten op hun stokjes. Ze vulden het plein met hun getjilp. Door de vogels ging Anna Magdalena van Leipzig houden.

Die avond maakte Anna Magdalena samen met Sebastian een weekrooster. Voor deze periode gold nog dat het gezin om zes uur bij elkaar zou komen om te zingen en te bidden. Om halfzeven zou het ontbijt zijn want om zeven uur begonnen de lessen. De zoons waren een belangrijke steun voor hun vader, want ze luisterden goed naar hem en ze waren leergierig. De andere leerlingen konden een voorbeeld aan hen nemen. Tweemaal in de week had Anna Magdalena zelf nog les: klavier en continuo-spel. De muziekkamer van het gezin was altijd bezet, want daar kwamen ook leerlingen en gasten om samen te musiceren.

In de zomer werden de leerlingen al om vijf uur gewekt, want dan begonnen de lessen om zes uur. De jongens moesten dan om acht uur 's avonds gaan slapen. Zo spaarde men licht en brandstof. In de slaapzalen van de jongens mocht trouwens geen licht worden gemaakt, vanwege brandgevaar.

'Zolang we er niemand anders voor hebben, zullen jij en Dorothea muziek moeten kopiëren. En begin alsjeblieft meteen, hoe kan ik anders over twee dagen met de repetities aanvangen. Aanstaande zondag voeren we de cantate uit in de Nikolaikerk. Ik zal iedere zondag een bij de bijbellezing passende cantate moeten hebben. Dat zal ook voor jullie veel werk betekenen.'

En dus gingen Dorothea en haar stiefmoeder aan de keukentafel zitten en kopieerden snel en netjes de eerste Leipziger cantate: 'De armen van geest zullen worden gevoed.' Hoewel ze stug doorwerkten, kostte het hun vier uur. En toen hadden ze nog pas het eerste deel klaar.

Friedelena vond het wel best dat Anna Magdalena en Dorothea hun tijd moesten gebruiken voor de benodigde muziek. Zo kon zij de scepter zwaaien over het huishouden. Toen ze de kopiisten tussendoor thee bracht om even te pauzeren, zei ze tegen Anna Magdalena: 'Het kan geen kwaad om tijdens de maaltijden de tekst van de cantate ook letterlijk ter harte te nemen.' Anna Magdalena had eerst geen idee wat ze bedoelde. Maar toen begreep ze dat Friedelena zinspeelde op haar misselijkheid in het begin van de zwangerschap.

'Ik zal echt mijn best doen goed te eten, hoor Friedelena. Al deed ik het alleen om jou een plezier te doen.' Na een kleine stilte zei ze: 'Met zo'n lieve familie heb ik het recht niet te klagen over een beetje misselijkheid.' Ze legde de ganzenveer neer, stond op en omhelsde Friedelena hartelijk. 'Ik ben zo dankbaar voor het feit dat je mij helemaal hebt geaccepteerd, dat je er altijd voor ons allemaal bent. Ik realiseer me heel goed hoezeer ik het met jou heb getroffen.' En Friedelena waardeerde Anna Magdalena's woorden. Ze had het in het begin best moeilijk gevonden dat een vreemde vrouw de plaats van haar zuster in huis innam. Voor haar zwager was het zo vanzelfsprekend geworden dat zijn schoonzuster voor alles zorgde, dat hij eigenlijk nooit meer een woord van lof voor haar had. En dat terwijl ze haar kost en inwoning in het gezin meer dan waard was.

Friedelena moest net zo goed als Sebastian en Anna Magdalena aan de nieuwe dagindeling wennen. Ze had zich van te voren al goed op de hoogte gesteld van de tijden van de kerkdiensten, want ze moest weten hoe lang Sebastian in de kerk zou zijn. De Thomasleerlingen mochten de dienst eerder verlaten en dan kregen ze hun middagmaaltijd. In de winter kwam iedereen sowieso naar de Thomasschool om warm te worden, want de kerk kon niet worden verwarmd. Het was dan haast niet uit te houden, vier uur achtereen in die koude kerk. Je vingers en lippen werden helemaal stijf. Tijdens de kerkdiensten in de winter zorgde Friedelena ervoor dat de familie thuis warm kon worden en niet bij de scholieren hoefde te zitten. Ze zorgde voor schone kleren en maaltijden. Intussen bedacht ze al wat er voor de volgende dag en zelfs de eerstvolgende weken moest worden voorbereid, en ze hield alle afspraken bij.

Friedelena kon ook in Leipzig doen wat ze graag deed als ze een uurtje voor zichzelf had. Ze verzamelde krantenknipsels. Ze vond er zelfs een in een Leipziger krant. Het artikel dateerde van 23 mei 1723, een dag na aankomst van de familie in Leipzig: '*Zaterdagmiddag kwamen hier rond het middaguur vanuit Köthen vier wagens aan met het huisraad van de pasbenoemde kapelmeester. Om twee uur kwam hij zelf met zijn gezin in twee koetsen.*'

'Het is ze blijkbaar niet opgevallen dat mevrouw in blijde verwachting is.'

Er stond ook een stukje in de *Hamburger Familieberichten* over Sebastians eerste cantate in Leipzig. Ook dat las ze ieder die het horen wilde voor: *'Afgelopen zondag heeft de, door de zeer gewaardeerde gemeenteraad van deze stad, ter vervanging van de vorig jaar alhier overleden koordirigent de heer Kuhnau, aangestelde hooggeëerde kapelmeester van het hof van Köthen, de heer Bach, ter gelegenheid van zijn aantreden zijn muziek voor en na de prediking ten gehore gebracht.'*

'Er staat niet bij dat zijn vrouw en dochter de muziek hadden gekopieerd en hem uit hun hoofd heel mooi zelf zouden hebben kunnen zingen,' mopperde Friedelena toen ze Sebastian het knipsel liet zien.

Het viel Anna Magdalena zwaar om rustig in de kerkbank te zitten, terwijl ze zo goed alle inzetten en probleemplekjes kende die haar man er goed moest zien af te brengen. Zij zou de partij prima hebben gezongen. Daar had hij op kunnen vertrouwen. Maar wat dát betreft kon ze hem nu niet meer steunen. Het was zijn baan, niet de hare.

Anna Magdalena besefte heel goed wat al die plichten voor haar man inhielden. Hij zat in een soort dwangbuis dat hem weinig bewegingsvrijheid gaf. En toch was dat wat hij wilde. Ze moest hem daarbij zo goed mogelijk helpen, zodat hij alles op tijd klaar kreeg en zodat de leerlingen en de gasten het naar hun zin hadden. Hoewel Anna Magdalena steeds vertrouwder werd met Sebastians muziek, en ook goed klavecimbel speelde, kon ze alleen binnenshuis haar kennis gebruiken. Sebastian componeerde nog altijd sopraanaria's voor haar stembereik en het ergerde hem altijd als de jongens zich niet goed genoeg hadden voorbereid, of problemen hadden met de hoge noten. Met zijn vrouw was dat toch altijd uitstekend gegaan.

Na vier weken, waarin Sebastian les had gegeven en van zichzelf had geëist om voor iedere zondag een nieuwe cantate te schrijven en in te studeren, besefte hij dat het zo geen doen was. Hij herinnerde zich de tijd in Weimar en was blij dat hij kon putten uit de grote hoeveelheid composities uit die periode. Er moesten wel steeds passende teksten worden gevonden. Om op nieuwe ideeën te komen, las hij meditaties en de evangeliën.

Ze woonden nu drie maanden in Leipzig. Het stadsbestuur betaalde hun voor de tweede keer het vierjaarlijkse bedrag: zevenentachtig daalders en twaalf groschen, plus nog dertien daalders voor hout en licht, zestien schepels koren, twee vaam hout en zes kannen wijn. (Eigenlijk was het voor de derde keer, want bij aankomst in Leipzig hadden ze één kwartaalbedrag als voorschot gekregen, maar dat zou ooit moeten worden terugbetaald.) In Leipzig moest Anna Magdalena heel anders met geld omgaan dan in Köthen. Hier waren de kosten van levensonderhoud veel hoger. Er was dan ook meer nodig. Toch waande ze zich een paar dagen in luilekkerland. Ze kon even ademhalen.

Het kostte Sebastian veel moeite het benodigde bedrag bij te verdienen. Hij had zowat vijftig privéleerlingen, afgezien dus van die van de Thomasschool. Omdat ze voor het levensonderhoud van het gezin jaarlijks zo'n zevenhonderd daalders nodig hadden, moest hij zijn inkomen zien te verdubbelen. Als hij een opdracht had, marchandeerde hij als een geboren handelaar om elke groschen. En om zijn inspanningen voor het onderwijs aan de Thomasleerlingen wat te verlichten, nam hij op eigen kosten een leraar in dienst.

Het contact met de familie Bose was een zegen. Ze kenden alle invloedrijke mensen in Leipzig en hadden daardoor Sebastian heel wat muziekleerlingen bezorgd. Het huis van de Boses was veel groter en mooier dan de Bachwoning in de Thomasschool. Op de begane grond waren paardenstallen en kippen. En dan ook nog prachtig ingerichte winkels en werkplaatsen. Boven was de keuken, de eet- en woonkamer en nog talloze andere vertrekken voor het gezin en het personeel. Het mooiste in het huis van de Boses vond Anna Magdalena de schitterende privéconcertzaal. Het plafond was met fraai stucwerk versierd. Tegen de muren hingen kostbare tapijten van velours. Wie weet zou ze in de toekomst als er een familiefeestje was, of een andere bijzondere gelegenheid, hier kunnen zingen.

De dagen gingen snel voorbij. Anna Magdalena was zowaar

al twee maal naar haar geliefde Weißenfels geweest. Dat was nu dichterbij dan toen ze in Köthen woonden. Maar naar haar zuster in Zerbst, dat had tot nu toe niet gekund. Dat was gewoon te ver. En dus ging ze 's avonds aan haar schrijftafeltje zitten en schreef aan Johanna.

Leipzig, juli

Mijn lieve lieve zusje Johanna. Ik groet je en vraag aan onze goede God zijn zegen voor jou.

Hoewel mijn vingers iedere dag zwart zijn van de inkt, en ik ze vaak met zand en een borstel moet zien schoon te krijgen, is dit pas de eerste keer dat ik de ganzenveer in het inktflesje doop om een brief te schrijven. Zoals jij vanwege het werk geen tijd hebt om Zerbst te verlaten, zo is ook in onze nieuwe woning heel veel drukte en gedoe. Het lijkt wel een jaarmarkt. Ondanks al het vele en afwisselende werk voel ik me als een koningin. Niet omdat ik al het werk zou kunnen delegeren en zelf niets hoef te doen, maar de vele gasten die bij ons komen zijn zo aardig en het zijn zulke begaafde musici, dat ze voor onze kinderen niet alleen een goed voorbeeld zijn, maar ook een stimulans.

Anders dan in Köthen, toen we, zoals ik het ook altijd gewend was, in een eigen huis woonden, is onze behuizing nu verdeeld over twee etages. Aan de kant van de Thomaskerk bevindt zich onze slaapkamer. Op de begane grond zijn ook de slaapkamers voor de meisjes, de eetkamer en de 'mooie kamer'. Daarnaast ligt Sebastians werkkamer, waar hij componeert. Een verdieping hoger bevinden zich de slaapkamers van de jongens en van Friedelena. Vanuit de 'mooie kamer' hebben we zicht op de Thomasmolen en de rivier de Pleiße, en de Apelsche tuinen met de naaiateliers zijn een lust voor het oog. De weg loopt langs onze woning. De hele dag kuieren daar tussen het Thomaspoortje en het Blotevoetenpoortje mensen heen en weer die kennelijk niets anders te doen hebben. Als ik uit ons slaapkamerraam kijk, zie ik de mooie stenen waterput. Daar halen weliswaar nog maar enkele mensen water, maar hij is toch heel nut-

tig, want de vele paarden die de stad in komen kunnen er drinken. Als ik 's morgens vroeg naar buiten kijk, zie ik aan de overkant van het plein het huis van de familie Bose. Ze hebben een goud- en zilversmederij, en iedere koopman die Leipzig bezoekt, gaat daar een kijkje nemen. Die familie is buitengewoon hartelijk voor ons. Ze staan ons met raad en daad bij, en de kinderen zijn in beide huizen even welkom. De oudste Bose-kinderen krijgen muzieklessen op de Thomasschool. Met de meisjes zing ik en we maken ook andere muziek, zodat we in onze 'mooie kamer' binnenkort dagelijks kleine concertjes kunnen geven. Het allerblijst ben ik met mijn tuintje, dat al mooi was aangelegd toen we hier kwamen, en waar ik nu uit kan oogsten. Mijn eerste gang 's morgens is daarheen, naar dat dierbare plekje, waar ik onze schepper dank voor al het goede dat Hij mij geeft. Daar put ik de kracht uit voor de vermoeiende dagen, want je weet wel dat ik weer in verwachting ben. Maar op het ogenblik is het makkelijk, want ik kan het eten weer binnen houden, en het kind is nog niet zo groot dat ik er last van heb.

Wie weet, kunnen we elkaar volgende maand in Köthen zien. Sebastian en ik gaan daar een poosje heen, omdat vorst Leopold ons zo hartelijk heeft uitgenodigd. De volgende jaren zullen we het zo regelen dat we wat vaker in het slot kunnen zijn. Sebastian componeert nog altijd stukken waar de vorst dan de baspartij bij kan zingen. Sebastian krijgt voor zo'n reis weliswaar geen toestemming, maar hij wil zijn vriend beslist af en toe zien, en het ruime honorarium kunnen we hier in het dure Leipzig goed gebruiken.

Het leven hier is heel anders dan ik gewend was. We werken niet voor een vorst of een hertog, maar zijn in dienst van allerlei instellingen en personen. Die zijn we dan ook allemaal dank verschuldigd. In Leipzig zijn het niet de adellijken, maar de bedrijven die hun welstand tonen. De bestuurders en raadsleden zijn het oneens over het te voeren beleid. Ook het kunstbeleid is in handen van meerdere personen en instanties. Je zou hier eigenlijk eens moeten komen om al die mensen mee te maken, van wie Sebastian echter vindt dat ze niet geschikt voor me zijn om mee om te gaan. Daar heb ik, zoals je begrijpt, trouwens ook helemaal geen tijd voor.

Moge God geven dat we elkaar spoedig weer zien. Ik verheug me
alvast. Ik wil je nog vertellen dat onze tante Hesemann in Weißen-
fels binnenkort weer een kindje zal krijgen, en we bidden dat het
haar zal helpen een beetje over het verdriet van het verlies van haar
eerste zoontje te komen.

Je jou innig liefhebbende zusje, Anna Magdalena Bachin

Anna Magdalena was niet de enige die nog zo laat in de avond
de ganzenveer in de inkt doopte. Friedemann schreef tegenwoordig vaak zonder dat iemand het wist in zijn oude schoolschrift gedachten op die niet voor anderen bestemd waren. Hij
wachtte tot zijn jongere broertjes sliepen en sloop dan naar het
tafeltje bij het raam. Zijn vader noemde hem de laatste tijd Friede, in plaats van zijn eigenlijke naam te gebruiken. 'Hoe is het
met mijn Friede?' of 'Friede toch. Dat kun je wel beter.'

Maar Friedemann bespeurde weinig vrede in zichzelf. In
zijn oren klonk het meer als spot, want die rust van zijn ouders
en broers en zusjes had hij niet. Bovendien wilde hij erg graag
volwassen zijn, zoals zijn vader. Ja, hij wilde net zo goed zijn
als zijn vader. Nog beter. Ook dacht Friedemann veel na over de
dood. Dat hield hem enorm bezig. Hij dacht in het bijzonder
nog veel aan de dood van zijn moeder, terwijl de anderen haar
vergeten leken te zijn. Zijn vader ging altijd achter een orgel zitten als hij zich onzeker voelde. Friedemann had nog geen plek
gevonden waar zijn ziel tot rust kon komen.

'God is zo volkomen,' zo zei vader het, 'dat hij als één grote
harmonie van het ene eind van de wereld tot het andere reikt,
en zowel het verdriet als het welbevinden omvat. Maar wij,
Friede, wij zoeken stuntelig naar woorden om onze dankbaarheid uit te drukken. En toch is het onze plicht daar God mee
te eren.'

Friedemann wilde ook kunnen schrijven. Misschien bracht
dat hem vrede. Misschien kon hij ook dichter worden. Ja, hij
wilde datgene opschrijven wat hij tegen niemand kon zeggen.
Soms was het of zijn hart uit zijn borst wilde springen, als hij

zijn gedachten niet kon beheersen. Zo netjes en regelmatig als hij maar kon schreef hij:

Die Todesfurcht zu zerstreuen
Das Bild des Todes, das im gedenkenden Herzen lebt,
mag betrübte Seelen in ängstlicher Furcht quälen.
Aber es stärkt das Streben nach ehrbarem Leben
und die Hoffnung auf den künftigen ewigen Himmel.

De vrees voor de dood overwinnen,
het beeld van de dood dat we voor ons zien,
kan onze bedroefde ziel zeer angstig maken.
Maar het helpt ons in oprechtheid te leven
en versterkt de hoop op de eeuwigheid.

Het jochie van dertien wist wel waar hij zijn schrift kon verstoppen. Tussen twee stenen bij de deur was de pleisterlaag een beetje beschadigd, zodat daar een spleet was ontstaan. Zijn schrift paste er precies in. Hij wilde niet dat de andere leerlingen zijn gedachten zouden lezen. Onnozele halzen waren het, die iedereen uitlachten die ze niet begrepen. Maar ook zijn ouders mochten niet weten wat hem werkelijk bezighield.

* * *

De kerstdagen gingen schuil achter miezerige grijze wolken en almaar druilerige regen. Zonder de lichtjes, de liederen en de hoop op cadeautjes zou het voor de kinderen een troosteloze tijd zijn geweest. Het grootste plezier werd hun bezorgd door een zanglijster die Sybilla Bose voor kerstmis had gekregen. Het diertje had er geen bezwaar tegen om met een doek over zijn kooi van het ene huis naar het andere te worden gedragen en was onder alle omstandigheden bereid zijn liedjes te zingen.

'Het duurt niet meer zo lang.' Anna Magdalena legde een hand op haar buik. 'Gaan jullie vandaag maar zonder mij naar de kerk. En Friedemann, pas jij alsjeblieft op je broer. Zorg dat jullie met de andere Thomasleerlingen tijdens de preek in de school lekker warm worden. Kom pas naar huis als de hele kerkdienst is afgelopen, en als we dan vanmiddag hier eten, vertellen jullie me hoe het was.' De jongens gingen braaf op weg. Sebastian was al vroeg vertrokken, om de instrumenten bij te stemmen en alles klaar te leggen.

Dorothea bleef als altijd bij haar moeder. Als Anna Magdalena niet naar de kerk ging, had ze Dorothea zeker ergens voor nodig. Maar de weeën bleven weg en het huis was zeldzaam stil. Anna Magdalena en Dorothea hadden zich in de mooie kamer geïnstalleerd en luisterden naar de geluiden die door de ramen drongen. Ze misten allebei het getwinkeleer van de vogels, die in de zomer buiten in hun kooitjes om het hardst zongen. Nu waren ze allemaal weer in de warme kamers achter de vitrages en sprongen daar van het ene naar het andere stokje.

Daar zaten de twee, moeder en stiefdochter. Ze hadden niet eerder in Leipzig zo stil en vredig met elkaar gezeten. Maar zoals de rust was gekomen, verdween hij ook op slag toen de anderen terugkwamen uit de kerk. Ze zetten hun muts af, deden hun jas uit en Friedelena bracht de hele stapel naar de kapstok in de koude gang.

'Zo, vertel nu eens wat jullie je van de dienst herinneren,' vroeg Anna Magdalena aan de jongens. Het was alsof ze tegelijk in drie blaasbalgen had geblazen, want de jongens proestten het alle drie uit.

'Ja, ja. Jullie maar lachen, terwijl je vader peentjes zweette,' klaagde Sebastian.

Maar omdat zijn stem nu veel ontspannener klonk dan in de kerk, waagde Friedemann: 'O Jezus, waar zijt gij?' En opnieuw barstten de jongens in lachen uit.

'Wat valt er te lachen?' vroeg Anna Magdalena. 'Dat was immers de altaria na het koor van vanmorgen. En had jij niet nog een nieuw stukje geschreven voor de klavecimbel?' Anna Magdalena begreep niet wat er zo grappig was.

'Ja, precies. En dat blad kon ik niet vinden,' legde Sebastian uit.

De kinderen riepen en zongen door elkaar: 'O Jezus, waar zijt gij, o Jezus, waar zijt gij? O blad, waar zijt gij?'

'Maar waar was het dan?' vroeg Friedelena zorgelijk.

'Onder de achterpoot van de klavecimbel. Ik zag het pas toen het laatste koraal al was gezongen.'

'Hè, vertel nou. Wat is er nou precies gebeurd?'

'Alles liep op rolletjes, alleen de muziek voor de klavecinist was er dus niet. Ik zocht en zocht tussen al die bladen,' vertelde Sebastian.

'Het was muisstil in de kerk,' zei Bernhard.

'Iedereen wachtte op de inzet. Toen moest ik zelf aan de klavecimbel gaan zitten, en uit mijn hoofd de pianissimo twaalfachtste maat inzetten. De contrabassist had meteen door wat er aan de hand was, en hij zette zijn eigen muziek zo neer dat ik mee kon kijken.'

'Het is dus allemaal goed gekomen?' Anna Magdalena lachte opgelucht. Ze zou bij het horen van het lied *'Jesus lass dich finden'* voortaan altijd aan het zoekgeraakte muziekblad moeten denken.

Gottfried, Sebastians negende, en Anna Magdalena's tweede kind, nam ruim de tijd om tevoorschijn te komen. Negen lange uren waren de moeder zelf en de vrouwen die hielpen in de weer om het kind in de baarmoeder om te draaien, zodat het eruit kon worden geperst.

'Alsof ze me een week lang hebben gemaltraiteerd. Zo voel ik me,' zei Anna Magdalena tegen Friedelena.

'Rust nog maar lekker een dagje uit,' zei deze liefdevol.

Toen Sebastian kwam kijken, lag het piepkleine rimpelige wezentje, Gottfried, aan zijn moeders borst.

'Hoe is het met je?' vroeg hij bezorgd. Hoewel hij gedurende die lange bevalling bij een begrafenis had moeten spelen en ook nog eens vier leerlingen had gehad, had hij alleen maar aan zijn vrouw gedacht. Het was ook hem onverdraaglijk lang gevallen.

'Ik ben al zowat weer op de been,' lachte Anna Magdalena dapper. 'Maar zoals je ziet word ik nog gebruikt.' Nog dagen lang getuigden de blauwe plekken op haar buik ervan hoe koppig de kleine zich had gedragen bij het in de juiste houding gemanoeuvreerd worden.

De peetooms voor Anna Magdalena's eerste zoon waren de burgemeester van Leipzig en de advocaat Graff. De heer Graff was een belangrijk heerschap voor de stad Leipzig en hij zou later voor Anna Magdalena van grotere betekenis zijn dan de steeds weer wisselende burgemeesters. In plaats van Graff had hij evengoed Helper of Engel kunnen heten. Hij had een weduwenzorginstelling opgericht voor vrouwen die in armoede waren vervallen. Deze voorziening zou nog meerdere generaties voortbestaan.

Behalve de komst van het kleine jongetje, speelde er in huize Bach nog iets belangrijks in die dagen. Binnenkort zou de Johannespassion worden uitgevoerd, en er moest dus intensief worden gestudeerd. Anna Magdalena kende meerdere aria's ervan heel goed. Sebastian verstond de kunst de verschillende delen zo te rangschikken dat de passion zich als een leven ontwikkelde. Zijzelf was in deze dagen opnieuw gefascineerd door de lijdensweg van Jezus. Ook al kende ze de geschiedenis natuurlijk al lang, wat zich rond Golgotha had afgespeeld in de tijd van Jezus, onderging ze als een hoogstpersoonlijke liefdesgeschiedenis. Het was haar alsof Christus haar verscheen, zoals hij indertijd, na zijn opstanding, aan Maria Magdalena was verschenen.

Vaak waren er musici uit de familie- of kennissenkring bij de Bachs op bezoek. Dan lieten Friedemann en Emanuel graag horen wat ze konden. De inzet waarmee ze musiceerden en ook de vreugde die hun dat deed, waren van hun gezichten af te lezen. Dat bracht de ouders op de gedachte dat ze een huisleraar in dienst moesten nemen. Niet alleen om aan de kinderen leiding te geven bij hun algemene muzikale ontwikkeling, Sebastian kon ook wel een vertrouweling gebruiken die zijn correspondentie verzorgde en hem bij tijd en wijle aan het orgel kon vervangen. Er waren in zijn eigen familie genoeg jongemannen die graag in Leipzig zouden studeren, maar zich dat alleen maar konden veroorloven als ze daarbij ook iets verdienden. Zo iemand zou voor kost en inwoning de Bach-jongens moeten onderwijzen, en als hij dat wou kon hij daarnaast zelf een studie aan de universiteit van Leipzig volgen.

Met Johann Heinrich Bach deed niet alleen de eerste huisonderwijzer zijn intrede in de familie, maar ook een jongeman die van muziek hield. Als hij maar even tijd had, kwam hij bij Dorothea en Anna Magdalena zitten en hielp met het kopiëren van muziek. Zijn noten waren heel netjes, maar het trekken van de notenbalken wilde nog niet echt lukken.

'Lief tantetje, maak alsjeblieft een blad notenbalken voor me.'

'Dat krijg je ook nog wel onder de knie, Johann Heinrich. Toen ik twaalf was, heb ik ook meer vlekken gemaakt dan balken. Oefening baart kunst,' troostte Anna Magdalena.

'Je praat soms net als vader,' zei Dorothea. Het meisje had zich voorgesteld dat ze in Leipzig aan het maatschappelijk leven zou deelnemen. 'Ik vind het echt jammer dat we niet meer in Köthen wonen. Daar konden we zo vaak we wilden naar het slot, en we konden in Halle naar het koffiehuis. Maar hier komen we alleen het huis uit om naar de kerk te gaan.'

Het gebeurde niet vaak dat Dorothea klaagde. Maar het verschil tussen haar leven en dat van haar broers was groot. De jongens mochten naar school, kwamen geregeld in de stad en werden aangemoedigd zelf te componeren. Zij deed alleen wat overbleef: kopiëren, kleren wassen, schoenen poetsen, op kinderen passen, gasten bedienen. Het ging soms zelfs zo ver, dat haar jongere broers haar opdrachten gaven. Als ze niet bevriend was geweest met kinderen van de familie Bose, zou je kunnen denken dat ze het dienstmeisje in huis was. Een dienstmeisje dat mooi kon zingen. Anders niet.

'Dat is het toppunt. Schande!' Ze krompen in elkaar toen Sebastian zo uitviel. Hij kwam aanlopen met muziek die nog geen twee weken geleden was gekopieerd. Maar van de hele stapel ontbrak het rechterbovenstuk, wel een kwart van ieder blad. Anna Magdalena dacht onmiddellijk: Henriëtta...? Maar haar man brulde: 'Een zwijnenstal is het hier. Niet alleen knagen de muizen aan óúd papier, die ellendige beesten eten ook hun buik vol aan de bladen met verse inkt!' Anna Magdalena nam de schade op. De originelen waren onbruikbaar geworden.

Terwijl Emanuel onopgemerkt de kamer uitliep om in de muurkast naar muizennesten te zoeken, riep Sebastian: 'Ik heb het al zo vaak gezegd! Maar de stadsraad houdt zich van den domme. Of ze luisteren gewoon niet. Ze doen er niks aan. Dit is geen school, het is een armenhuis. De jongens komen hier zonder enig begrip van muziek, met alleen maar honger die de schoolkokkin moet zien te stillen. In plaats van hun stemmen voor het koor te ontwikkelen, zingen ze op straat, weer of geen weer. En als er ergens feest is, zuipen ze zich zo vol dat ze hun bed niet meer weten te vinden. Een liederlijk zooitje heeft mijn voorganger Kuhnau voor me achtergelaten. Zo'n slappeling die de burgemeester niet de waarheid durfde te zeggen. Die nog niet eens heeft geprobeerd het er in de Thomasschool ook maar een beetje fatsoenlijk aan toe te laten gaan. Niks deugt hier. Hoe moeten de capes, de pruiken, de puntschoenen van het koor worden onderhouden? Je moet eens zien hoe de scholieren erbij lopen. Bedelaars in lompen!'

Het was typisch Anna Magdalena om altijd degene te verdedigen die er niet was: 'Maar hij had toch net zo'n zware baan als jij? En heeft hij niet van de burgemeester gedaan gekregen dat er een plank met spijkers in de kerk kwam om de violen te kunnen ophangen? En hij regelde toch ook een paar vioolkisten om ze te kunnen vervoeren?'

'Begrijp je dan niet dat het juist Kuhnau is die door zijn ge-
zeur om dat soort kleinigheden de aandacht afleidde van wat
werkelijk nodig is? Dat daardoor een situatie is ontstaan waar
niets meer aan wordt veranderd?'

'Maar Sebastian, vóór hem heeft ook niemand het voor elkaar gekregen.'

'Rampzalige toestanden moet je afschaffen.' En dat was zijn
laatste woord erover.

Sebastian deed wat hij maar kon om de situatie te veranderen. In een 'Beknopt doch hoognodig ontwerp voor verbetering
van de situatie de kerkmuziek betreffende', wendde hij zich tot
het stadsbestuur. Daarin klaagde hij erover dat de vijfenvijftig
leerlingen iedere zondag in vier koren moesten worden inge-
deeld. Voor de Thomaskerk, de Nicolaaskerk, de nieuwe kerk
en de Pieterskerk. De jongens van het koor voor de Pieterskerk
konden amper wijs houden. Dat koor moest dan ook altijd aangevuld worden met studenten uit de stad om althans enigszins
aan de verwachtingen van de kerkgangers te voldoen.

Wát de nieuwe cantor ook wilde en wélke verbeteringen hij
ook voorstelde, zijn meerderen trokken zich nergens iets van
aan. Evenmin interesseerde het hun of Bach voor zijn inspanningen voor de nieuwe kerk een redelijke vergoeding kreeg.
Waarom haalde hij zich zoveel werk op de hals? Wie had gezegd dat er iedere zondag een nieuwe cantate moest worden
uitgevoerd? Waarom moest hij zo nodig per se de beste zangers
en musici hebben? Nee, nee, en nog eens nee. De kerkdiensten
waren lang genoeg. Hij moest alleen doen wat er van hem werd
gevraagd, niemand verlangde dat hij wonderen verrichtte.

Sebastian gaf niet op. Zijn aanstelling was tenslotte voor
het leven. Hij wilde zijn God en de kunst geven wat hun toekwam. Hij wilde zich kwijten van wat hij als zijn plicht beschouwde. Zo begon een jarenlange afmattende strijd met zijn
werkgevers.

Anna Magdalena wist niet zo goed wat zij eraan kon doen.
Sebastian wilde trouwens niet dat ze zich ermee bemoeide. Dus

beperkte ze zich ertoe dankbaar te zijn als af en toe iemand haar man steunde.

'We zullen de vrienden van Sebastian lekker eten voorzetten, en hun in alles ter wille zijn,' zei Anna Magdalena tegen Friedelena. 'Zij krijgen voor elkaar dat Sebastian geen ruzie krijgt met iedereen die anders denkt dan hij.'

'Hij is altijd zo geweest,' zei Friedelena. 'Maar hier in Leipzig zet hij er alles mee op het spel, want degenen van wie hij afhankelijk is, zijn in de meerderheid. Vaak kunnen ze ook niet anders dan zijn verzoek afwijzen, ze beschikken immers niet over dezelfde middelen als de vorsten.'

'Hij heeft vrienden nodig, opdat hij niet een keer in een kwade bui naar de degen grijpt, of zijn woede op onschuldigen botviert,' zei Anna Magdalena. Het verbaasde Friedelena hoe goed Sebastians nieuwe vrouw haar man al kende.

* * *

In de zomer moesten de Thomasleerlingen weer om vijf uur opstaan. Rond die tijd waren dan ook de bedienden alweer aan het werk. Anna Magdalena hoorde hoe ze onder het afdak druk in de weer waren. Het dienstmeisje van de rector was met de was bezig. Ook het gezin Bach zou binnenkort aan een meisje uitleggen hoe ze voor de was moest zorgen. In Köthen had Friedelena het gedaan, maar hier was er veel meer werk in de keuken. Ze kon daar niet nog iets bij hebben. Anna Magdalena zag wel dat ze Friedelena moest ontlasten, want van het koude water kreeg ze last van haar gewrichten.

'Moeder, ik wil niet dat je naar de kelder gaat,' zei Dorothea toen Anna Magdalena de was wilde gaan afmaken.

'Maar je weet net zo goed als ik dat een van ons op wasdag erbij moet zijn, als we het meisje willen leren hoe het moet worden gedaan. We willen toch dat de was schoon wordt.'

'Ik zal er wel voor zorgen. Ik ben er toch sowieso altijd bij om de was te stampen. En ik kan ook een dag tevoren de was wel in de week doen, dan hoeft Friedelena helemaal niet meer in het washok te komen.'

'Kindlief, wat zou ik zonder jou beginnen? We moeten wel oppassen dat we niet alleen nog maar huishouden doen, we moeten tijd overhouden om muziek te maken.' Anna Magdalena wist heel goed dat Dorothea haar droom om zangeres te worden allang had opgegeven. Sebastian had al zijn hoop op zijn zoons gevestigd. Voor vrouwen was er toch genoeg werk, en er was niet voldoende geld om nog meer personeel in dienst te nemen. Ze zei: 'We moeten er eens goed over nadenken, Dorothea. Zo kan het niet langer.'

'Wat bedoel je?'

'Ik bedoel: sinds we in Leipzig zijn, werk je alleen maar in het huishouden. Je bent niet meer dan een uitstekende hulp in de huishouding.'

'Ach moeder, het geeft niet,' zei Dorothea. 'Ik heb het naar mijn zin en ik slaap altijd heel tevreden in, hoor. In Köthen was toch eigenlijk ook niet zoveel te beleven en hier zijn de meisjes van Bose echt zusjes van me geworden. Ik wist niet hoe fijn het is om zusjes te hebben. En nu heb ik ook al een klein zusje, Henriëtta.'

'Ja, leuk hè, zoals dat kind al babbelt en probeert de trap op te klauteren.'

'Geweldig,' zei Dorothea. 'Het volgende meisje wordt van mij,' lachte ze. 'Dan kan ik nog trotser op haar zijn.'

'Afgesproken,' zei Anna Magdalena. 'Het volgende meisje is van jou. Om de beurt, één voor jou en één voor mij.' Ze lachten allebei. Friedelena keek met Henriëtta om de deur, om te zien wat er te lachen viel. 'En Friedelena mag de jongens hebben.'

'Wie mag wat hebben?' vroeg Friedelena kribbig.

'Nou kijk,' legde Dorothea uit. 'Het ziet ernaar uit dat we nog een heel stel kinderen krijgen, en dus hebben we besloten dat Anna Magdalena en ik de meisjes eerlijk zullen delen en dat jij alle jongens mag hebben, omdat jij de wijste en de oudste bent.'

'Heel vriendelijk van jullie,' zei Friedelena. 'Dan ben ik maar blij dat ik zoals nu op die lieve Henriëtta mag passen.' Als de andere twee gekheid maakten, had Friedelena dat vaak niet door. Ze begreep pas veel later dat het maar gekheid was, en om niet achter te blijven probeerde ze dan met een grap te antwoorden.

Henriëtta wilde op haar eigen beentjes staan en in de dampende wasketel kijken. Als een aal wriemelde en draaide ze in Friedelena's armen, maar die hield haar stevig vast.

'Het is eigenlijk niet goed om de kleine mee naar het washok te nemen,' zei Friedelena. 'Als je even niet oplet, zou ze zich kunnen branden.'

'Bij de Boses mogen kinderen pas in het washok als ze vijf zijn,' zei Dorothea.

'Dat moesten we hier ook maar zo doen,' vond Anna Magdalena. 'Wat vind jij, Friedelena?'

Friedelena vond het vooral prettig dat naar haar mening werd gevraagd.

Henriëtta vond het juist zo spannend in het washok. Ze wilde beslist niet weer naar boven. Pas toen Friedelena haar uitlegde dat ze nodig moesten gaan kijken of Gottfried lekker lag te slapen, en niet ook ergens iets gevaarlijks deed, had het meisje er vrede mee.

'Vreemd hè, hoe kinderen denken,' zei Dorothea.

'Ja. Zelf dacht ik ook op zo'n vreemde manier toen ik klein was,' zei Anna Magdalena. 'Het heeft iets heel moois en puurs.'

'Je hebt gelijk. Volwassenen weten het misschien beter, maar het is ook een beetje alsof volwassen worden zoiets is als uit het paradijs verdreven worden.'

'In de bijbel staat dat God aan de eenvoudigen van geest en aan kinderen zijn bedoelingen toevertrouwt,' zei Anna Magdalena.

'Misschien kun je ook gelukkig zijn door kinderen te verzorgen en blij te maken. Dan val je 's avonds ook moe en tevreden in slaap.' In Dorothea's woorden klonk toch ook enige twijfel.

Anna Magdalena ging op haar onuitgesproken vraag in: 'Ieder mens moet zijn weg vinden, maar moet ook zijn dromen kunnen hebben.' Ze legde haar handen op Dorothea's schouders: 'Jij moet zeggen wat je werkelijk voor jezelf wilt, wat je werkelijk graag zou doen, Dorothea, ook de kleine dingen.'

Anna Magdalena zou misschien helemaal zijn vergeten dat ze zelf nog maar kort geleden als zangeres werkzaam was geweest aan het hof van Leopold van Saksen-Anhalt, als de vorst Sebastian en haar niet zo smartelijk gemist had. De eerste van talloze reizen naar Köthen stond voor de deur. Anna Magdalena, Sebastian, Dorothea en Gottfried reden met z'n vieren in één koets naar het vertrouwde Köthen. Het was een vrolijk groepje.

'We trekken als een rondreizend gezelschap met ons hebben en houwen door het land en bezoeken onze dierbare plekjes.' Anna Magdalena was in haar schik.

'Ik heb er geen probleem mee dat we een groot deel van ons hebben en houwen thuis hebben gelaten,' zei Sebastian, maar meteen erachteraan zei hij, zoals te verwachten was: 'Volgende keer nemen we wel minstens ook Friedemann en Emanuel mee. De vorst zou zeker ook van hun spel genieten.'

In Köthen werden ze heel vorstelijk in het slot ondergebracht. Dorothea sliep in een kamer, meer een zaal waar zowat een heel huis in zou passen. Ze vond het wel best dat ze er niet alleen hoefde te slapen. Kleine Gottfried mocht in een kinderbedje bij haar in de kamer, opdat de ouders nu eens heerlijk konden uitrusten, en fit zijn voor het concert.

Anna Magdalena gebruikte haar tijd in Köthen om een rok en blouse voor Dorothea te laten maken. En ook besloot ze dat de zestig daalders die ze verdiende met haar gastoptreden voor een hulp in huis bestemd zou worden. 'Omdat we in de toekomst wel vaker uitgenodigd gaan worden om hier op te treden, zal er misschien voldoende zijn om een meisje in vaste dienst te kunnen hebben.' Sebastian zag wel in dat zijn vrouw gelijk had. Anna Magdalena had meer hulp in huis nodig om zelf te kunnen zingen en ook om aan het culturele leven in huis te kunnen deelnemen.

Toen het Bach-echtpaar 's middags meedeed aan de repetitie

in het kleine theater en er even werd gepauzeerd, zaten ze ontspannen en in opperbeste stemming bij elkaar. Sebastian keek naar Anna Magdalena's handen en het viel hem op dat ze niet meer zo glad en zacht waren. Door het vele werk en al het schuren en borstelen om de inkt eraf te krijgen, was de huid droog geworden. Wat heb ik toch een geweldige vrouw, wat een lieve vrouw, dacht hij. Altijd staat ze zonder klagen voor me klaar. Ik moet beter voor haar zorgen. Voor allemaal moet ik beter zorgen. Hij merkte helemaal niet dat ze alweer waren begonnen, zozeer was hij met zijn gedachten bij wat er in zijn eigen huis allemaal nog niet in orde was. Kennelijk moest hij met zijn vrouw elders zijn, niet in Leipzig, om dat in te zien. Thuis was hij altijd zo druk. Er waren altijd zoveel verplichtingen.

Anna Magdalena onderbrak zijn gedachten: 'Hela, opletten, Sebastian, je mist het mooiste.'

Dorothea ging met Gottfried op zoek naar hun ouders en vond ze gezellig samen bij de toneelspelers. Ze hadden het kennelijk naar hun zin. Anna Magdalena legde Gottfried aan de borst en de komedianten, die zelf nog geen kinderen hadden, genoten van het aardige tafereeltje en kregen zin om zelf ook kinderen te hebben.

Die avond zei Anna Magdalena: 'Sebastian, in de winter ben ik wat blij met onze warme woonkamer en muziekkamer. Maar op een dag als vandaag zou ik best net als de muzikanten willen rondtrekken en in een huifkar wonen.'

'We hebben allebei nog het leven van onze voorouders in 't bloed, mijn liefste. Maar zijn we eigenlijk zo anders dan een reizend gezelschap? Alleen trekken wij van het ene stevige huis naar het andere.'

'Ik weet wel wat je bedoelt. Op straat, in een huis, in een paleis, overal op aarde is toch iedereen met zijn vreugden en angsten op weg naar het eeuwige leven.'

Het was Anna Magdalena opgevallen dat Sebastian soms 's nachts diep in gedachten was. Te diep voor een man die toch niet de neiging had te tobben en die dan ook meestal niet bepaald bedachtzaam te werk ging. Hij handelde eerder te spontaan, had dan vaak spijt van zijn daden en ergerde zich over zijn eigen optreden. Hier in Köthen was hij anders, ontspannen. Omdat ze nu 's nachts zonder kinderen waren, viel de verandering Anna Magdalena op, en het amuseerde haar. Terwijl ze de schuifjes uit haar haren nam en de krullen vrolijk op haar schouders sprongen, zette Sebastian zijn pruik af. Binnenkort zou hij helemaal kaal zijn.

'We zouden met deze act in het theater kunnen optreden,' plaagde Anna Magdalena.

'Een vrouw is geschapen om met haar haar de naaktheid van de man te bedekken,' gaf Sebastian lik op stuk.

'Vooral zondaressen,' zei Anna Magdalena.

'Hoezo?' Sebastian had geen idee.

'Stil maar. Niet wat je denkt. Ik bedacht dat de zondares ook de voeten van Jezus met haar haren droogde.'

'O, dat?' Hij wist wel dat zijn vrouw graag overal de draak mee stak.

Anna Magdalena was gelukkig en overmoedig. Ze lachte.

'Vang me dan!' Naakt als ze was spreidde ze haar armen en deed alsof ze door de kamer vloog. Sebastian liet zich niet kennen.

'Duifjes heb ik altijd al zo lekker gevonden, of ze nu gebraden zijn of in de soep.'

Het lag niet aan al het werk vanwege de Johannespassion, en ook niet aan de buikgriep, die die zomer in de Thomasschool heerste. Anna Magdalena was de enige die ook toen de griepgolf voorbij was met een hand tegen haar mond naar het stilletje bleef rennen. Inmiddels wist de familie wel wat dat betekende. Anna Magdalena moest maar voor lief nemen dat ze eerst een paar ponden verloor voordat ze vervolgens steeds maar dikker werd.

'Ik wil vandaag alleen wat drinken,' zei ze verontschuldigend. Friedelena maakte er altijd een heel punt van dat ieder een behoorlijke portie kreeg en zijn bord leeg at. Maar ook na twee bekers vloeibaar voedsel was Anna Magdalena al misselijk. En drinken, dat moest ze echt, want ze moest ervoor zorgen dat ze genoeg voeding bleef houden voor Gottfried. En dan die eindeloze traptreden! Liefst was ze na iedere paar treden even gaan zitten. Ze vond het fijn om samen met Henriëtta naar boven te gaan, want die liep net zo langzaam als zij. Anna Magdalena rekende uit hoelang deze ellendige situatie nog ging duren. Drie, vier weken? Van de ene dag op de andere zou het ineens voorbij zijn, en door het bewegen van het kindje in haar buik zou ze weer een gelukkige moeder worden. Zelfs de laatste weken met zo'n enorme buik waren makkelijker dan de misselijkheid in het begin van een zwangerschap.

Maar afleiding hielp. Als ze met de anderen musiceerde – ze speelden alles wat in haar muziekboek stond – had ze nergens last van. Er stond al heel veel in. Het was Anna Magdalena's dierbaarste bezit. Sebastian en de jongens, ze hadden er allemaal aan bijgedragen. Sebastian wist wel wat er moest gebeuren. Het werd tijd voor een tweede muziekboek. Dat was het beste medicijn dat hij zijn vrouw kon geven. Met twee keurig genoteerde partita's werd een begin gemaakt van een nieuwe verzameling.

'Dat had dat mens van Ziegler wel achterwege kunnen laten!' Bach had er een hekel aan van een of andere vrouwenclub complimenten te ontvangen. Ook al was het gebruikelijk, als je iemand bewonderde, om hoogdravende gedichten en loftuitingen aan te bieden, Sebastian stelde alleen prijs op vakmanschap. Maar de dichteres Christiane Marianne von Ziegler, die vaak teksten schreef voor zijn cantates, was zo onder de indruk van zijn uitvoeringen, dat ze Bach publiekelijk wilde huldigen. En zo kwam Friedelena aan een nieuw krantenknipsel dat ze weldra uit haar hoofd kende en te pas en te onpas als ze Sebastian zag citeerde:

O Reizung – voller Klang – der uns, geschickter Chor,

durch süße Zauberung das Ohr,

wie die Sirenen kann betören.

Das lass zich noch mal hören;

wer muss denn wohl Komponiste sein?

Ist's Telemann? Bach? Oder Händel?

O, volle klank, die ons, het koor,

door zoete zalving van het oor,

als de Sirene ons verleidt,

laat het nog eenmaal horen, ach!

Wie heeft ons toch dit schoons bereid?

Is 't Händel? Telemann? Of Bach?

Mevrouw Ziegler hield zich met allerlei zaken bezig. Anna Magdalena had daar best eens met haar over willen praten, maar haar man vond deze mevrouw Ziegler niet geschikt voor zijn vrouw om mee om te gaan. Hij vond haar een oppervlakkige bemoeial. Desondanks was ze Sebastian wel degelijk tot steun, want ze wist geestelijke teksten zo te bewerken dat ze op een waardige manier bij zijn muziek pasten. Vaak kwam ze op het laatste moment met een geschikte tekst aanzetten. Maar zijn afkeer van het dichteressenkliekje stak Sebastian niet onder stoelen of banken. Die dames kwamen niet alleen voor de kunst bij elkaar, ze hadden ook afwijkende opvattingen, waarvan Bach vond dat ze vrouwen misstonden.

Nog altijd was ook Anna Magdalena op zoek naar geschikte teksten voor Sebastians cantaten. Ze las voor hem in de bijbel, in het gezangenboek, in allerlei dichtbundels... Ze informeerde hier en daar wie in staat was om geestelijke teksten en geschikte liedteksten te schrijven. Uit nood werden ook versregels en melodieën omgewerkt die Bach vroeger voor opera's had gebruikt, zodat hij ze voor een cantate kon gebruiken. Dat was niet ongebruikelijk, en het verbaasde dan ook niemand als een cantate eens een flinke portie pathos bevatte.

Een belangrijke bron voor nieuwe teksten was een zekere Picander, een altijd jolige gemeenteambtenaar. De welluidende naam had hij als pseudoniem gekozen. Alleen bij officiële gelegenheden werd hij met Christian Friedrich Henrici aangesproken. Als hij bij de familie Bach kwam, werd er altijd veel gelachen. Over alles en iedereen wist Picander iets geks te zeggen. Hij was niet alleen geestig, het was ook een warm mens. In de loop der jaren schreef hij meer dan zestig teksten voor cantaten en een groot deel van een van de passionen.

'Ik prijs mezelf gelukkig dat ik hier welkom ben,' zei hij bescheiden. 'Als ik niet mocht dichten, was ik bepaald de betreurenswaardigste belastingambtenaar die een stad ooit heeft gehad.'

'Een gezin dat een vriend heeft zoals jij, kan zich gelukkig prijzen. Je verstaat de kunst mijn man te helpen, je onderhoudt je met ons vrouwen, en de kinderen zijn dol op je. Ze zijn niet van je weg te slaan. Aan jou valt net zoveel te beleven als aan een jaarmarkt.'

'Ach lieve vriendin, je zegt maar wat. Maar je zegt het wel heel mooi. En verder heb ik de indruk dat ik binnenkort een nieuw wiegenlied voor je moet bedenken.' Hij dichtte een mooi wiegenlied en vroeg Anna Magdalena en Dorothea daar een geschikte melodie bij te vinden.

Een goede vriend is iemand die niet alleen bij vrolijke gebeurtenissen van de partij is, maar iemand die juist in verdrietige omstandigheden meeleeft. Zo iemand was Picander. Dat bewees hij toen hij niet alleen naar aanleiding van de geboorte van Anna Magdalena's derde kind Christian, en vanwege de geboorte en de doop van Elisabeth het jaar daarop, de familie met cadeaus en een berijmd dankgebed verraste. Nee, hij was het ook, die voor Anna Magdalena een troostrijke tekst schreef toen, twee maanden later, haar oudste dochtertje plotseling hoge koorts kreeg en stierf. Ze was pas drie. Zo'n allerliefst meisje, altijd vrolijk over alles meebabbelend. Ook Friedelena was natuurlijk intens verdrietig. Ze had in haar een levensluchtig kameraadje verloren.

Anna Magdalena kon het maar niet bevatten. Vier dagen geleden was ze met de kleine Henriëtta aan de hand nog naar de Boses gelopen. Ze hadden naar de paarden op de binnenplaats gekeken. Ze hadden broodkruimels in hun rokken omhoog gehouden, zodat de kippen van de overburen ervan konden eten. Het meisje was zo blij geweest dat ze na twee broertjes nu een klein zusje had gekregen.

Maar die avond had ze ineens hoge koorts gekregen. Haar gezichtje was knalrood, haar lipjes gezwollen. De volgende morgen sloeg ze wild om zich heen. Anna Magdalena sprak zachte lieve woordjes om haar tot rust te brengen. Maar het kind rilde en haar bewegingen en ademhaling werden langzaam minder. Eigenlijk leek het alsof ze in slaap viel, en weer krachten verzamelde na al die inspanning.

'Ze slaapt gewoon,' had Anna Magdalena volgehouden tegen iedereen die beweerde dat Henriëtta dood was. Ze zei het nog steeds toen ook de arts de dood had vastgesteld en de teraardebestelling al was geregeld. Ze slaapt alleen maar, dacht ze terwijl ze de koude handjes vasthield. Ze dacht het nog toen de aarde over haar kind werd geworpen. 'Maar Sebastian, ze slaapt gewoon,' jammerde ze. Hij hield haar stevig vast en gaf toe: 'Ja, ze slaapt, ze slaapt zich gezond, en op de jongste dag zal ze samen met ons in de hemel zijn, Anna Magdalena. Zowaar Gods goedheid ons niet verlaat.'

Omdat Sebastian zijn dochter aan God kon afstaan, en ook Friedelena het begreep, en in staat was haar verdriet een plaats te geven en te treuren, kon ten slotte ook Anna Magdalena het verlies accepteren en betreuren in plaats van het te ontkennen. Elke keer als kleine Elisabeth aan de borst lag, voelde ze naweeën en moest ze de tanden op elkaar zetten om niet in huilen uit te barsten. Haar onderlichaam verkrampte, alsof ze nog een keer haar eerste dochter moest baren. Maar nu in een andere wereld, en niet om haar in de armen te kunnen houden en de borst te geven.

Henriëtta werd begraven op het Johanneskerkhof. Het hield Friedemann erg bezig dat zijn kleine zusje was gestorven. Dat lieve kind, tegen wie hij eigenlijk nooit aardig was geweest. De nieuwe kinderen waren voor hem altijd die van de verkeerde moeder geweest. Hij schaamde zich ervoor, maar wist toch niet goed wat hij ertegen moest doen. In een handschrift dat hem zelf vreemd voorkwam, schreef hij in zijn schoolschrift: *'Christina Sophia Henriëtta mortua est die 29 junio aeta 31/4 1726'.*

Hij nam zich voor om voortaan meer aandacht aan de kleintjes te geven. En als het in zijn macht was, zou hij voor hen doen wat nodig was. Hij had medelijden met zijn stiefmoeder. Hij had haar nog nooit zo verdrietig gezien. 'Doe toch wat,' zou hij graag tegen zijn vader hebben gezegd. Maar ook Sebastian was zo stil en in zichzelf gekeerd.

Het volgende kind dat in Anna Magdalena groeide, was een jongetje dat maar enkele dagen leefde. De enige herinnering aan hem is de doopvont in de Thomaskerk, die door vier engelen wordt gedragen. Er staat op: *'Laat de kinderen tot mij komen. Hou ze niet tegen, want het koninkrijk van God behoort toe aan wie is zoals zij.'* Rondom de doopsteen waren de vier evangelisten afgebeeld: Mattheus met de engel, Marcus met de leeuw, Lucas met de os, Johannes met de adelaar.

Toen Anna Magdalena na de doopplechtigheid en de dood van haar zuigeling wakker werd, wist ze niet of ze had gedroomd, of dat het allemaal echt was gebeurd. Ze had op een zandkleurige leeuw gezeten, waarvan de manen tot aan haar borst reikten. Onder het lopen kletste zijn staart als een zweep links en rechts tegen de grond, en sloeg stof op. Toen legde iemand haar teugels in de handen, en toen ze opkeek zag ze dat er een sterke os was ingespannen die haar veld omploegde. Zijn spieren bewogen met een ijzeren kracht, en aan de lange huidplooien bij zijn hals en zijn sterke hoorns kon ze zien hoe machtig hij was. Maar zij was het niet die hij voorttrok, het was een engel naast haar, van wie ook een enorme kracht uitging. Toen ze hem aankeek, wees hij naar boven. Ze zag de adelaar in de lucht zweven en wist dat zij zelf die adelaar was.

'Kijk wat ik voor je in de hemel heb opgeschreven,' klonk een stem binnen in haar. Van die stem werd ze wakker. Het was drie uur in de nacht. Ze ging rechtop zitten en wekte haar man.

'Wat betekent het als iemand zegt: kijk wat ik voor je in de hemel schrijf?' vroeg ze aan Sebastian toen ze hem haar droom had verteld.

'Ik vind de droom heel verward,' zei Sebastian, 'maar omdat het de doopvont was die je aan het dromen bracht, denk ik dat je daar het antwoord kunt vinden. Ga er morgen maar meteen naartoe. Misschien begrijp je dan wat de hemel in je droom betekent. Wat God je wil zeggen.'

Anna Magdalena ging de volgende morgen direct naar de Thomaskerk om erachter te komen wat de droom beduidde. Maar ze zag datgene wat ze altijd zag: de kunstig vervaardigde doopvont, zo schitterend als ze nooit ergens had gezien. Aan lange kettingen was het zware deksel weer neergelaten. Ze keek omhoog naar de zoldering. Maar pas toen ze weer naar de doopvont keek, begreep ze wat er bedoeld was. Aan de binnenkant van het deksel stond ook een spreuk, die je kon lezen als het deksel opgetrokken was. Ze vroeg de koster en een leerling van de Thomasschool het deksel weer een eindje op te hijsen. En toen las ze aan de binnenkant: *'Gaat heen in de wereld en verkondigt het evangelie aan alle volkeren. En doopt hen in naam van de vader en de zoon en de heilige geest.'*

'Dat is wat we moeten bedenken als we naar de lege wieg kijken, Sebastian. We moeten niet verzaken.'

De droom gaf haar kracht en nieuwe levensmoed. God had haar getroost en getoond wie haar sterke helper was. Ze moest niet aan hem twijfelen, ze moest zich niet van de wijs laten brengen. Ze dacht aan de keurvorstin Christiane Eberhardine von Brandenburgh-Bayreuth. Ook van haar hadden ze afscheid moeten nemen. Nog hoorde ze de woorden en muziek waarmee de zeergeëerde en geliefde vorstin was herdacht.* Aan haar wilde Anna Magdalena een voorbeeld nemen.

Dorothea vond troost in de teksten van haar dagelijkse arbeid. 'Weet je moeder, nu begrijp ik de woorden die Picander voor de Mattheuspassion heeft gekozen.' Ze had ze netjes onder de muziek van haar vader geschreven: 'Heb erbarmen, mijn God... Zie, mijn hart en ogen wenen bitter om u.' *('Erbarme dich, mein Gott... Schaue hier, Herz und Auge weint vor dir bitterlich.')*

'Hij bedoelt dat we gewoon mogen klagen,' zei Anna Magdalena, 'omdat we daar ook alle reden toe hebben. God wil ons troosten. Picander verstaat net als je vader de kunst om alles voor God te doen. En nog veel meer geldt voor ons en je broers wat in het slotkoraal staat, dat Sebastian ervoor heeft bedacht: 'Ik ontken niet dat ik schuld heb, maar uw genade en liefde zijn veel groter dan de zonde, die ik telkens weer in mijzelf ontdek.' *('Ich verleugne nicht die Schuld, aber deine Gnad und Huld ist viel größer als die Sünde, die ich stets in mir befinde.')*

Als aan Friedemann zou zijn gevraagd wanneer Anna Magdalena, na de dood van Henriëtta en de kleine Ernestus Andreas, die maar zo heel kort had geleefd, weer vrede in haar hart zou hebben gevonden, dan zou hij hebben gezegd: 'Toen de nieuwe kachel in huis kwam.' Toen kwam er ook nieuw leven in haar. Daarvóór had ze weliswaar alles gedaan wat ze altijd deed, maar ze was er niet bij, ze was onbereikbaar. Pas alle werkzaamheden, al het gedoe voor het installeren van de nieuwe oven, leidden Anna Magdalena af. Wekenlang was de hele woning bedekt met een laag stof. Maar toen dan eindelijk het monster van hon-

---

* Noot van de vertaler: Trauerode, BWV 198, gecomponeerd n.a.v. het overlijden van de keurvorstin: *'Lasz Fürstin, lasz noch einen Strahl...'* Deze vrouw was luthers gebleven toen haar man tot het katholicisme was overgegaan om koning van Polen te kunnen worden. De lutheranen bewonderden haar en noemden haar eerbiedig de *Betsäule*, de tempel, van Saksen.

derd kilo op zijn plaats stond en al gauw geprezen werd als de beste kachel van heel Leipzig, had Anna Magdalena haar oude levenslust weer terug.

* * *

In het voorjaar van 1728 reisde Anna Magdalena met Dorothea en de kleintjes voor een paar dagen naar Zeitz, haar geboortestad. Dat was omdat haar grootvader was gestorven, de vader van Anna Magdalena's moeder. 'Het is natuurlijk verdrietig dat we gaan omdat hij is overleden, maar we mogen ons best verheugen op het weerzien met zoveel familieleden.' Zo vrolijkte ze de kinderen op. 'Jullie overgrootvader is heel ziek geweest en iedereen gunt hem nu het betere leven in de hemel.'

'Hoe anders is het als iemand sterft die al oud is,' zei ze. 'Er is dan behalve het verdriet om het afscheid ook vrede.' Als ze daarentegen aan tante Martha Elisabeth Hesemann dacht, van wie kort geleden de man was overleden, dan kon ze haar tranen haast niet inhouden, want ze wist maar al te goed hoe het was om een dierbare te verliezen.

Als de familie bij elkaar was, geschiedde het altijd weerkerende wonder. Niets was ook maar half zo erg als in moeilijke tijden niemand te hebben om je te steunen. Hier was een woord van troost, daar een grapje, en overal herinneringen aan een gelukkige tijd. Anna Magdalena's aanwezigheid voegde aan ieder samenzijn veel toe. Ze zag de oprechte vreugde op de gezichten van haar ouders, haar broer en zusters. Het weerzien met het gezin van haar jeugd werkte ook voor haarzelf positief. Haar inspanningen voor de kinderen en vanwege het beroep van haar man ebden weg. Als ze met haar eigen kinderen en die van haar tante door de stad liep, dacht ze totaal niet aan haar verantwoordelijkheden voor het huishouden in Leipzig. Ze liet ze het huis zien waar ze was geboren en vertelde wat voor spelletjes ze vroeger deden.

'Maakten jullie ook weleens ruzie?'

'Waarschijnlijk vaker dan ik jullie kan vertellen, en dronken ben ik ook een keer geweest.'

De kinderen moesten het naadje van de kous weten. Anna Magdalena vertelde en vertelde en ze had het gevoel zelf weer kind te zijn. Ze herinnerde zich hoe geweldig haar ouders voor hen waren geweest, en ze kon haar moeder niet vaak genoeg zeggen hoeveel ze van haar hield. Ze speelde en zong in die dagen alleen of met familieleden. Ook in het openbaar, en zó goed, dat ze dan elke keer een aardig bedrag ontving.

Ze bleven twee weken in Zeitz, en ondanks de verdrietige aanleiding voor de reis, hadden de kinderen er veel plezier met elkaar. Wel was Anna Magdalena juist in die tijd weer straalmisselijk, maar haar moeder wist raad. Ze gaf haar speciale thee die de maag tot rust bracht.

Niemand kon weten dat dit Christians laatste reis naar Zeitz zou zijn. Die zomer waarde een ziekte door de Thomasschool, die de kinderen een opgezwollen keel bezorgde. De jongens konden niet zingen, ze lagen trouwens met koorts in bed. Gottfried, Christian en de kleine Elisabeth namen de bedden van de ouders in beslag, en de arts kwam iedere dag kijken hoe het met de kinderen ging. Maar voor Christian mocht het niet baten. Het jochie werd in het bijzijn van de arts blauw in zijn gezicht, zijn hartje klopte zwak en onregelmatig, en toen lag daar nog slechts het krachteloze lichaampje.

Anna Magdalena wilde niet accepteren wat daar gebeurde. Ze riep haar kind, vleide hem: 'Doe toch je oogjes open, Christian, mijn hartje, zeg toch wat tegen mama!'

Friedelena kon het niet verdragen de moeder zo te horen vleien. 'Je moet hem laten slapen, Anna Magdalena. Laat hem toch slapen. Hij slaapt zich gezond.' Hoe had ze kunnen zeggen: 'Laat hem toch. Hij is dood.'

Net als zijn zusje was ook Christian nog maar drie toen hij naar zijn grafje werd gedragen. Van de vijf kinderen die ze had gebaard, had Anna Magdalena er nog maar twee, Gottfried en

Elisabeth, die nog maar net twee jaar oud was. Het Johannes-kerkhof hoorde voor Anna Magdalena bij het gezin, want daar lagen de kinderen van wie ze ook zoveel had gehouden. Anna Magdalena was vreselijk bang dat de twee kinderen die ze nog had, de ziekte ook niet zouden overleven. Maar zij genazen.

'Hou alsjeblieft alle deuren en ramen dicht, zodat de onge-zonde lucht hier niet kan komen,' waarschuwde ze de anderen en ook de gasten. 'De schoolkinderen brengen alle ziekten van de straat mee en verpesten de lucht in het gebouw.' Ook Sebas-tian en Friedelena waren bezorgd, want over niet al te lange tijd zou weer een kind worden geboren, en de keelontsteking heerste nog altijd in de school.

Een jaar lang was de wieg leeg gebleven, want de kleine Ernes-tus Andreas was direct na de geboorte gestorven, maar nu lag er een klein meisje in: Regina. Ze werd thuis gedoopt, want ze was maar een klein poppetje. Zowel Johanna als Erdmute, de twee jongste zusters van Anna Magdalena, kwamen naar Leipzig om de doop bij te wonen. Ook hun echtgenoten kwamen mee, en zo werd de woonkamer weer muziekkamer. Broer Caspar kon er niet bij zijn. Hij stemde erin toe de peetoom van het meisje te worden, maar was verhinderd. Dus stuurde hij een bevriende violist om hem te vertegenwoordigen. Anna Magdalena had zich verheugd op diens komst en had alvast sonaten en partita's voor vioolsolo en ook suites voor cello solo voor hem gekopieerd. De ontvanger schreef op het titelblad: '... *écrite par Madame Bach. Son Épouse*' ('... geschreven door mevrouw Bach. Zijn vrouw').

De vreugde over het bezoek gaf Anna Magdalena nieuwe energie. Ze had het gevoel dat van nu af alles goed zou gaan. Omdat ze eindelijk weer eens een mooie jurk wilde aantrek-ken om samen met haar familie voor genodigden te zingen, zei ze tegen Dorothea: 'Rijg mijn korset goed strak aan.' Jo-hanna zag het.

'Hé, niet doen,' riep ze. 'Zo ingesnoerd kun je toch zeker niet zingen. Hoe ben je van plan adem te halen?'

Anna Magdalena ging er even bij zitten. 'Gelijk heb je. Zo gaat het niet.' Ze lachte om haar eigen domme gedoe. 'Ik heb niet het gevoel dat ik te weinig lucht krijg, maar eerder dat door dat insnoeren de melk er zo dadelijk uitspuit.'

Johanna sloeg haar ogen ten hemel: 'Ja hé meidje, je borsten zitten echt ergens anders.'

'Dat zeg je nou wel,' zei Anna Magdalena. 'Maar heus, als ik mijn korset aan heb, begint de melk al te lopen, als Regina maar huilt of als iemand ergens borden gaat afwassen. Maar dat, zusjelief, geloof je pas als je zelf met volle borsten rondloopt en je kind na een paar slokjes alweer inslaapt.'

De genodigden waren zo ontroerd door het doopfeest en door de muziek, dat ze de volgende dagen steeds weer kwamen om van het gezin van Sebastian en Anna Magdalena te genieten. Het was voor Anna Magdalena ook een geschikte gelegenheid om hun beste vriendin, van haar en van Dorothea, met haar zusters te laten kennismaken. Sybilla Bose had al gezegd dat een volgende keer ook bij haar aan de overkant enkele gasten konden worden ondergebracht.

'Het is toch zo fijn dat we al direct zulke lieve buren hadden,' zei Anna Magdalena tegen haar zusjes.

'Het is voor ons ook prettig te weten dat je zo'n goede vriendin vlakbij hebt,' zei Johanna.

'Maar,' zei Anna Magdalena, 'het is ook zo dat jullie en vader en moeder degenen zijn die me het best kunnen troosten. Het voelt alsof met jullie in de buurt mijn gebroken hart als in een korset bij elkaar wordt gehouden. Ik ben dan weer een gerepareerd mens, hoe bedroefd mijn ziel ook is. Met jullie kan ik altijd lachen en huilen.'

Johanna en haar man waren over Köthen naar Leipzig gereisd. Ze vertelden dat het met vorst Leopold helemaal niet goed ging. Dergelijke berichten waren niet nieuw, hij kwakkelde immers altijd al met zijn gezondheid. Maar Johanna en Andreas vertelden dat ze Leopold deze keer niet als gebruikelijk gekleed, maar onder een plaid hadden aangetroffen, liggend in de zon.

'Hij vond het kennelijk fijn ons te zien, maar hij heeft nog niet eens zijn hoofd opgetild,' vertelde Johanna.

Bach was geschokt. 'Als dat zo is, dan wil ik nog deze week mijn hooggeëerde vriend opzoeken.' En dus reisde Bach niet lang daarna naar Köthen en zag toen zelf dat niets ter wereld vorst Leopold nog kon redden. Hij stierf op de leeftijd van slechts drieëndertig jaar. Zoals Bach dat aan hem had beloofd, componeerde hij een treurmuziek voor zijn overleden vriend om hem te eren. Deze muziek moest nog schitterender worden dan wat hij voor de overleden keurvorstin Christiane Eberhardine had geschreven.

Het waren niet alleen concerten en familiebijeenkomsten waar Bach Leipzig voor moest verlaten. Tussen kerst en nieuwjaar ging Bach alweer op reis. Hij reed naar Ehrfurt vanwege de begrafenis van zijn zuster Marie Salome Wiegand. Maar gelukkig waren er getalenteerde studenten die hem konden vervangen. In zo'n periode dat haar man afwezig was moest Anna Magdalena alles organiseren. De kinderen werden als boodschappers van hot naar her gestuurd, en ook de huissecretaris, Johann Heinrich Bach, sprong in. Hij had vaak voor Sebastian schrijfwerk verricht, en ook bij het kopiëren van muziek hielp hij nogal eens. Maar binnenkort was dat afgelopen. Volgend jaar zou hij Leipzig verlaten, want hij had zijn studie beëindigd en een aanstelling elders gekregen. Er moest dringend een vervanger worden gevonden.

Anna Magdalena verheugde zich zeer op februari, want dan zou ze weer met Sebastian op uitnodiging naar Weißenfels reizen. Daar zou ze samen met haar zuster zingen. Johanna en haar man Andreas zouden er namelijk ook zijn. Andreas was de allerbeste trompettist van heel Saksen. In de *Chronik* stond later: 'Eenenveertig adellijken en Cantor Bach waren aanwezig'.

Anna Magdalena en Sebastian waren ondergebracht bij kamerheer Ritter, terwijl Johanna en Andreas elders onderdak hadden gekregen, bij kamerheer Eckhardt, In het voorname huis waar gedurende meerdere jaren de componist Heinrich Schütz had gewoond.

Anna Magdalena gebruikte haar vrije tijd om met haar zuster bij te praten.

'Hoe red je het toch in Leipzig?' vroeg Johanna.

'Ik hoef het immers niet alleen te doen. Friedelena regelt de maaltijden, en Dorothea is een geweldige hulp voor de kleintjes. Ze houdt van ze alsof het haar eigen kinderen zijn. Op het ogenblik logeert ze met Regina bij vader en moeder. Ze komen naar me toe als het kind de borst wil. Maar als ik eerlijk ben: Leipzig, dat is wel continu drukte en gedoe. Zodra je een voet buiten de deur zet, zit je er middenin.' Anna Magdalena zweeg een poosje. Toen voegde ze eraan toe: 'Vaak verlang ik zo naar stilte. Geen geschreeuw, geen ratelende wielen.'

'Zo was je toch vroeger al! Jij met je wandelingen, je kippen, en je vogel-manie.'

'O ja,' zei Anna Magdalena vrolijk, 'ik heb er nog een nieuwe manie bij gekregen. Ik heb eindelijk een grotere tuin, zoals moeder vroeger had. Daarin kweek ik niet alleen onze eigen groenten, ik ga ook een groot bloemperk aanleggen. Ik kan haast niet wachten tot het voorjaar. Ik heb al wat zaad van vrienden gekregen, en ik kijk altijd in de tuin naast mijn stukje grond, of daar misschien wat restanten te vinden zijn. Ik vind het heerlijk om in de tuin te werken. 't Is net of ik dan in een andere wereld duik. En daarna heb ik altijd het gevoel dat ik vrijer kan ademhalen.'

'Pas maar op dat je niet te veel hooi op je vork neemt,' waarschuwde Johanna. 'Ik kan zo wel uitrekenen dat als de aardappels moeten worden gerooid, je weer niet meer over je buik zult kunnen bukken.'

'Jawel hoor. Deze jurk droeg ik al voordat ik met Sebastian trouwde.'

'Zal best, maar nu ben je getrouwd.'

'In elk geval heb ik een tuin waar de zon de hele dag schijnt. En er is ook een kleine helling. Daar ga ik twee wijnstokken planten. Zelfs in Leipzig komen daar in sommige jaren best vruchten aan.'

Geen antwoord is ook een antwoord, dacht Johanna. Ze omhelsde haar zusje en zei: 'In elk geval zingen wij allebei als nachtegalen. Ik geloof dat onze mannen maar wat trots op ons zijn.'

Toen Anna Magdalena weer naar haar kind ging, was ook Sebastian in het huis van zijn schoonouders.

'In Weißenfels lijkt alles zoveel makkelijker,' dacht Dorothea hardop.

'Wat loop je daar te mompelen?' vroeg haar vader.

'In Leipzig heeft alles altijd zo'n haast. Al dat georganiseer. Er is altijd zóveel dat je pas in bed, als je moe bent, kunt bedenken wat er die dag eigenlijk allemaal is gebeurd.'

Sebastian knikte. 'Hier heb je meer rust, omdat we alleen de kleine Regina hebben meegenomen. Friedelena heeft nu de zorg voor Gottfried en Elisabeth.'

Anna Magdalena zei: 'Ik denk dat ik weet wat je bedoelt, Dorothea. In Leipzig gebeurt alles volgens plan, daar moet altijd alles op een bepaald moment klaar zijn. Vaste tijden waarop gasten komen, wanneer de kopieën klaar moeten zijn... Of er genoeg schone was is, dat soort dingen. In Leipzig zijn wij het die voor alles verantwoordelijk zijn, die moeten zorgen dat alles op tijd gebeurt. Voor mijn moeder is het hier net zo. Ze brengt de kinderen van mijn zuster groot, ze zorgt voor vaders kleren...'

Terwijl ze zo met elkaar spraken in het huis van vader en moeder Wilke, begon het buiten te sneeuwen. De volgende dag moest Sebastian nog het orgel inspecteren. Misschien konden ze pas over twee dagen terugreizen.

Dorothea had gelijk, vond Anna Magdalena. Hier, in Weißenfels, in het huis van haar ouders, vond je de rust om na te denken en om je gedachten te uiten. In Leipzig was alleen belangrijk dat alles liep zoals het moest. Ze besefte ineens dat Dorothea al twintig was. Het meisje had niet, zoals zijzelf, het geluk gehad om zangeres te worden. Toen zij Dorothea's leeftijd had, was ze met de bewonderde musicus Bach getrouwd. Het was voor haar bijzonder eervol geweest dat hij haar had gevraagd. Wat had het leven voor Dorothea in petto? Ze hadden te weinig aan haar gedacht. Zoals deze dagen: haar eigen grootste geluk was om met haar zuster Johanna te zingen en door de vertrouwde omgeving te wandelen. Wat kon ze voor haar grote dochter doen? Het enige wat ze weleens had voorgesteld, was dat Dorothea een zangopleiding zou volgen en dat ze zich zou opgeven voor de dichterskring en de theatergroep van Friederike Karoline Neuber.

Maar Sebastian vond dat alles nutteloos en zelfs ongepast. Er was immers genoeg werk in huis. Realiseerde Anna Magdalena zich wel hoe het zou zijn als ze het zonder de hulp van het meisje moest stellen?

De sneeuwvlokken bleven maar vallen die hele volgende nacht. 's Morgens kregen ze de deuren bijna niet open. Gelukkig was Andreas al gauw naar het huis van vader en moeder Wilke gekomen om daar met een schop de weg enigszins begaanbaar te maken. De vrouwen maakten van de gelegenheid gebruik om met hun blote handen de sneeuw van de vensterbanken te schrapen, er ballen van te maken en die trefzeker de arme Andreas in de nek te gooien.

'In Weißenfels is het mooier dan waar ook,' herhaalde Dorothea zachtjes. Het ontging Anna Magdalena niet. Ze sprak erover met haar moeder. Ze legde uit dat Dorothea haar grote steun en toeverlaat was en haar liefste vriendin, maar dat ze haar gunde een poosje in Weißenfels te zijn. 'Het is het enige wat ik voor het kind kan doen,' zei ze. Aan Sebastian werd niets gevraagd.

Toen ze op de terugreis waren en door de sneeuwstorm reden, maakte Sebastian haar de ergste verwijten. Zonder met hem te overleggen, had ze zijn dochter toegestaan in Weißenfels te blijven.

Anna Magdalena had er ineens genoeg van: 'Misschien ziet mijn moeder iets meer in het meisje dan een kopiiste en wasvrouw. En mijn vader zal ten minste eens voor haar naar een geschikte huwelijkspartner uitkijken.'

'Dat komt vanzelf wel,' bulderde Sebastian. 'Niemand hoort zich met Gods zaken te bemoeien.'

'Voor je zoons is het toch ook zowel jouw zaak als die van God, waarom dan niet voor dit lieve kind?'

Na zo'n korte woordenstrijd was het niet verkeerd een poosje te zwijgen. Anna Magdalena had nu tenminste gezegd wat haar op het hart lag. Dorothea had tenslotte geen moeder, en Anna Magdalena was de enige vrouw die voor haar kon opkomen.

Sebastian was erg moe. Hij had te weinig geslapen, omdat hij de hertog van Saksen-Weißenfels een voortreffelijk stuk muziek wilde bieden. Eindelijk was hij weer meer dan een armzalige schoolmeester en cantor. Misschien zou het voor zijn humeur beter zijn geweest als hij had geweten dat de hertog al had besloten om de hardwerkende begaafde Bach een titel te verlenen. Een titel die Bach al zo lang hoopte te krijgen, omdat die meer erkenning zou betekenen, zodat hij aanspraak zou kunnen maken op meer inkomen. Hij werd benoemd tot 'hoogvorstelijke Saksen-Weißenfelsische kapelmeester'. Hoewel Sebastian nu eindelijk deze titel onder zijn handtekening kon zetten, leken zijn Leipziger werkgevers er niet erg van onder de indruk.

Dorothea bleef slechts een paar weken in Weißenfels, maar Anna Magdalena miste haar in alle opzichten. 'Niet klagen, nu,' zei ze tegen zichzelf. Maar intussen wist ze niet in hoeveel Anna Magdalena's ze zichzelf moest verdelen om al het werk in huis gedaan te krijgen. Sebastian had geen woord meer aan de zaak verspild. Dat deed haar verdriet. Het was alsof alleen zij er schuld aan had dat alles zonder Dorothea zoveel moeilijker was.

* * *

In maart reisde Anna Magdalena met Sebastian naar Köthen om de treurmuziek voor vorst Leopold uit te voeren. Net als negen jaar eerder stond ze rechts naast het orkest en wachtte op haar inzet. Toen was Sebastian nog de hofcomponist en kapelmeester van het hof van Köthen geweest en zij de zangeres. Toen had ze nog gesidderd voor zijn boze buien en was ze nog wanhopig geweest als niet alles er meteen perfect uitkwam. Nu was hij Thomascantor, en zij droeg zijn naam. Zoals altijd had ze de teksten van buiten geleerd, zodat ze zich helemaal op de samenklank met de anderen kon instellen.

Anna Magdalena droeg haar zachtgele jurk over een wijduitstaande hoepelrok. Het lijfje en de mouwen waren van fluweel, dat op de onderarmen en de borst bestikt was met allerlei versieringen. Als ze haar armen hief, dan viel het wijde onderste deel van de mouwen tot over de ellebogen terug en lieten de polsen en onderarmen vrij. Als ze zong, ging haar borst op en neer. Ze was het zich bewust: ze was nog net zo charmant als vroeger, alleen nu was ze zoveel zelfverzekerder. Dat kwam door de ervaring van de afgelopen jaren. Ze keek naar Sebastians dirigerende handen. Dit was voor haar het toppunt van geluk. Dat contact tussen hen via zijn handen. En de laatste jaren had hij zich aangewend, haar altijd even aan te kijken als ze moest inzetten.

In april kwam Dorothea weer naar Leipzig. Ze kwam niet alleen, ze bracht Christoph Friedrich Meißner mee, de zoon van Anna Magdalena's oudste zuster.

'Zo zo, je hebt voor ons een jongen meegebracht uit Weißenfels opdat onze Thomasschool niet ten onder gaat,' schertste Sebastian toen hij zijn dochter begroette.

Sebastian moest altijd vaststellen wat het niveau van nieuwkomers was en hij moest zijn bevindingen op schrift aan de stadsraad doorgeven. Dat de zojuist aangekomen neef als eerste van de sopranen werd genoemd en dat achter zijn naam stond: '13 jaar, perfecte stem' deed Anna Magdalena enorm deugd, want ze begreep wat dat voor haar zuster moest betekenen. Toen Christoph Friedrich nog klein was, had ze hem niet alleen kinderliedjes, maar ook mooie aria's voorgezongen en hem de inhoud van de teksten uitgelegd. Misschien had ook zij dus bijgedragen aan zijn muzikale vorming en nu woonde haar neefje warempel met haar onder één dak.

Het was geweldig hoe Sebastian niet alleen zijn eigen familie, maar ook de hare met open armen ontving en hielp zoveel hij maar kon. Hij had er ook in toegestemd peetoom te zijn van Caspars jongste zoon. Hoewel hij niet zelf voor de doopplechtigheid naar Zerbst kon reizen, zou hij in de toekomst voor de jongen instaan. Daar kon ze van op aan.

Anna Magdalena vroeg zich af of ze blij mocht zijn dat haar geliefde stiefdochter terug was. Maar voordat ze daarover had kunnen nadenken, vielen de twee vrouwen elkaar in de armen en de saamhorigheid tussen beiden had niet inniger kunnen zijn tussen een vrouw en haar man. 'Ik dacht dat mijn ouders je maar al te graag bij zich hadden gehouden en dat we binnenkort een bruiloft voor je zouden organiseren. Ik had niet gedacht dat je zou terugkomen. Maar o, wat heb ik naar je verlangd, lieve kleine vriendin van me.' En ze voegde eraan toe: 'Niemand heeft me in al die jaren zo trouw terzijde gestaan als jij.'

Het was Dorothea niet zwaar gevallen naar Leipzig terug te keren. In Weißenfels had ze haar broers en zusjes gemist. Ook de familie Bose en zelfs Friedelena's drukke gedoe. Maar vooral: Anna Magdalena. Ze had geconstateerd hoe onzeker ze zelf eigenlijk was. In Weißenfels was ze het liefst helemaal de stad niet ingegaan. Het idee om alleen naar het slot te gaan, lokte helemaal niet. Ze was blij dat ze nu weer nodig was.

'Hoe had ik kunnen wegblijven als ik weet dat hier zoveel te doen is, dat hier overal van alles nog niet in orde is?'

'Ho, ho,' zei Sebastian. 'Er heeft hier nog nooit iemand honger geleden, God heeft altijd voor ons gezorgd.'

'O zeker, vader,' zei Dorothea rustig, 'maar God laat het aan de vrouwen over de zware manden van de markt naar huis te dragen, en het water uit de put te hijsen en de emmers naar huis te slepen. Nog ervan afgezien dat hij niet op het vuur let en geen koeken bakt.'

'Wel heb je ooit. Zoiets kan je alleen in Weißenfels zijn bijgebracht.' Sebastian sloeg zijn handen in elkaar en keek naar Dorothea alsof ze een foute noot had gezongen. Maar Anna Magdalena greep in en suste haar man. 'Er is haar niets bijgebracht wat mij niet allang bekend was, en dat, mijn lieve man, zijn allemaal dingen die voor jouw bestwil zijn.'

Nu Dorothea er weer was, probeerde Anna Magdalena haar net als Sybilla Bose op de Leipziger toneelschool geplaatst te krijgen. Het was namelijk een geweldige ervaring om Karoline Neuber* mee te maken. Ze verving de rokken van vrouwen die ook op de planken wilden door broeken, zodat niet alleen mannen vrouwenrollen, maar omgekeerd net zo goed vrouwen ook mannenrollen konden vertolken.

Meneer Gottsched, die ook voor Bach teksten verzorgde, was de dramaturg van mevrouw Neuber. Hij vertaalde niet alleen toneelstukken uit het Frans, maar schreef zelf ook nieuwe. Als mevrouw Neuber dichtwerken voordroeg, was hij altijd in de buurt. Heel Leipzig beschouwde haar als een sensatie. Gottsched trippelde zelfgenoegzaam om Karoline heen. Maar o wee als ze iets op het toneel bracht wat hem niet beviel. Dan gaf hij haar er publiekelijk van langs in afbrekende kritieken.

Vrouwen waren onder de indruk als ze vrouwen als man verkleed zagen. Maar toen mevrouw Neuber, die toch de lieveling van het volk was, een Hansworst-klucht liet uitvoeren, was dat

---

* Noot van de vertaler: Karoline Neuber had de school opgericht en had er de leiding. Ze was een ondernemende en eigengereide dame. Toneelspelen was tot dan altijd een enigszins minderwaardige bezigheid gevonden. Daar bracht zij verandering in. Ze was het er ook niet mee eens dat alleen mannen zouden mogen toneelspelen.

Gottsched te ordinair. Hij vond het zelfs obsceen. Hij verklaarde zich tegen verdere opvoeringen van het stuk, met als argument dat het niet fatsoenlijk was. Voor Karoline Neuber was dat een tegenvaller, want Gottscheds oordeel werd in die dagen in de wereld van de letteren als maatstaf gezien. Zo dacht hij er in elk geval zelf over. En inderdaad maakten vrouwen die niet op zijn steun konden rekenen, amper kans. Maar de 'Neuberin' en haar hansworst ontbrak het niet aan bijval. Ook na Gottscheds kritiek niet. De mensen bleven de voorstellingen gretig bezoeken. Iedereen wilde dit frivole stuk natuurlijk zien.

Ook Dorothea had al een paar keer met Sybilla het stuk gezien en er smakelijk om gelachen. De Hansworst had een brutaal paardenstaartje bijna boven op zijn hoofd, hij droeg een voddige boerenbroek, en een mooie kraag zoals geleerden die hebben. De riem zat heel laag om zijn buik en zijn degen stak op obscene wijze bijna horizontaal naar voren, zo dat je ervan ging blozen. Maar het was bepaald grappig, want hij sprong in zijn hoog dichtgeknoopte deftige pandjesjas over het toneel alsof hij van rubber was, en als hij zijn hoge hoed opzette en zo zijn malle pluk haar verborg, wist iedereen toch wat daaronder zat. De toeschouwers lachten en konden maar niet genoeg krijgen van Hansworst. De grappen kwamen hun merkwaardig vertrouwd voor. Het was alsof hun een spiegel werd voorgehouden.

Voor Sebastian was en bleef het een ramp als zijn dochter zich klaarmaakte om aan het leven buitenshuis deel te nemen. Er was thuis toch zeker genoeg afwisseling, genoeg te beleven, vond hij.

Friedelena had in de loop der jaren wel geleerd zich niet met familieaangelegenheden te bemoeien, maar voor haar telde vooral wat haar zwager vond en wenste. Hij was het tenslotte die voor hun aller onderhoud zorgde, en intussen werd het hem zo moeilijk gemaakt. Ze wilde graag alle problemen verre van hem houden. Anna Magdalena kon ook wat dat betreft op Friedelena rekenen. Dat was zo tot Friedelena's dood. En die kwam totaal onverwacht. Zoals onaangekondigd bezoek, dat eenvoudig aan de bel trekt en voor je neus staat.

Friedelena had een paar dagen koorts gehad. Die was gezakt. Ze voelde zich nog wat slapjes, zei ze, en was lekker in een luie stoel bij het vuur gaan zitten. Daar roerde ze de pap voor het ontbijt. Gottfried was ook in de keuken en zag ineens hoe zijn tante haar hand tegen haar borst drukte en het zweet haar over haar bleke gezicht liep. Hij holde naar mama.

Anna Magdalena knielde bij Friedelena neer en hield de zware vrouw stevig op haar stoel.

'Haal vader,' zei ze tegen Gottfried. De jongen rende weg en kwam terug met zijn vader en Emanuel.

'De pap. Neem de pap van het vuur,' zei Friedelena nog. Maar nog voordat Sebastian Friedelena van zijn vrouw had kunnen overnemen, stroomde de pap al over de rand van de koperen pan in het open vuur. Het verspreidde een zoete, branderige geur. Anna Magdalena greep de pannenlappen en tilde de borrelende pot van de haak aan de ketting.

'Breng haar naar de slaapkamer, dan kan ze even liggen,' zei Anna Magdalena, toen ze op het metselwerk van de haard eindelijk een plek had gevonden waar ze de borrelende pot kwijt kon, en de pap niet verder overkookte. Maar toen ze zich omdraaide naar de mannen, zag ze dat ze Friedelena gewoon op de grond hadden gelegd.

'We brengen haar zo naar de slaapkamer,' zei Sebastian. 'Eerst gaan we voor haar bidden.' Hoe wist hij dat het met haar afliep?

Daarna legden de mannen Friedelena op haar bed en Anna Magdalena zorgde, misselijk en wel, verder voor het ontbijt.

Friedelena was er altijd geweest. Haar dood betekende niet alleen verdriet om het verlies van een gepassioneerde vrouw en niet alleen de voelbare leegte in huis. Zij was het die er altijd voor had gezorgd dat alles op tijd in orde was. En Friedemann,

Emanuel en Bernhard konden nog zo eigengereid of opstandig zijn, Friedelena was nooit echt boos op ze geweest.

Zolang er geen goede huishoudster was gevonden, was Anna Magdalena aan huis gebonden. Hoewel Dorothea vaak op de kinderen paste, en hoewel er intussen twee meisjes waren die door haar werden geïnstrueerd hoe de was te verzorgen, het werk in de keuken was nu toch de verantwoordelijkheid van Anna Magdalena, en ook de zorg voor de pruiken, de provisie-kamer en de aanschaf van kolen en hout.

Ze waren nog maar net enigszins aan deze nieuwe situatie gewend, of Anna Magdalena moest naar Zerbst, omdat haar schoonzuster was gestorven. Nog nooit had ze Caspar zien hui-len. Hij was altijd de grote sterke broer geweest, en dat had hij ook altijd aan iedereen duidelijk gemaakt. Nu was hij dankbaar als iemand hem stevig omarmde. Ook van zijn zusters stelde hij dat op prijs. Vader en zoon hadden het altijd goed met elkaar kunnen vinden. Maar nu wist vader Wilke in zijn medelijden geen woorden te vinden. Hij hield maar steeds zwijgend Cas-pars hand stevig in de zijne en klopte hem op de schouder. En tegen de vrienden van zijn zoon zei hij: 'Zoeken jullie alsjeblieft een andere lieve vrouw voor hem.'

Toen Anna Magdalena in de koets zat op weg terug naar Leipzig, dacht ze aan een tekst van Picander. Pas toen ze merkte dat de andere passagiers haar niet begrijpend aankeken, reali-seerde ze zich dat ze het lied zachtjes maar wel hardop zong: '*Kommt ihr Töchter, helft mir klagen.*' Het was iets dat zozeer bij haar was gaan horen: samen treuren en samen blij zijn.

Dorothea was bij de grootste kleintjes in Leipzig gebleven, en Anna Magdalena was dus met alleen haar allerjongste naar Zerbst gereisd. Als Friedelena nog had geleefd, had haar lieve stiefdochter mee kunnen gaan en tussen de voedingen voor de zuigeling kunnen zorgen. Maar nu moest één van beiden altijd in Leipzig blijven.

Anna Magdalena dacht aan de Mattheuspassion en dat op Goede Vrijdag de tegenstanders en critici van haar man toch moesten inzien hoe hard hij werkte. De muziek moest hun toch iets doen. Twee vierstemmige koren studeerden er al heel hard voor, en ook zong er nog een jongenskoor in de inleiding. Twee orkesten speelden tegenover elkaar, het ene met orgel, het andere met klavecimbel. Allen kwamen in de passion tot leven: Christus, de evangelist, Judas, Petrus, de hogepriester en Pilatus. Terwijl ze uur na uur in de koets door elkaar gerammeld werd, had ze tijd om over al datgene na te denken wat ze de afgelopen tijd had gekopieerd. Terwijl ze de noten en teksten had geschreven, had haar soms het gevoel overvallen dat het werk nooit af zou komen. Maar nu nam het bijbelverhaal bezit van haar, het feestmaal dat de afscheidsmaaltijd van Jezus zou zijn, het verraad van Judas, zelfs de liefhebbende, fiere Petrus die Jezus niet trouw bleef, maar loog uit angst zelf gevaar te lopen.

'O Lamm Gottes, unschuldig...' De passion werd nu voor de tweede keer uitgevoerd. Maar telkens waren de woorden voor haar als een bericht dat ze al lang had verwacht.

Na Friedelena's dood probeerde Sebastian naast zijn toch al zeer inspannende werkzaamheden nog meer privéleerlingen te krijgen. Ook sloeg hij geen enkele orgelkeuring af, alles om de uitgaven die nodig waren voor zijn gezin te kunnen bekostigen. Anna Magdalena kon met het weinige geld niet rondkomen. Toen hij ontdekte dat de goed betalende leerlingen vaak de slechtsten waren, terwijl menige arme sloeber die alles in huis had om een goed musicus te worden zich noch de luizen, noch de honger van het lijf wist te houden, werd hij woedend. Telkens weer werd hem door de raad aangerekend dat hij zonder toestemming de stad verliet om elders orgel te spelen. Wat moest hij dan? Op hem, op zíjn gehoor, verlieten de orgel- en instrumentbouwers zich. De kerken en vorsten betaalden tenminste een fatsoenlijk loon. Steeds vaker liet Bach zich voor het onderwijs vervangen. Het liefst had hij het hele onderwijsgedeelte van zijn baan afgestoten.

Sebastian was vaak slecht gehumeurd. Op een dag dat hij

voor drie begrafenissen de muziek had moeten verzorgen, had hij flink kou gevat doordat hij urenlang in de regen had gelopen. Hij begon te hoesten en een paar dagen later kwam er etter uit zijn rechteroor. Juist in die tijd was Händel in het land. Hij verbleef in Halle. Sebastian had hem zo graag willen opzoeken. Daar was nu geen sprake van. Het enige wat hij kon doen was hem een brief schrijven.

Anna Magdalena zorgde liefdevol voor haar zieke, rusteloze man. Ze wist een medicijn tegen zijn ontevredenheid: Gottfried, Elisabeth en Regina hielden zielsveel van hun vader. Hij kon nu wat meer van zijn jongsten genieten.

Hij was dan wel ziek en verongelijkt, maar toch vroeg hij Anna Magdalena de volgende regels voor hem op te schrijven:

Ruhig und in sich zufrieden	Innerlijke rust en vrede,
ist der größte Schatz der Welt.	is de grootste schat op aarde.
Nichts genießet, der genießet,	Wie alle rijkdom van de wereld bezit,
was der Erdenkreis umschließet,	maar in zijn hart boosheid voelt,
der ein armes Herz behält.	bezit in feite niets.

Anna Magdalena was blij toen Sebastian niet meer thuis te houden was. Hij zat boordevol nieuwe plannen. Zo was het altijd gegaan. Als hij eens gedwongen was het rustig aan te doen, ontkiemden bij hem nieuwe ideeën. En die konden als hij weer fit was worden omgezet in daden.

Sebastian nam de leiding over van het Collegium Musicum. Dat was een groep muziekminnende studenten met wie hij eens per week musiceerde. Met deze jongens kon hij in Leipzig onvoorbereid concerten geven. De groep was opgezet door Telemann en deze studenten konden alles wat ze eenmaal hadden gestudeerd uit het hoofd, en zonder opgeschreven muziek, uitvoeren. Ze speelden werk van Locatelli en – tot Bachs vreugde – ook Händels composities.

Omdat met deze groep iedere repetitie op zichzelf al een feest was, kwamen er al gauw gasten luisteren. Ze speelden iedere woensdagmiddag tussen vier en zes dat het een lieve lust was. Ze kwamen bijeen in het *Zimmermannschen Kaffeehaus* in de Katharinenstraße. In de zomer vonden de uitvoeringen gewoon in de open lucht plaats, want het *Kaffeehaus* bezat iets verderop een beeldschone tuin aan de Grimmaischen Steinweg. Daar kwamen de welgestelden en aanzienlijken van Leipzig graag. Ze dronken de verrukkelijke koffie, de mannen stopten hun pijp, de dames hieven hun rokken, opdat de zoom mooi schoon bleef.

Ook vrouwen waren er dus welkom. Als het maar even kon was de hele familie Bach van de partij. Anna Magdalena hield van de gefluisterde gesprekken. De dames wisselden de laatste nieuwtjes uit. Er was steeds weer ander publiek, en als tegen het einde Picander verscheen, kuste hij haar beide handen en dan kreeg ze steevast een kleurtje, of ze handschoenen droeg of niet.

Woensdagavond was dus voor de familie Bach vaak supergezellig. De kinderen dronken warme chocola. Het hele gezin werd vrijgehouden, want als Bach dirigeerde waren alle stoelen bezet, en stroomde de kassa vol. Een enkele keer, als zelfs de ongemakkelijke houten banken bezet waren, moesten er bij de buren nog stoelen worden geleend. De kinderen Bach zouden zich later nog altijd de woensdagen in Leipzig herinneren, met koffie, chocola, en onderdrukt gelach.

* * *

Sebastians goede humeur kon overigens binnen één vierkwartsmaat in laaiende woede omslaan. Niet zelden kreeg een leerling een draai om zijn oren omdat hij zich misprijzend over een geslaagde uitvoering uitliet, of omdat hij niet wilde luisteren. Sebastian aarzelde niet de jongens de vreselijkste scheldwoorden toe te roepen, of voor hun ogen een muziekblad doormidden te scheuren. Jawel, want zulk uitschot verdiende geen muziek. Ze moesten liever met hun hoofd in hondenuitwerpselen worden geduwd.

Veel erger was het conflict met de oude rector, Johann Heinrich Ernesti. Sebastian veronachtzaamde inderdaad zijn plichten voor de school om tijd voor andere zaken te hebben. Hij liet het onderwijs in Latijn al aan een andere leraar over, maar nu verscheen hij ook steeds minder vaak voor de zangklas. Hij reisde door het land zonder toestemming van zijn werkgever, laat staan dat hij zich afmeldde.

Anna Magdalena kon er niets tegen beginnen. Haar man was even koppig als Luther indertijd. Ze had ook te doen met de jongen die door Ernesti als nieuwe koorprefect was aangewezen. Sebastian vond de jongen een prul. 'Die liederlijke hond', noemde hij hem en hij duwde hem zelfs een keer de trap van de galerij af. Toen de jongen weer braaf bij de middagdienst verscheen, ging Bach alweer tegen hem tekeer en duwde hem opnieuw van de trap. Maar dat was nog niet alles. Bach moest die avond toezicht houden bij de maaltijd van de Thomasschoolleerlingen. Toen hij hoorde dat een van de jongens het voorval aan Ernesti had doorverteld, trok hij de leerling aan zijn haren en oren van tafel en maltraiteerde hem net zo lang tot het slachtoffer vrijwillig, dan maar zonder eten, naar de slaapzaal vluchtte. Op zulke dagen placht Anna Magdalena haar man zoveel mogelijk te ontlopen.

In oktober lag de oude Ernesti voor een laatste afscheid in de kerk opgebaard. Zijn gezicht was bleek en gerimpeld, maar nu vertoonde zijn neus geen rode adertjes, wat misschien te danken was aan het feit dat hij de avond tevoren geen wijn had gedronken. Dat was althans hoe Elisabeth het verklaarde. Als er een dode lag opgebaard in de zijbeuk van de kerk, liet ze nooit na er een kijkje te nemen.

Anna Magdalena zag in Ernesti niet alleen maar Sebastians tegenstander. De oudere man had haar echtgenoot ook vaak uit de problemen geholpen. De leerlingen maakten met Bach de kachel aan. In hun ogen was hij een pietlut, hopeloos om mee om te gaan. En met zijn barse houding bereikte hij het tegendeel van wat hij verlangde. Sebastian kon de jongens dan ook amper aan. De rector had dat nog vaak zo'n beetje vergoelijkt, en Bach zelfs tegen zijn wil gesteund. Anna Magdalena besefte dat het enige tijd zou duren voordat er een opvolger zou zijn gevonden. Dat betekende nog meer kwajongensstreken en nog meer ergernissen. Meer nog dan destijds met Ernesti het geval was geweest. De kinderen hadden in Leipzig geen vader en moeder, en Anna Magdalena kon het niet over haar hart verkrijgen ze altijd af te wijzen. 'Onze lieve moeke,' zeiden ze, en er waren heel wat scholieren die haar vriendelijkheid, haar stem, haar prettige verschijning als ze door het gebouw liep, waardeerden.

Dorothea en Anna Magdalena hadden zich voor het kerstfeest extra ingespannen. Ze wilden niet alleen cadeautjes voor de eigen kinderen verzorgen, maar ook iets gezelligs voor de Thomasleerlingen doen. Niet alle jongens konden de feestdagen bij hun familie doorbrengen, en ze stelden het op prijs dat de vrouw van de cantor iets feestelijks voor hen had georganiseerd.

Anna Magdalena had voor iedereen koekjes gebakken en voordat ze naar bed gingen aan de klavecimbel kerstliedjes met ze gezongen. Natuurlijk waren er jongens die hadden gegniffeld en gewed dat de kruk waar ze op zat het niet zou houden, want haar buik was weer zo dik als van een koe die ging kalven. Anna Magdalena liet ze begaan. Ze wist dat diezelfde jochies zich 's nachts vaak in slaap huilden van heimwee.

Een troost voor de jongens was dat ze in de kersttijd een extraatje konden verdienen. Ze trokken er in groepjes op uit en zongen stemmige liedjes. De mensen die in kerststemming waren, wierpen dan gul een stuiver uit het raam. Het waren de zekerste en beste inkomsten van het jaar.

In de oudejaarsnacht 1729 – Sebastian was nog niet thuis – hielpen mevrouw Bose en Dorothea de opgeroepen vroedvrouw. De nieuwgeborene was heel teer, ze hield haar oogjes dicht, alsof ze geen zin had om wakker te worden.

Dorothea hield het wezentje in haar armen. 'Jij bent dus onze kleine Louise. Ik heb de hele zomer en de hele herfst op je gewacht.' Ze kuste de kleine teder en gaf haar aan Anna Magdalena terug, die van de inspanning nog rode vlekken in haar gezicht had.

Toen Sebastian thuiskwam, was hij verbaasd dat overal licht brandde. De vroedvrouw en mevrouw Bose namen juist afscheid en Sebastian kon, moe als hij was, naast zijn vrouw en het kind gaan liggen.

'Ik dacht dat het kindje pas over vier weken geboren zou worden,' zei hij.

'Dat zou ook beslist beter voor het wurm zijn geweest,' zei Anna Magdalena. 'De vroedvrouw dacht ook dat het te vroeg is gekomen. Je kunt het ook zien aan al het dons dat ze nog op haar lijfje heeft. Als kinderen helemaal volgroeid zijn, hebben ze dat niet meer.'

'We zullen haar morgen direct laten dopen. Maar nu bidden we alvast om Gods liefde voor haar.' Sebastian kuste Anna Magdalena op het voorhoofd en kuste ook het puntje van de neus van zijn pasgeboren dochtertje. 'En vannacht moet ik mijn armen wijd openspreiden om jullie allebei warm te houden.' En zoals altijd schoof hij zijn arm onder Anna Magdalena's hals en ze vlijde zich tegen hem aan. Zijn vrije hand legde hij op Anna Magdalena's geslonken buik.

Anna Magdalena sliep niet vast, want ze paste op haar kind dat haar hoofdje tegen haar moeders hals had gelegd. Met veel te korte intervallen trok de baarmoeder zich weer samen. Ze had niet kunnen zeggen wat meer pijn deed, de weeën vóór de geboorte of de naweeën. Ze moest elke keer weer hevig uitademen, om niet te kreunen. In de koude kamer leek het net of haar adem steeds weer bij haar terugkwam en dan condenseerde hij op het wollen mutsje van Louise.

Toen na de korte nacht de morgen aanbrak, was haast geboden. Hoe vaak kwam het niet voor dat na de nieuwjaarsnacht een paar jongens geen stem meer hadden. Sebastian was van plan ze die middag eens stevig onder handen te nemen, opdat het jaar ordelijk zou beginnen.

'Ik heb een beter idee,' zei Anna Magdalena. 'Stuur je leerlingen na het eten een voor een hierheen, dan kunnen ze van ons kleine wonder genieten. Onze lieve Heer heeft vanuit de kribbe immers ook zowel tegen de wijzen als tegen de herders gesproken. Zo zal onze kleine Louise de knulletjes evengoed in het gareel weten te krijgen.' En de knulletjes kwamen. De een na de ander stond voor de wieg en wist niet goed wat hij moest zeggen.

Louise leefde slechts vier dagen. Alweer moest Anna Magdalena het verdriet verdragen een kind los te laten. Slechts drie van haar zeven kinderen had ze mogen behouden. En weer zou de wieg een jaar lang leeg blijven. Die eerste nachten waren één doffe ellende. Anna Magdalena's borsten waren vreselijk gespannen en de melk drupte in haar nachthemd. Maar zo was het huilen wel zo eenvoudig. Heel stilletjes, zodat ze niemand stoorde. Daar lag ze onbeweeglijk en staarde naar het donkere plafond. Haar tranen gleden gelijkmatig rechts en links langs haar wangen in haar haren. 's Morgens kwam Regina om het 'ergste' weg te drinken.

'Je hebt koorts,' zei Sebastian bezorgd, elke keer als hij 's morgens haar natte haren zag.

'Nee, hoor, het gaat best.'

Alle Thomasleerlingen waren bij de begrafenis. Ze zongen allemaal zo mooi mogelijk, zodat die dag zelfs Sebastian niets op ze had aan te merken.

'Had ik maar verse bloemen.' Anna Magdalena wilde zo graag Louises laatste bedje met bloemen bedekken, voordat ze in de harde bevroren aarde van de Johannesbegraafplaats werd gelegd. Ze kon het kindje alleen liefdevol in een zachte wollen doek wikkelen. Alsof het daar weer warm door zou worden.

Toen de volwassenen er een keer niet waren, had Gottfried zijn deken naar de slaapzaal van de Thomasleerlingen meegenomen. Daar had hij samen met de jongens een hol gebouwd. Nu was hij de eerste in de Bachfamilie die overal rode vlekken kreeg en 's nachts liever op de grond naast zijn bed sliep dan erin. Hoewel Dorothea onmiddellijk alles nakeek om te zien of er luizen waren, duurde het weken voordat het bed er vrij van was. Intussen had het ongedierte zich ook van alle andere bedden meester gemaakt. De hele familie Bach verliet nu 's morgens maar al te graag en dikwijls veel vroeger dan nodig was de slaapkamers. Een paar weken later was het ergste voorbij, maar in de slaapzalen van de jongens bleef het als altijd: vlooien en luizen, dat waren de onvermoeibare medebewoners.

Zoals Anna Magdalena een bijna uitzichtloze strijd voerde tegen ongedierte en schurft, zo vocht Sebastian zonder resultaat voor betere leerlingen en meer professionele musici.

Die zomer zat Anna Magdalena's heuplange haar dus vol luizen die Dorothea te lijf ging met een stinkende en bijtende vloeistof, en koesterde Sebastian geen hoop meer dat het stadsbestuur of Salomon Deyling, de president van het kerkelijk district, uitkomst zou bieden. Ook zijn verzoek aan de keurvorst om betere arbeidsomstandigheden leverde niets op. Hij zag Leipzig niet meer zitten. Hij wilde weg.

Terwijl Anna Magdalena met een kleverige, stinkende doek om haar hoofd notenbalken trok, schreef Bach aan zijn vroegere vriend Erdmann, die nu als Russisch diplomaat in Dantzig verbleef. Hij beschreef daarin zijn moeilijke situatie: dat hij had gehoopt in Leipzig financieel te kunnen rondkomen en belangstelling voor muziek te vinden, maar dat het leven in de stad duur was en ook dat hij bijna voortdurend in onmin verkeerde met het stadsbestuur. Het was een en al narigheid, jalousie en aanklachten. Hij wilde daarom graag met Gods hulp zijn geluk elders beproeven. Hij schreef ook over zijn muzikale gezin en dat zijn tegenwoordige vrouw 'een uitstekende sopraan' was. Op deze brief, misschien wel de enige waarin Bach zich vrijuit beklaagde, de teleurstelling in zijn werk noemde en over de situatie van zijn gezin sprak, kreeg hij geen antwoord.

Bach deed wat hij als zijn plicht zag. Hij componeerde, musiceerde, en nam iedere opdracht aan waarmee hij de huishoudportemonnee kon spekken. Het stadsbestuur waarschuwde hem niet met de instrumentbouwer Silbermann van hot naar her te reizen om orgels te keuren en intussen zijn plicht te verzaken, namelijk de Thomasleerlingen lesgeven. Bach echter piekerde er niet over iets aan zijn leefwijze te veranderen.

Anna Magdalena leed steeds meer onder het geruzie. Haar man werd gauw boos, als iets volgens hem te langzaam ging, of als hij geen tijd had om de muziek die hij in zijn hoofd had snel genoeg naar zijn zin te kunnen noteren. Wat nog erger was: de woonsituatie. Er kwamen steeds meer gasten, in de winter lukte het niet de was in de kelder droog te krijgen, er was nergens plaats om de nieuw geschreven nog niet droge vellen papier met muziek uit te spreiden om te drogen, zo dat de kinderen er niet bij konden. Als ze in de muziekkamer speelden, drong daar niet alleen het geluid van de leerlingen door, maar ook de stank van hun slaapzalen en van de schoolkeuken.

* * *

Wat beslist wel een geluk was, een zegen, dat was de nieuwe rector van de Thomasschool en zijn lieve vrouw. De heer Gesner was niet meer zo jong, maar toch verstond hij de kunst om de leerlingen aan te moedigen, enthousiast te maken. Daar kwam bij dat hij Bachs muziek naar waarde wist te schatten. Al voordat hij de baan had geaccepteerd, was hij een paar keer bij hem thuis geweest en had hij genoten van de muziek die het gezin maakte. Hij greep kordaat in als Bach driftig werd en was een van de eersten die hem als meester en voorbeeld bewonderde. Het was altijd prettig als hij er was. Anna Magdalena haalde opgelucht adem.

Gesner was zo blij met de geboorte van de volgende dochter alsof hij zelf de grootvader was. Terwijl Anna Magdalena nog vol zorg was of de kleine Christine wel zou blijven leven, had hij het er al over dat hij met het kleintje volgend jaar over de Promenade zou wandelen. Anna Magdalena hoorde niets liever. Ze kreeg er warempel vertrouwen door dat dit kind dan toch gezond zou opgroeien.

'Ik ben zo dol op dat schatje, dat ik de hele dag aan niets anders kan denken,' zei ze tegen haar man. Ze had zich voorgenomen het kind geen moment uit het oog te verliezen.

Toen haar broer Caspar opnieuw trouwde, nam ze de vier weken oude Christine op een zacht kussen mee op reis. Daar trof ze haar ouders, haar zusters en haar dolgelukkige broer. Iedereen was verrast, want na de dood van zijn eerste vrouw was hij zo diep treurig geweest dat zijn vrienden zelfs hadden gevreesd dat hij een eind aan zijn leven wilde maken. Des te groter was nu het nieuwe geluk. En hoe eenvoudig was het om dit schoonzusje, iemand die Caspar zo gelukkig maakte, in de kring op te nemen. Anna Magdalena zong voor het stel het bruiloftslied dat ze ook voor Leopold en Friederica von Anhalt Köthen had gezongen. En intussen sliep Christine in de armen van de jonge bruid.

Nu woonde Anna Magdalena weer graag in Leipzig. Gesner bewonderde de muzikaliteit van het hele gezin. Zowel de oudere als de jongere kinderen droegen hun steentje bij aan het thuis musiceren. Soms werd voor de kleinsten speciaal iets bedacht. Er werd ook een verzameling afgerond die bedoeld was als handleiding voor het klavierspel, en die stukken waren zo mooi en volwassen dat ze ook geschikt waren om in een kathedraal ten gehore te brengen.

'Of hij nou een stukje schrijft als etude of zoals nu werkt aan de Marcuspassion, alle muziek van je man is voortreffelijk en absoluut aangrijpend. Het is een plezier er naar te luisteren,' prees Gesner Sebastian tegenover Anna Magdalena.

'Ik ben het helemaal met je eens, en daarom vind ik het een eer om hem te kunnen helpen,' zei Anna Magdalena blij. Gesner lachte. Maar hij werd al gauw weer serieus. 'En jij bent niet alleen zijn trots en glorie, nee, je bent veel méér: vrouw, moeder, moeke, en als jij ergens als zangeres optreedt, vergeten de mensen dat nooit meer.'

Deze erkenning van Gesner deed Anna Magdalena goed. Hij was voor haar als een vader en ook Sebastian nam hij in bescherming. Gesner en zijn vrouw ondersteunden hen met zoveel liefdevolle woorden, zoals tot dan toe alleen Picander en ook Sebastians neef Elias hadden gedaan.

En... het stadsbestuur van Leipzig luisterde naar Gesner. Met zijn bescheiden en vriendelijke aard bereikte hij meer dan zijn voorgangers en dan Bach zelf met zijn stugge manier van doen. Het was aan Gesner te danken dat de Thomasschool werd gerenoveerd, en dat het gezin Bach zijn bezittingen inpakte, niet om Leipzig te verlaten, maar om in een tijdelijk onderkomen te trekken tot de werkzaamheden gereed zouden zijn.

Iedereen was erover verbaasd hoeveel huisraad zich in de woning bevond, meubels, muziekinstrumenten, vaatwerk, linnengoed. Allemaal hielpen ze mee. Hun tijdelijke woning bevond zich in de Hainstraße, niet ver van de Thomasschool, en zo lukte het om in één dag te verhuizen. De twee families, Bach en Gesner, hielpen elkaar. Al was de tijdelijke behuizing nog zo klein, er kwam meer bezoek dan ooit. Desondanks was het voor het gezin een verademing om eens niet in het dagelijkse gedoe van de Thomasschool te verkeren. Terwijl de familie elders woonde, werden in de Thomasschool een paar extra vertrekken voor de Bachs gebouwd.

Normaalgesproken hield de hele Bach-clan 's zomers een familiebijeenkomst. Dat was traditie. Omdat dit jaar het feest al een paar keer was uitgesteld, begonnen de bladeren al te kleuren toen ze met z'n allen naar Schweinfurt trokken. Zelfs de drie oudste jongens, Friedemann, Emanuel en Bernhard hadden er zin in. Het was dan ook altijd een vrolijke boel. Alle drie waren bij een dergelijk familiefeest voor het eerst dronken geweest. De kleintjes werden bewonderd en de vrouwen maakten mooie kapsels voor elkaar. De halfwas jochies konden hopen de kans te krijgen om aan de pijp van een welwillende volwassene te lurken.

Deze keer was het Gottfried die vond dat hij maar eens moest gaan roken. Hij had daar Elias voor gekozen, zijn vaders neef, bij wie ze logeerden. Elias was altijd reuze aardig tegen hem geweest. Gottfried aasde op een geschikt moment. Hij moest Elias zien te overtuigen dat hij al groot was. En daarom was Gottfried altijd in de buurt als Elias hulp kon gebruiken. Hij veegde de schuur aan, hij sleepte de stoelen erheen, en hij bracht de theologiestudent alles wat hij nodig had achterna.

Toen er even pauze werd gehouden en de mannen een pijpje stopten, vroeg Elias: 'Wil jij ook een trekje?' Gottfried was met stomheid geslagen. Hoe wist hij dat?

'Zo is het wel genoeg,' waarschuwde vader. 'Straks wordt het kind nog misselijk.'

Gottfried wérd niet misselijk, hij wás het al. Hij rende de rest van de dag, wit als een doek, voortdurend naar het closet.

Familiefeesten leven in de herinnering altijd voort door kleine voorvallen, die zich geheel onvoorbereid voordoen en een keurig geplande gang van zaken in de war schoppen. De dag na Gottfrieds rookervaring stond op het programma dat hij, zijn moeder en nog een paar kinderen een toneelstukje zouden spelen, dat ze zelf in Leipzig hadden zien opvoeren. Maar Gottfried stond na zijn eerste rookervaring nog zo wankel op de benen, dat hij geen goede bruidegom kon verbeelden. Zijn rol was overigens heel onbeduidend. Hij moest alleen door zijn bruid worden gekust. Op de mond. Dat hij een beetje jong was voor die rol, viel niet op, want hij zou voor die scène worden uitgedost met zijn vaders hoge hoed en diens degen. Bovendien was hij het afgelopen jaar enorm gegroeid. Hij was al bijna net zo lang als zijn moeder, de bruid.

Hoe meer het moment van opvoering naderde, des te wankeler werd Gottfried. Nadat hij opnieuw had overgegeven en alles wat hij nog binnen had in het closet was verdwenen, wou hij alleen maar met rust worden gelaten. Hij ging op een paar strobalen liggen om heel even de ogen dicht te doen, maar vervolgens vonden ze hem daar diep in slaap.

'Laat het jochie lekker slapen,' zei Anna Magdalena, die wel wist hoe het kwam dat Gottfried zich zo naar voelde. 'We moeten wel een vervanger hebben.' Elias was de schuldige. Dus moest die het maar doen.

'Tsjonge, wat een straf,' zei Sebastian. 'Omdat het zíjn schuld is dat mijn zoon slaapt, krijgt hij nu mijn lieftallige echtgenote tot bruid.'

Elias kreeg te horen wat er van hem werd verwacht, en toen werd het provisorische gordijn van oude lakens opzij geschoven. Het toneelstukje werd gespeeld. Alles ging goed. Alleen moest de afgesproken kus van de bruid nog komen, waarmee ze haar tot de dood veroordeelde lieveling moest redden.

Anna Magdalena rende naar het schavot. 'Wacht!' riep ze. 'Stop! Zie! Hier is de vrouw die hij vandaag nog naar het huwelijksaltaar zou voeren.' Elias stond al op de verhoging. Godzijdank, de beul liet de bijl zakken. Anna Magdalena rende naar Elias toe, liet zich op de knieën vallen en snikte: 'Hak mijn liefste niet zijn hoofd af. Mijn hart zou breken.'

'Noemt gij dat "van zijn zonden verlossen?"' brulde de beul.

De toeschouwers wisten wat ze wilden: 'Kussen, kussen...' scandeerden ze.

En dus stond de bruid op. Anna Magdalena deed haar sluier omhoog. En het was haar alsof wat volgde in slow motion gebeurde. De mensen schreeuwden, maar het geluid leek van heel ver te komen: 'Kussen, kussen, kussen...'

Ze boog dus naar voren, sloot de ogen en kuste Elias zacht op de mond. Ze raakte in de war toen ze zijn zachte lippen voelde. Daar was ze niet op voorbereid. Ze maakte zich los van Elias en keek hem bijna geschokt aan. Zijn ogen glansden vochtig.

De mensen joelden: 'Gered, hij is gered!'

Het gordijn werd neergelaten. De mannen vonden dat het nu tijd was voor wijn, want er viel tenslotte een huwelijk te vieren.

Wat Elias betreft, hem baatte noch wijn, noch water om het vuur te doven dat dit toneelstukje in hem had ontstoken. Zijn lippen, zijn borst, alles stond in lichterlaaie. Toen hij Anna Magdalena zo opgewekt tussen de anderen zag rondlopen, had hij wel kunnen huilen of het heel hard uitschreeuwen. Maar dat had niemand in de gaten.

Twee dagen later reisden de gezinnen weer naar huis. Ook het gezin Bach. Onderweg hadden ze het nog over alles wat ze hadden meegemaakt. Over bijna alles.

De postkoetsen vervoerden heel betrouwbaar in iedere weersomstandigheid zowel goede als slechte berichten. Sebastian had als eerste de trieste boodschap vernomen. Hij had niet zoals meestal, de post eerst mee naar huis genomen om daar te lezen, maar tegen zijn gewoonte gedacht: ik kijk vast even. Toen hij dat had gedaan, was hij helemaal van de kaart. Hij kon alles altijd zo makkelijk met Anna Magdalena bespreken, maar deze keer wist hij niet wat hij zeggen moest. Het kostte hem veel meer tijd dan anders om thuis te komen. Ze wachtten al op hem voor het avondeten.

Toen Sebastian er eindelijk was, gebaarde Anna Magdalena dat hij moest gaan zitten. Ze wilde het gebed voor de maaltijd zeggen, maar hij bleef gewoon staan: 'Mijn arme, arme meisje.' Anna Magdalena en de kinderen keken geschrokken van de een naar de ander. Hoezo 'meisje', als hij daar zijn vrouw bij aankeek.

'Wat is er met je? Ga nou eerst eens zitten, Sebastian. Dan vertel je het straks. Eet eerst wat,' bedisselde Anna Magdalena vriendelijk.

'Laat de kinderen alleen eten en kom jij alsjeblieft mee naar de studeerkamer,' zei hij. Anna Magdalena zag aan Sebastian dat het hem ernst was. Net als wanneer hij dirigeerde. Als ze hem dan aankeek, wist ze ook altijd precies wat hij van haar verlangde. Zo wist ze nu dat ze moest gaan zitten, in de brede stoel met de armleuningen en de dikke leren kussens. Sebastian knielde bij haar neer en legde een arm om haar schouders.

Met zijn andere hand nam hij de brief uit zijn borstzak. 'Dit bericht is vanmorgen met de koets van Weißenfels gekomen.'

Anna Magdalena greep de enveloppe: 'Een brief van mijn ouders!'

Sebastian hield de enveloppe nog vast. 'Van je moeder. Maar geen vrolijk bericht.'

'Van mama?' Anna Magdalena voelde nattigheid. Tot nu toe was het altijd vader die schreef.

'Dus... moeder schrijft...?' Anna Magdalena keek haar man aan en greep naar de brief. Er stonden maar twee zinnen: 'Vader is plotseling gestorven. Neem morgen de eerste koets.'

Anna Magdalena keek vol ongeloof naar de brief. 'Vader? Bedoelt ze mijn vader?'

'Ja liefste, nu hebben we allebei geen vader meer.' Sebastian boog zich over Anna Magdalena, zodat ze haar hoofd tegen zijn borst kon leggen. Ze voelde knoopjes en bandjes tegen haar wangen. De stevige stof knisperde in haar oor en ze kon Sebastians hart horen kloppen. Een trommel, een trommel, het hart is een trommel... dat was het enige wat Anna Magdalena kon denken en voelen.

Wat later leidde Sebastian haar als een slaapwandelaarster terug naar de eettafel. Het huilen van de kinderen bracht haar terug in de werkelijkheid. En toen moest er ineens zoveel worden geregeld. Ze wilden allemaal mee naar Weißenfels om samen te treuren. Alleen Friedemann beloofde zijn ouders dat hij in Leipzig zou blijven en zijn vader zou vervangen. Ze konden op hem rekenen. Anna Magdalena was blij verrast. Nu toonde hij toch medelijden en gunde haar dat Sebastian bij haar kon zijn.

De herinneringen verdrongen zich in Anna Magdalena's hoofd. Haar vader, met wie ze als kind had gezongen. Haar vader die haar had laten zien hoe je muziek moet kopiëren. Haar vader, die zo trots op haar was. Haar vader die haar zo vanzelfsprekend in contact met Sebastian had gebracht. Maar vooral waren de vele trompetklanken de bovendrijvende herinnering aan haar vader.

'Als er aan zijn graf trompet wordt gespeeld ben ik bang dat ik me niet zal kunnen beheersen,' zei ze tegen Dorothea.

'Ik zal je vasthouden,' beloofde haar dochter. Zij nog wel, die ook zo verdrietig was omdat ze haar grootvader had verloren. Ze zei tegen haar stiefmoeder: 'Weet je wel dat je vader toen je werd geboren drie uur achter elkaar trompet gespeeld heeft?'

'Mijn vader heeft vaak thuis gespeeld,' zei Anna Magdalena, die er niet helemaal bij was met haar gedachten.

'Nee nee, hij speelde niet zomaar. Ik weet het van je moeder. Zij heeft het me verteld.'

'Jullie hebben elkaar heel wat verteld, toen je in Weißenfels bij mijn ouders logeerde, hè?'

'Ja, we hebben heel veel gepraat. Je moeder heeft ervan genoten.' En even later zei ze: 'Het is toch doodnormaal dat jij je tranen niet kunt inhouden als je trompet hoort spelen. Daarmee heeft hij je immers begroet toen je werd geboren.'

'Je hebt gelijk,' peinsde Anna Magdalena. Was haar vader dan al zo oud geweest? Ze kon zich maar niet voorstellen dat hij, zo zonder waarschuwing, nooit meer een trompet zou vasthouden. Ze dacht aan Friedelena, toen ze bij de kachel in haar laatste pap had staan roeren. Ook toen was het niet bij Anna Magdalena opgekomen dat het de laatste keer was dat ze dat vertrouwde beeld zag.

Bij de rouwplechtigheid viel haar op dat haar moeder oud was geworden.

'Ze is toch ook oud,' vond Dorothea.

'Het is me vroeger niet opgevallen,' zei Anna Magdalena. Ja, haar moeder was oud geworden en nu, door het verlies van haar man, viel het ook anderen op: haar blijdschap was weg.

Johanna en Andreas woonden tegenwoordig ook in Weißenfels. Mevrouw Wilke zou bij hen intrekken, want ze zou het voortaan zonder het inkomen van haar man moeten doen. Bij Johanna zou ze zich verdienstelijk maken, ook al waren daar geen kinderen voor wie moest worden gezorgd.

Dorothea zag tegenwoordig alles veel realistischer dan Anna Magdalena. De stiefdochter werd de vriendelijke behulpzame steun en toeverlaat die zich opofferde, zoals voorheen Friedelena had gedaan. Ze had zelfs Friedelena's gewoonte overgenomen om artikelen uit kranten te knippen en te bewaren, en zo breidde ze de verzameling van haar tante uit.

Haar vader verdiende meer waardering voor zijn werk. Maar dat was iets wat vooral de wat bescheiden mensen erkenden, zoals de dichter die, toen hij Sebastian had horen spelen de volgende regels schreef:

Ein angenehmer Bach kann zwar das Ohr ergötzen,
wenn er in Sträuchern hin durch hohe Felsen läufft,
allein, den Bach muß man gewiß viel höher schätzen,
der mit so hurtger Hand gantz wunderbahrlich greifft.
Man sagt: Daß wenn Orpheus die Laute sonst geschla-
gen, hab alle Thiere er in Wäldern zu sich bracht;
gewiß man mu dies mehr von unserem Bache sagen.
weil Er, so bald er spielt, ja alles staunend macht

Een beek, een Bach, kan 't oor beslist bekoren
als hij langs rotsen en langs struiken stroomt
Alleen de echte Bach wil je nog liever horen,
als hij met vaste hand zijn kunsten aan ons toont.
Men zegt, toen Orpheus met zijn luit in 't bos kwam,
dat alle dieren kwamen toegesneld.
Met veel meer reden zal dit in de toekomst
van onze grote Bach worden verteld.

Meer ruimte en problemen, veel leven en dood

Leipzig, 1732-1750

In het voorjaar konden ze de noodwoning aan de Hainstraße, die vrienden van de familie Bose hun ter beschikking hadden gesteld, verlaten en weer hun oude plek in de Thomasschool betrekken, maar nu met een paar extra kamers. Hun nieuwe woonruimte in de linkervleugel was nu verspreid over drie verdiepingen. Bovendien hadden ze de beschikking over een slaapkamer vlak onder het dak. In het gemeentelijk archief van Leipzig staat bij de kosten voor het gebruik van de koetsen voor de verhuizing: *'Met twee huurkoetsen waarmee het huisraad en dergelijke van het logies van cantor Bach in de Thomasschool naar de hem toegewezen woning gebracht is.'*

Het was voor iedereen een verbetering. De kinderen hadden meer ruimte, de muziekkamer was groter. Het lawaai van de Thomasschoolleerlingen drong niet meer in Sebastians werkkamer door, en Anna Magdalena kon nu volop genieten van het uitzicht over de tuinen, ook over haar eigen stukje grond.

Er moest flink worden aangepakt. Doordat op de bloedhete dag van de verhuizing onverwacht een stortbui uit de hemel viel, moesten ze de eerste dagen alles wat met de tweede koets was vervoerd zien droog te krijgen. Alle kasten waren vochtig en stonden open, opdat het linnengoed er weer zo snel mogelijk in kon worden opgeborgen. Anna Magdalena was bang dat ze anders weer last van schimmel zouden krijgen, en de verbouwing was juist bedoeld geweest om schimmel tegen te gaan. Omdat de matrassen te versleten waren om er nog goed op te kunnen slapen, reserveerden ze in het begin één vertrek om daar nieuwe te maken. Ze vulden stevige linnen omtrekken met stro en hooi. Iedereen moest helpen de hoezen zo vol mogelijk te proppen. Al wie de kamer inkwam, niesde zich ongans en na afloop zat de hele familie onder het stof.

Omdat Anna Magdalena met haar dikke buik niet meer zoveel werk kon verzetten, kwam des te meer op Dorothea neer. Elisabeth, die nogal eens ziek was geweest, was gelukkig weer helemaal gezond en ze hadden met veel tamtam haar zesde verjaardag gevierd. Ook zij hielp flink mee. Ze herinnerde zich maar al te goed hoe een paar jaar geleden de kleine Louise kort na de geboorte was gestorven. Ook een broertje dat daarna was geboren, had niet lang geleefd. Ze wist eigenlijk alleen dat hij er moest zijn geweest omdat ze het op een grafsteen had gelezen. En van de drie oudere kinderen die Anna Magdalena had gebaard, leefde alleen nog Gottfried. Elisabeth had zich vast voorgenomen ervoor te zorgen dat het nieuwe kindje niets overkwam. Zo wachtte zij – bijna even verlangend als haar moeder – op zijn komst. Vele malen per dag mocht ze haar oor tegen mama's buik leggen om naar het kloppen van zijn hartje te luisteren. Het kleinste hart van het gezin klopte in moeders buik veel sneller dan Elisabeths eigen hart. Elisabeth vond het reuze spannend. Ze oefende met haar poppen hoe je een baby moet vasthouden, eten geven, bakeren.

En juist toen ze aan de dikke ronde buik van mama gewend was, en ze haar popje er altijd op liet zitten, het er zelfs met een doek aan vastbond – was de buik ineens verdwenen. Natuurlijk wist Elisabeth net als alle anderen best dat het kindje een keer uit de buik tevoorschijn zou komen. Maar hoe kun je nou toch geloven, dat het ook werkelijk gebeurt. Toen ze nog maar een paar dagen na de verhuizing 's morgens heel in de vroegte nog slaapdronken bij mama in bed kroop, duurde het een poos voordat ze begreep dat het kindje niet meer in de buik, maar in de wieg lag. Mama had haar, zoals iedere avond uit bed getild. Elisabeth had de vorige avond wel gemerkt dat het niet was zoals anders. Papa was nog op. En mama was ook anders dan anders. De buik was weg! En wat was dat voor geluid! Uit de wieg kwamen klagelijke babygeluidjes.

Anna Magdalena had haar dochter de tijd gegund zelf te ontdekken wat er aan de hand was. Ze kende haar Elisabeth. Die moest altijd alles op eigen houtje te weten komen. Ze merkte hoe Elisabeth uit bed gleed en naar de wieg sloop. Zelf stond Anna Magdalena ook op en lichtte met een kaars bij, zodat Elisabeth het kindje beter zou kunnen zien. Ze streek haar dochtertje over het haar en over haar wang. Daardoor merkte ze dat er tranen over liepen.

'Vind je hem lief?' vroeg ze zacht. Elisabeth knikte en knikte maar. Maar zeggen kon ze niets, hoewel ze anders niet bepaald op haar mondje was gevallen.

'Hij slaapt. Hij heeft het me heel makkelijk gemaakt. Hij liet zich heel eenvoudig met het water mee de buik uitdragen.' Anna Magdalena boog zich liefdevol naar haar dochtertje, en zei: 'Kom, wij gaan nu ook nog een beetje slapen tot Christoph wakker wordt en het weer licht wordt. En dan kijk je nog maar eens heel goed naar hem.'

Christoph, Anna Magdalena's negende kind, werd bij het aanbreken van de dag door allen uitbundig begroet en gekust. Hij was tevreden en vrolijk en protesteerde nooit als hij weer in de wieg werd gelegd. Er ging van dit kind een wonderbaarlijke rust uit. Als Anna Magdalena met hem bezig was, voelde ze zich energiek en vol vertrouwen. Ook de anderen ging het zo.

'Als we onze kinderen een begrip uit de muziek als motto moesten geven, zou boven Christoph het woord "harmonie" komen te staan,' zei Anna Magdalena, toen ze naar de tevreden uitdrukking op het gezicht van het jongetje keek. Elisabeth, die iedere gelegenheid aangreep om haar plaats in de wereld van de volwassenen te veroveren, vroeg: 'En ik, wat zou ik voor begrip uit de muziek krijgen?'

'Jij?' zei Bernhard. 'Tutti, tutti, alsmaar tutti.'

'Tutti?' vroeg Elisabeth beteuterd.

'Dat is een compliment,' zei moeder. 'Bij tutti mogen alle instrumenten spelen. We zeggen ook wel "ripieno". Geen enkel instrument hoeft dan stil te zijn. En een organist trekt dan alle registers open.'

Bernhard joeg Elisabeth op stang. Hij deed alsof hij orgel speelde. Dat deed hij door heel wild zijn hoofd en handen te bewegen en zogenaamd op pedalen te trappen. 'Boem boem boem, baaaaaam,' brulde hij.

'Hij bedoelt, m'n liefje,' zei vader tevreden, 'dat jij alles hebt wat een mens nodig heeft. Bij jou zit alles erop en eraan.'

'Zo kun je het natuurlijk ook zeggen,' zei Friedemann. Hij dacht meer aan de gekke fratsen die zijn zusje altijd uithaalde, en niet zozeer aan haar gave karaktertje.

'Ja, m'n schat, bij jou zit werkelijk alles erop en eraan.' Anna Magdalena lachte en knuffelde haar woelwater met de dikke vlechten.

Dorothea, Elisabeth en Regina hadden de kinderwagen piekfijn in orde gemaakt. Ze wilden met de twee kleintjes gaan wandelen en dus werd Christoph erin gelegd en Christine had een plekje waar ze kon zitten. Ze kon al wel op haar korte ronde beentjes lopen, maar het was toch handiger als ze bij zo'n wandeling in de wagen zat.

Ze liepen over de weg die van het centrum naar het park buiten de stad leidde. Toen ze net de nieuwe houten brug over waren, kwam hun een stel vreemd geklede mensen tegemoet. De vrouwen droegen zwarte vilten rokken en op het hoofd hadden ze hoeden van stro met kleine rode pompoentjes. De mannen droegen pofbroeken. De kinderen hadden ook zulke kleren aan zodat ze eruitzagen als kleine volwassenen. Ze waren Dorothea al eerder opgevallen: mensen in van diezelfde vreemde kleren, die ook over de hangbrug de stad in waren gekomen. Als je gezien wilde worden, was er inderdaad geen betere plek te bedenken. Ze hadden ook zware rugzakken en sommigen duwden houten karren, waarin ze huisraad en de kleinste kinderen vervoerden. Ook Dorothea vond het trouwens een geschikte plek om hun nieuwe wereldburger aan de wereld te tonen.

'Ze praten zo gek.' Elisabeth was bloednieuwsgierig.

'Ja, een beetje anders dan wij, maar ze verstaan je best, hoor,' zei Dorothea. De vreemdelingen keken belangstellend in de kinderwagen, maakten complimentjes over de schattige kinderen, en vertelden in hun aparte taaltje dat ze helemaal uit Salzburg waren gekomen. De nieuwe bisschop daar had mensen vanwege hun geloof – ze waren lutheranen – gedwongen de stad te verlaten. Zij vormden nog maar de voorhoede. Er volgden er nog veel meer. Terwijl ze met Dorothea spraken, vulde de weg naar Leipzig zich alsof ergens een poort was opengezet.

Niet één, niet twee vluchtelingen kwamen mee naar huis. Vier gezinnen liepen mee, ook al hadden de meisjes alleen maar gezegd: 'Misschien kan er wel iemand bij ons wonen, we zullen het vragen.'

Anna Magdalena kon de Salzburger emigranten eenvoudigweg niet de deur wijzen. De strenge maatregelen van de bisschop waren dus uitgemond in verplicht hun stad verlaten. Deze mensen waren vanwege hun geloof van huis en haard verdreven, en dat trok Anna Magdalena zich persoonlijk aan. De mannen kregen de slaapkamer op de bovenverdieping. Dat wil zeggen, daar zouden alle volwassen mannen slapen en alle jongens, behalve de allerkleinsten, voor zover ze nog werden gezoogd. Tot nu toe hadden de zonen van het Bach-gezin die kamer gedeeld. Zij kregen nu – of ze het fijn vonden of niet – een bed in de slaapzalen van de leerlingen van de Thomasschool. Dorothea, Elisabeth en de twee kleinste meisjes kregen matrassen op de grond in de slaapkamer van hun ouders, zodat de Salzburger vrouwen en meisjes ook een plek hadden om te slapen.

'Ik mag morgenochtend wel goed uitkijken waar ik mijn voeten neerzet,' zei Sebastian tegen zijn vrouw, toen hij die avond voorzichtig over zijn op de grond liggende dochters moest stappen om zijn bed te bereiken.

Anna Magdalena lachte: 'Misschien zullen ze mopperen, maar ze zullen het je beslist vergeven.' En even later zei ze: 'We hebben nu wel bijna net zo weinig ruimte als die arme verjaagde mensen, maar wij hebben een thuis en hoeven niet te vluchten. We hebben het goed, Sebastian.'

Toen ze die zondag samen met de vluchtelingen in de Thomaskerk aan het avondmaal deelnamen, wist Anna Magdalena dat ze juist had gehandeld. Het zou niet de enige keer zijn dat ze – zoals trouwens de meeste inwoners van Leipzig – vluchtelingen onderdak verschafte.

Intussen moest nu naast al het werk voor het eigen gezin, ook voor de gasten worden gezorgd. Natuurlijk mocht het werk dat Anna Magdalena voor haar man deed er niet onder lijden. Ze hield er geen rekening mee dat ze nog maar amper twee weken geleden was bevallen, en ze werd dan ook prompt ziek. Ze kreeg mastitis, borstontsteking. De hoge koorts maakte dat ze het bed moest houden. Geen enkele zalf hielp. Het betekende dat ze moest ophouden Christoph te voeden.

'Anders geneest de ontsteking niet,' zei de arts en hij schreef een speciale thee voor die de melkproductie zou tegengaan.

Anna Magdalena worstelde zich door de dagen en nachten. Gelukkig miste Christoph de moederborst niet. Hij slobberde net zo vrolijk een melkpapje uit een grof geweven stoffen puntzak. Maar Anna Magdalena had nog een kind dat dringender dan de zuigeling de voortdurende aanwezigheid van haar moeder behoefde. De eenjarige Christine had een onbekende ziekte opgelopen, misschien iets wat met de vluchtelingen uit Salzburg was meegekomen. Haar hele lijfje zat onder de rode vlekken. Maar terwijl bij de andere kinderen de rode vlekken in een paar dagen weer waren verdwenen, werden ze bij Christine steeds vuriger en ze begonnen in elkaar over te lopen. Het meisje schreeuwde het uit. Dag en nacht. Ze had voortdurend vreselijke pijn.

De hele familie maakte zich ernstig zorgen om het steeds zwakker wordende meisje, dat intussen knalrood was. Allemaal hadden ze medelijden met het peutertje. Zelfs haar grote broers namen na school hun zusje op de arm en liepen met haar op en neer, in de hoop dat het lichaamscontact en de deinende beweging haar wat verlichting zou geven.

Iedereen deed wat hij kon. Mevrouw Bose bracht kostbare zalf. Ze gaven het kind verdunde wijn te drinken, opdat ze af en toe even in slaap kon vallen. Ze legden azijnkompressen om haar voetjes, om het gloeiende lijfje wat af te koelen. Maar na twee lange afschuwelijke weken was de strijd gestreden. Ze moesten het kleine meisje, dat nu tenminste geen pijn meer had, aan de dood toevertrouwen. Rector Gesner weende bitter. Op een heel bijzondere manier had hij dit meisje als een eigen kind beschouwd.

Anna Magdalena wist niet waar ze met haar verdriet moest blijven. En o, wat was ze moe. God zij dank was er de kleine Christoph. Hij schonk haar vertrouwen in het leven. Zoveel! Het was niet te bevatten. Dit kind had sinds zijn geboorte nog nooit gehuild. Christoph had de overgang van borstvoeding naar andere melk zonder problemen doorstaan, hij wachtte tevreden op de dingen die kwamen en glimlachte lief naar ieder die bij hem kwam kijken. Als Anna Magdalena in de put zat en het verdriet om Christine haar te veel werd, was daar Christoph, bij wie als vanzelf alle narigheid verdween. Hij lachte al en kirde van plezier zodra ze hem optilde. Net als toen ze nog een meisje was en ze het gevoel had dat alles in de natuur tot haar sprak en haar hoop gaf, straalde dit jongetje hoop uit, of hij nou sliep of wakker was, en Anna Magdalena kwam het voor alsof die hoop regelrecht van God kwam.

'Dat kind is pure zonneschijn,' zei ze tegen Sebastian. En hij was het ermee eens. Ook hij werd helemaal blij van dit kind, dat er alleen maar op scheen te wachten dat iemand iets grappigs deed, zodat hij het kon uitkraaien van plezier.

Het was uiteindelijk Gesner die Anna Magdalena aanmoedigde om ondanks al het werk en al het verdriet met Sebastian mee te gaan naar Kassel. Ze hadden de uitnodiging om aanwezig te zijn als daar in de Martinuskerk het orgel werd ingewijd al een paar weken geleden ontvangen. Ook Dorothea drong erop aan dat Anna Magdalena erheen zou gaan. Zij kon immers thuis voor kleine Christoph zorgen nu hij van de borst af was.

De Bachs maakten van de gelegenheid gebruik om Anna Magdalena's moeder in Weißenfels op te zoeken. Johanna vertelde dat alles veel makkelijker was geworden, nu hun moeder voor het hele huishouden zorgde. Anna Magdalena begreep wel wat dat inhield: zo had Johanna nog meer tijd voor haar luxueuze garderobe. Want ook als ze niet moest optreden, was ze altijd tot in de puntjes verzorgd. Moeder deed haar best een gelukkige indruk te maken. Ze vond het heerlijk haar jongste dochter en schoonzoon te zien. Maar toen Anna Magdalena 's avonds met haar moeder een ommetje maakte, en nog maar eens vroeg hoe het nu ging, zei haar moeder zacht: 'Het is heel anders als je niet je eigen huishouden hebt. Heel anders.'

'En je mist vader natuurlijk,' zei Anna Magdalena begrijpend. Ze wist wel hoe dol haar ouders op elkaar waren geweest.

En moeder zei: 'De dagen zijn geen dagen zonder hem. Zo is het nu eenmaal. Ik probeer te doen alsof hij op reis is en over twee dagen thuiskomt. En dus moet ik alles wat ik met hem wil bespreken bewaren voor over twee dagen.' Even later voegde ze eraan toe: 'Maar dat lukt me hoe langer hoe minder goed. Tsja, en dan moet ik huilen. Alsof hij nog maar net is gestorven...'

Anna Magdalena omhelsde haar moeder en fluisterde: 'Ik ben zo blij dat ik je heb, moeder. Zo blij!'

Het was de laatste grote reis die Anna Magdalena met haar man zou ondernemen. Een hele week verbleven ze in het pension 'Stadt Stockholm'. Ze werden in Kassel buitengewoon gastvrij ontvangen. Er was voor een draagstoel gezorgd die hen overal bracht waar ze moesten zijn. Anna Magdalena moest eraan wennen dat haar man zowaar een bediende had die alles voor hen regelde, zodat zij, als nog nooit tevoren in haar leven, nu eens echt kon uitrusten. En gedurende die paar dagen was ze datgene wat ze weliswaar *altijd* was, maar nooit zo had ervaren: de echtgenote van een uitzonderlijke musicus. En daarbij een vrouw die moeiteloos al zijn sopraan-aria's beter kon zingen dan wie ook. Een vrouw die verstand had van muziek, die muziek bestudeerde en verzamelde en die als haar man dat even nodig had als vanzelfsprekend achter een klavichord of klavecimbel ging zitten.

Het echtpaar Bach verbaasde zich er elke keer over waar een huwelijk mensen deed belanden. De charmante dochter van hertogin Maria Amalia van Zeitz was intussen in Kassel gehuwd. En wel met Wilhelm VIII, de toekomstige landgraaf van Hessen-Kassel. Haar ouders hadden indertijd de Moritzburg om religieuze redenen moeten verlaten. Dat was voor hen een pijnlijke en verdrietige gebeurtenis geweest. Maar nu was dan toch een van hun dochters, prinses Dorothea Wilhelmine, echt gelukkig. Haar man liet hoog boven de stad Kassel een van de allermooiste rococo-paleizen van Duitsland bouwen. De verbintenis tussen Dorothea en Wilhelm was er één van twee mensen die cultuur en kwaliteit van leven hoog in het vaandel hadden.

Anna Magdalena, die indertijd in Zeitz Dorothea Wilhelmine al had bewonderd vanwege haar lieftalligheid en charme, en die nu zelf getrouwd was en moeder, trok in Kassel veel met haar op. De prinses had als kind al graag en kundig geborduurd en ze vervaardigde nu schitterende bekledingen voor stoelen en bankjes. Ware kunstwerkjes. Meerdere ervan zijn bewaard gebleven.

Toen op 28 september 1732 het orgel werd ingewijd, waren niet alleen alle zitplaatsen in de Martinuskerk bezet, ook tegen de muren en op de trappen stonden mensen om Bach te horen spelen. Niet ver van Anna Magdalena zat de landgraaf Frederik II van Hessen-Kassel, nog maar een jochie van twaalf. Dit serieuze kind was zichtbaar onder de indruk van het spel en de composities van Bach en hij verwoordde wat alle anderen ook ervoeren: 'De voeten van de heer Bach vliegen zo snel over de pedalen dat het lijkt of de donder en bliksem rechtstreeks in je oren klinken.' Hij was vol ontzag en na het concert schoof hij zijn ring van zijn vinger en als teken van zijn eerbied en bewondering schonk hij hem aan de orgelgigant. Deze spontane geste deed Sebastian echt goed. Ook Anna Magdalena was er blij mee. Ze vond dat het de hoogste tijd was dat haar man een dergelijk warm blijk van waardering en erkenning ontving. In het leven van alledag in Leipzig was daarvan weinig sprake.

Ook genoot ze ervan nu eens alleen met hem te zijn. Thuis kwam dat bijna nooit voor. Gedurende de lange reis terug naar Leipzig had het echtpaar alle tijd om over de gebeurtenissen van de afgelopen dagen na te praten, maar ook bespraken ze de toekomst van de oudste zonen. Alle drie de jongens waren voldoende getalenteerd voor een carrière als musicus. Maar waren ze er geestelijk wel sterk genoeg voor? Friedemann had nogal eens de neiging zonder aanwijsbare reden het huis te verlaten en pas terug te komen als hem dat zo uitkwam. Niemand wist dan waar hij was, laat staan wat hij uitspookte. Bernhard verkeerde steeds vaker in dubieus gezelschap en liet zich makkelijk verleiden tot het kansspel. Zowel Friedemann als Bernhard hadden na het doorlopen van de Thomasschool makkelijk een aanstelling hier of daar kunnen krijgen. Maar Sebastian had erop gestaan dat ze zich eerst nog wat verder zouden bekwamen. In Leipzig bestond de mogelijkheid een vervolgopleiding te doen. Dat had zo zijn voordelen, want zolang ze nog thuis woonden, konden ze hun vader veel werk uit handen nemen. Ze vervingen hem dikwijls, en op die manier had Sebastian voldoende tijd om zich aan het componeren te wijden. Maar nu moesten ze zelfstandig worden.

'Zonder je grote zonen zou je het niet redden. Je zou niet genoeg tijd hebben voor je Mattheuspassion,' zei Anna Magdalena. En Sebastian antwoordde: 'Zo is dat. Ik zou ze missen.' Terwijl ze deze dingen met elkaar bespraken, genoten ze ook van het voorbijtrekkende landschap. Ze zaten gezellig samen in de kleine koets, terwijl die arme koetsier het op de bok waarschijnlijk koud had. Anna Magdalena ervoer het als een sprookje. Deze mooie namiddag is van ons, mijmerde ze, en niet alleen de natuur, ook wij beiden worden in die mooie nevelige rode gloed gehuld. Kijk nu toch eens hoe we in de avondzon met z'n tweeën naar onze kinderen rijden.

'Als de jongens het huis uit zijn, zul je niet meer zoveel opdrachten kunnen aannemen,' zei Anna Magdalena.

'Beslist,' gaf Sebastian toe. 'Ze helpen me geweldig. Maar toch wordt het de hoogste tijd dat ze een eigen betrekking krijgen, zodat ze eens kunnen gaan denken aan een eigen gezin.'

'Wat Emanuel betreft, zie ik dat wel zitten.' Anna Magdalena nestelde zich behaaglijk in haar wollen omslagdoek en schoof wat dichter naar haar man. 'Maar Friedemann is een rokkenjager en Bernhard zie ik ervoor aan dat hij niet veel geld naar huis zal brengen.' Ze zuchtte. 'Misschien verandert dat nog. Laten we maar op God vertrouwen.' Anna Magdalena en Sebastian waren intussen al zo lang getrouwd dat ze niet meer over hun liefde voor elkaar spraken. Wanneer zoals nu hun handen een poosje ineengestrengeld waren, had dat meer betekenis dan het elkaar trouw beloven voor een altaar, en het drukte meer dankbaarheid uit dan met duizend woorden mogelijk is.

* * *

Bij aankomst in Leipzig werden beiden uitbundig begroet. Anna Magdalena nam de kleine Christoph over van haar zorgzame stiefdochter: 'Dorothea, Ik ben je eeuwig dankbaar dat je zo lief op ons zonnestraaltje hebt gepast.' Anna Magdalena was intens gelukkig. Die week in Kassel had haar echt goed gedaan en nu werd ze hier ook nog eens opgewacht door dit gezin, waar alles op orde was. De dagen met Sebastian in Kassel zouden echter haar laatste zorgeloze periode zijn.

De volgende koorts die in huis woedde trof Gottfried, Anna Magdalena's oudste zoon. Hij genas weliswaar van de ziekte, maar veranderde er wezenlijk door. Met zijn negen jaar had Gottfried al beter gelezen en geschreven dan de meeste kinderen van zijn leeftijd en het had ernaar uitgezien dat hij een goede musicus zou worden. Vier dagen lang hield de koorts de jongen in zijn greep. Toen die eindelijk zakte, kon het kind een tijdlang zijn hoofd niet naar voren buigen. Zelfs met zijn ogen kon hij alleen omhoog kijken. Ten slotte had hij helemaal geen verhoging meer, maar Gottfried was alles verleerd. Hij wist niets meer. Hij vroeg hoe zijn broers en zusjes heetten, lachte om de grappige letters die ze hem lieten schrijven, en geloofde alles wat je hem zei, ook wanneer het nergens op sloeg. Niemand kon begrijpen dat Gottfried, die toch zo'n volstrekt normale jongen was geweest, zich nu gedroeg zoals mensen die op straat werden nagewezen, de idioten. Door haar moederliefde slaagde Anna Magdalena erin te zien wie Gottfried nog altijd was. Hoe zwakker Gottfrieds geest was, des te meer waardeerde ze de zachtmoedige aard van haar zoon. Als er geen verbetering optrad, zou Gottfrieds intelligentie voortaan zijn als van een vierjarige.

Sebastian stond erop dat er dagelijks met de jongen werd geoefend, ook als hem duizend keer hetzelfde moest worden verteld. En ook moest er altijd in zijn buurt zijn, opdat hij zichzelf niet in gevaar bracht. Want hij kon niet meer zelf beoordelen of iets gevaarlijk was of niet. Anna Magdalena's oudste zoon had nu meer zorg en begeleiding nodig dan haar jongste. Hoewel Sebastian het voor de buitenwereld trachtte te verbergen, had hij het er moeilijk mee dat de begaafde jongen een mens was geworden die zijn hele leven waarschijnlijk nooit volwassen zou worden. In zijn familie was al wel vaker een kind geboren dat zich vanaf zijn geboorte niet goed ontwikkelde. Maar Gottfried was totdat hij ziek werd kerngezond geweest. Welke lasten en zorgen had God nog voor hen in petto?

Anna Magdalena echter begreep – ondanks haar verdriet en inspanningen – waarom men zulke kinderen 'Gods kinderen' noemt. Gottfried kon weliswaar niet voldoen aan de verwachtingen van mensen, maar hij was een eenvoudig en vrolijk kind. God verwachtte zeker niets van hem wat hij niet kon waarmaken. En het was net alsof Gottfried dat wist. 'Alles komt goed,' zei hij tegen wie maar troost nodig had, en het klonk zo vol vertrouwen en vanzelfsprekend. 'Alles komt goed.' Dat hield Anna Magdalena een paar jaar op de been. Ze wist zich eraan vast te klampen, als in een droom. Maar toen Regina, vijf jaar oud, stierf en ze alwéér op de Johannesbegraafplaats stond, was het voor haar duidelijk: ze moest maar niet meer wakker worden. Ze wou erbij gaan liggen. Bij haar doden, haar kinderen. De woorden over wederopstanding boden geen troost.

'Een kind dat nog maar zo klein is, heeft haar moeder toch nodig. Ze moet toch niet alleen in de aarde liggen. Je weet toch hoe bang Regina in het donker was. En ze wou nooit over de begraafplaats lopen, zelfs overdag niet,' zei ze tegen Sybilla. Maar haar vriendin liet zich niet meeslepen in Anna Magdalena's verdriet. Ze schudde de ongelukkige moeder heen en weer en bezwoer haar: 'Hier, bij ons, zijn ook kinderen. Zal ik je eens al je kinderen die wél leven opnoemen? Doe je ogen open, lieve vriendin van me, en kijk om je heen: hier zijn je kinderen en je vrienden. En die hebben jou net zo hard nodig als hun dagelijkse brood.' Het voelde voor Anna Magdalena alsof ze slaapwandelde.

En toen moest ze ook al afscheid nemen van Friedemann. De jongen kreeg een betrekking als organist in Dresden, in de Sophiakerk. Sebastian had overigens de sollicitatiebrief geschreven. De ouders wisten hoe getalenteerd Friedemann was. Hij was dan wel een moeilijk mens, maar Anna Magdalena had de muzikale begaafdheid van haar stiefzoon altijd bewonderd. Ze had ook altijd geprobeerd zijn cynische opmerkingen niet te serieus te nemen, en niet te veel aandacht aan zijn escapades te schenken. Maar Sebastian maakte zich altijd veel zorgen om hem. Het was nu maar te hopen dat de jongen zich er op zijn plaats zou voelen. Want hoe getalenteerd hij ook was, hij liet zich makkelijk meeslepen door vrienden die graag diep in het glaasje keken. Of hij liet zich verleiden door meisjes van niet al te hoge moraal.

'Zo hebben jullie tenminste één zorg minder,' merkte Friedemann stekelig op. Zijn stiefmoeder en Dorothea waren aan het kopiëren en ze gingen rustig door. Intussen schoten Anna Magdalena de tranen in de ogen en ze durfde niet op te kijken. Niemand hoefde het te zien. Haar keel zat dichtgesnoerd. Ze wou wat zeggen, maar kon geen woord uitbrengen. Was hem dan nooit opgevallen dat ze hem net zo liefhad als de anderen? Had hij niet gemerkt dat ze juist het meeste gaf om die kinderen om wie ze zorgen had? Om diegenen die met zichzelf en anderen in de knoop lagen? Wist hij niet dat het er in het leven soms op aankomt niet te klagen, maar overal het beste van te maken? Terwijl zijn vader het al had geleerd, kostte het haar nog altijd moeite het leven te nemen zoals het kwam.

Sebastian noemde sindsdien zijn oudste zoon altijd in zijn avondgebed. Anna Magdalena kon soms niet meer geloven dat zich ooit nog iets ten goede zou keren. Maar Gottfried was tevreden en dan was er natuurlijk de kleine Christoph, die zijn moeder wel liet zien hoeveel vreugde het leven te bieden had. Ze probeerde alles te aanvaarden wat God haar te dragen gaf. Vaak waren er trouwens ook vrolijke momenten en mooie herinneringen. Ze was bijvoorbeeld heel blij dat Dorothea haar altijd zo lief met alles hielp. Als het verdriet Anna Magdalena weer eens overweldigde, legde ze haar hand op haar buik, waar weer een kindje groeide – en dan wist ze dat ze om der wille van de nieuwe wereldburger niet zo verdrietig en boos moest zijn.

De sfeer in het huis van de familie Bach werd ondanks alle verdriet voornamelijk bepaald door muziek en gezang. Een tekst die ooit in andere tijden was geschreven, troostte als de hand van een moeder. En zo zong Anna Magdalena zich met ieder lied weer de periode in dat het was ontstaan. Dat gaf kracht. Het bracht troost, levensvreugde en hoop. Verder waren er Dorothea en Elisabeth, die ook altijd een lied op de lippen hadden. Dat werkte aanstekelijk en deed goed. Wat de muziek betreft die Sebastian voor keurvorst Friedrich componeerde, die klonk daarentegen als van heel ver in haar oren, terwijl ze toch in dezelfde kamer zat als waar haar man speelde. Zijn instrumentale composities maakten haar aan het dromen. Wat had het leven nog voor hen in petto?

Het volgende kind dat Anna Magdalena met veel moeite ter wereld bracht, was een zwak jongetje. Zijn hartje klopte al niet meer toen hij werd gedoopt. Ze besefte dat ze haar zoontje nooit bij zijn naam zou kunnen roepen, maar iemand anders had hem in het grote levensboek ingeschreven. Het schepseltje stond in Gods hart en Hij zou haar kind met zijn naam aanspreken. Het was niet zinloos. Het was niet zinloos. Dit kind was niet dood. Het leefde beslist bij zijn Vader in de hemel.

Als in een droom zag Anna Magdalena Gesners vrouw en de jonge conrector August Ernesti samen met haar man en kinderen bij de doopvont staan. Ook bij de begrafenis waren ze aanwezig. Anna Magdalena liep er eenvoudig heen en weer terug. Waar haalden de mensen hun tranen toch vandaan?

Toen kwam ook nog het bericht dat de Gesners naar Göttingen werden overgeplaatst, omdat hij daar een werkkring had gevonden die hij altijd al zo graag had willen hebben. Anna Magdalena hoorde het als door een waas. Eindelijk zou Johann Matthias Gesner zelfstandig kunnen werken en zou hij niet meer door meerderen aan de leiband worden gehouden. Hij zou al zijn aandacht aan zijn werk kunnen geven en een rustiger leven met zijn vrouw leiden. In Göttingen keken ze al verlangend uit naar zijn komst. Hij zou er poëzie en retorica onderwijzen en op den duur zou ook de universiteitsbibliotheek onder zijn leiding komen te staan. Gedurende drie jaar hadden de families Bach en Gesner onder één dak gewoond. Drie jaar lang had Anna Magdalena van hun onbaatzuchtige hulp en waardering mogen genieten. Was dat nu allemaal voorbij? Het begon door te dringen.

'Wat moet ik zonder jullie beginnen,' zei ze tegen die twee haar zo dierbaar geworden mensen. 'Wie zal ooit zo goed met Sebastian weten om te gaan? Wie zal het voor hem opnemen? En wie zal mij zo liefdevol bijstaan in het kraambed?'

'Je weet het wel, Anna Magdalena,' antwoordde mevrouw Gesner. 'Mijn man acht geen musicus hoger dan Bach, maar toch zijn we blij niet meer te zijn aangewezen op het schamele loon van de stad Leipzig. Mijn man heeft niet diezelfde onuitputtelijke energie die de jouwe heeft. Anders dan Sebastian, ziet hij geen mogelijkheid met nevenactiviteiten wat bij te verdienen.'

'Natuurlijk wens ik jullie van ganser harte een fijne tijd in Göttingen, maar vergeef me dat ik jullie niet graag zie vertrekken.'

Alle Bachs hielpen mee de verhuiswagens vol te laden. Het was voor de hele buurt duidelijk hoezeer ze bevriend waren met de Gesners. Sebastian en Gesner omarmden elkaar als broers. Toen de wagens de straat uit ratelden, wuifden allen hen na. Sebastian en Anna Magdalena hielden elkaar stevig vast. Ze hadden elkaar nu meer dan ooit nodig.

Het leek wel of iedereen weg wou. Nu ook de kinderen. Anna Magdalena leed eronder, maar ze wou niet ondankbaar zijn. Ze wilde blij zijn met en voor de kinderen. Haar ouders hadden haar indertijd ook laten vertrekken. Emanuel ging naar Frankfurt om zijn rechtenstudie af te maken. Omdat hij een goede muziekleraar was geworden zou hij er met muziekonderricht in zijn onderhoud kunnen voorzien. En Bernhard had met zijn twintig jaar nu zijn eerste baan als organist. Sebastian wilde met hem meereizen naar Mühlhausen en daar dan meteen het orgel in de Mariakerk keuren. Hij had zich nogal moeite getroost om een baan voor zijn zoon te vinden en toen het ten slotte was gelukt, was Anna Magdalena reuze blij voor de jongen en ze was ook trots op hem.

'Als hij nu maar een beetje doorzettingsvermogen toont, zodat hij een fatsoenlijk leven gaat leiden.' Sebastian was er niet gerust op.

'Ach, lieveling, je zult zien dat Bernhard blij is met zijn nieuwe verantwoordelijkheden. En wie zijn geld zelf moet verdienen, gaat er ook zorgvuldiger mee om.' Zo probeerde Anna Magdalena haar man en zichzelf moed in te spreken.

Maar Sebastian bleef bezorgd. 'Ik zal de schulden vereffenen die hij bij zijn vrienden hier in Leipzig heeft. Daar moet ik wel twee weken hard voor werken.'

Hij heeft gelijk, dacht Anna Magdalena. Hier hadden zijn vader en zij altijd een beetje extra op hem gelet. Wie zou hem in Mühlhausen voor foute vrienden waarschuwen en die eenvoudig de deur wijzen?

Van Sebastians kinderen uit zijn eerste huwelijk woonde nu alleen Dorothea nog thuis. Die van Anna Magdalena waren nog klein. En Gottfried, haar oudste, zou nooit musicus worden of wat dan ook kunnen studeren.

Er kwam een tijd dat Anna Magdalena weer vreugde kreeg in het leven. Het gebeurde in de lange zomer. Die duurde tot diep in het najaar. Hij was vol van de heerlijkste muziekstukken, die hun gasten of haar man mee naar huis brachten. Ze bewaarde ze zorgvuldig in een nieuw boekje voor klavieretudes. Ze speelde er iedere morgen uit en dat maakte haar zo vrolijk als ze sinds lang niet was geweest.

Haar tuin deed werkelijk in niets onder voor de andere weelderig bloeiende tuinen. Integendeel. De vruchten uit Anna Magdalena's tuin waren eerder groter en werden minder aangetast door ongedierte dan die van de anderen. Dat kwam beslist door de liefdevolle verzorging die ze haar planten gaf. Ook de kinderen hadden er plezier in met moeder onkruid te wieden of het kostbare zaad voorzichtig in de zorgvuldig voorbereide sleuven uit te zetten. Gottfried werd bevorderd tot meester-begieter. Met de kinderlijke ijver die hij sinds zijn ziekte had, gaf hij de planten scheutje voor scheutje water, opdat het water niet onmiddellijk weer van de helling spoelde. Gottfried kon ook beter dan de anderen met de schoffel omgaan. Hij had namelijk een engelengeduld. Na iedere regenbui verzorgde hij voorzichtig de groente- en slabedden. Hij lette erop dat de aarde rond de planten weer mooi fijnkorrelig werd, zodat de grond bij droog weer het water dat hij erop goot als een spons kon opnemen. De anderen zagen hoe Gottfried in de zomerse hitte emmer na emmer uit de put omhoog trok en vervolgens naar boven, naar hun stukje tuin sleepte. Daardoor zag hij er ook zo gezond uit, met kleur op zijn wangen en heldere ogen. Het was duidelijk dat Gottfrieds geluk eruit bestond zijn moeder in de tuin behulpzaam te zijn. De tuin was echter ook een bron van vreugde voor de andere leden van het gezin, want de meeste maaltijden in huize Bach werden bereid met groenten van eigen bodem. Dat maakte allen tevreden, dankbaar en ook best trots. Toen er eind oktober echt niets meer te doen was in de tuin, en Gottfried steeds om werkjes vroeg, kreeg Anna Magdalena het idee een terrasje aan te leggen. Nu ging Gottfried steeds naar de beek om geschikte stenen te zoeken. Hij bracht ze in een kruiwagen naar de tuin. Gottfried was nu de oudste zoon in huis en hij wilde vader en moeder laten zien dat ook hij zich nuttig kon maken.

Anna Magdalena vond het heerlijk haar man met de composities voor Kerstmis terzijde te kunnen staan. Ze verzamelden wiegenliedjes, liefdesliedjes en wat ze verder maar aan geschikte muziek konden vinden, ze maakten er nieuwe teksten bij en bewerkten ze tot kerstcantaten. Sebastian ging zo grondig te werk dat toen de kersttijd aanbrak de hemel zich bij de muziek scheen te openen, alsof de verlosser opnieuw op aarde ging verschijnen.

Die winter verbleef de Italiaanse schilder Cristofori een paar weken in Leipzig. Hij ging naar de welgestelden van de stad en portretteerde zijn klanten in olieverf. Dat kostte natuurlijk een lieve duit. Niet alleen had Sebastian daarover gehoord, hij had ook een paar schilderijen van de man gezien en die bevielen hem bijzonder goed. Van zichzelf bezat hij al vier schilderijen, maar van zijn geliefde vrouw, Anna Magdalena, bestond nog geen portret. Om die reden en ook wel omdat hij niet wou onderdoen voor zijn voorname vrienden, die eveneens hun gemalin lieten portretteren, overlegde hij met Cristofori en kwam met hem een prijs overeen.

De familie was door het dolle heen. Moeder zou worden geschilderd! Als Anna Magdalena twee dagen, gedurende zes uur voor de schilder zou stilzitten, kon de meester het werk gedaan krijgen. Cristofori was al een dag eerder gekomen, want, zei hij, hij wilde meemaken hoe mevrouw Bach zich bewoog, dan zou de beeltenis die hij van haar maakte expressiever zijn. De kinderen zaten overal met hun neus bovenop. Cristofori observeerde hun moeder de hele dag, volgde haar van 's morgens vroeg tot 's avonds laat, van de keuken naar de put, van de tuin naar de waskelder. Nu en dan maakte hij een schetsje en lachte vriendelijk tegen de kinderen. Een eigenaardige gast, te meer omdat geen van de gezinsleden Italiaans kende en Cristofori geen woord Duits.

De volgende dag kwam een vrouw om Anna Magdalena's haar schitterend op te maken. Zelfs Sebastian had plezier in het gedoe. Hij kwam steeds even kijken hoe de voorbereidingen vorderden. Cristofori verschoof in de muziekkamer zo'n beetje alle meubels. Maar op het schilderij was daar later niets van te zien. En Dorothea moest nota bene de ramen wassen, terwijl het buiten vroor. Toen liet Cristofori Anna Magdalena aan de klavecimbel zitten. Mooi rechtop en met haar handen op de toetsen moest ze zijn kant uit kijken. Telkens kwam hij weer achter zijn schildersezel vandaan, liep naar haar toe en hief haar kin wat omhoog. Daarna ging hij weer achter het doek zitten en stak z'n wijsvinger omhoog. Daar moest zijn model dan naar kijken, ook als zijn hand daar al lang niet meer was.

Gottfried vond al na twee uur dat het zo wel mooi was geweest. Vooral omdat deze schilder alsmaar zo brutaal was om moeders jurk bij de hals dieper omlaag te trekken, zodat er nogal veel van haar borsten te zien kwam. Anna Magdalena zat heel stil, behalve dan dat haar hoofd onwillekeurig steeds een eindje zakte. Maar ze had steeds dezelfde uitdrukking op haar gezicht, wat er ook om haar heen gebeurde. Cristofori was daar heel tevreden over.

Gedurende deze drie dagen was iedereen in een goed humeur. Sebastian omdat hij zijn vrouw zo beeldschoon vond. Anna Magdalena omdat ze ervan hield om zich ter wille van kunst in te spannen, in dit geval door heel stil te zitten. Elisabeth, omdat ze ervan droomde ooit van zichzelf een portret geschilderd te krijgen. Gottfried, omdat hij nog nooit zo lang achter elkaar naar zijn moeder had kunnen kijken. Zoals hij haar kende, op haar krukje, en op den duur op het schilderij, waar ze ook tot leven leek te komen.

Maar het beste, iets heel anders kwam weer van Picander. Hij had een vrolijk lied geschreven over het verlangen van vrouwen om koffie te drinken. En Sebastian was zo goed niet, of hij zorgde voor muziek en regelde dat het lied ergens buiten werd uitgevoerd. De heldin van deze koffiecantate heette Liesje. Dat had Picander niet toevallig zo gekozen. Nee, het was vanwege de negenjarige Elisabeth, die door iedereen Liesje werd genoemd. Anna Magdalena zong de rol van Liesje. Er werd een geschikte bas gevonden voor de knorrige vader, die zich toch zo makkelijk door zijn koffieminnende dochter Liesje laat ompraten. En zo krijgt ze aan het eind niet alleen een man, maar mag ze ten slotte ook de verboden koffie blijven drinken. De twee stemmen werden nog aangevuld met een verteller, die als een toneelspeler zijn tekst met mime en gebaren verluchtte en al direct het publiek aan het lachen kreeg. En dan was er nog een koor dat Liesjes verlangen naar koffie onderstreepte.

Terwijl Anna Magdalena van lieverlee weer vrolijk werd, Elisabeth zich ontwikkelde tot een levenslustig en ondernemend meisje, en de kleine Christoph van vroeg tot laat iedereen aanstak met zijn pret in 't leven, beet Sebastian zich vast in ellenlange discussies met de jonge nieuwe rector van de school, de zevenentwintigjarige August Ernesti. Hij was net zo onbuigzaam als Johann Heinrich Ernesti, maar had niet de ervaring van zijn oudere familielid, die wist hoe hij met het stadsbestuur moest omspringen en hoe hij de scholieren onder de duim kon houden. Was dan de korte tijd met rector Gesner de enige vreedzame periode in huis geweest? Anna Magdalena had er een hekel aan om buiten hun eigen vertrekken door het gebouw te lopen. Ze kreeg al maagpijn bij de gedachte dat ze dat kwaaie mens, de vrouw van de rector zou tegenkomen, terwijl hun beider mannen niet bepaald op goede voet met elkaar leefden. En dat zou nog wel even duren.

Gelukkig kwam er sinds kort wel een paar maal per week een aardige en competente theologiestudent, Ludwig Krebs, om de Bach-kinderen thuis les te geven. Dat ontlastte Sebastian tenminste van die taak. Anna Magdalena was blij dat nu de grote zonen het huis uit waren ook de jongere kinderen privé-onderwijs kregen. Gottfried deed wel altijd erg zijn best, maar natuurlijk maakte hij niet dezelfde vorderingen als de anderen. Ook Elisabeth was een geïnteresseerde en ijverige leerling. Ze was ambitieus. Er waren nu geen oudere broers meer die haar niet serieus namen. Met haar pientere kopje zag het ernaar uit dat ook zij een keer in de voetstappen van de oudere Bachzonen zou treden.

Een poosje geleden had mevrouw Gottsched gevraagd of ze les van Bach zou kunnen krijgen, en Bach had laten weten dat hij dat graag zou doen. Maar toen ze voor de eerste les verscheen, was Bach er helemaal niet. Hij had zich zonder overleg door de jonge Ludwig Krebs laten vervangen. Sebastian was altijd zeer te spreken geweest over Ludwigs inzet. Hij kon de begaafdste scholieren en studenten goed gebruiken als hij zich eens wilde laten vervangen, maar vooraanstaande Leipziger inwoners moest hij toch persoonlijk lesgeven.

'Sebastian toch,' zei Anna Magdalena, een beetje verwijtend, 'haar man, professor Gottsched, geniet hoog aanzien... Beiden hebben zich verdienstelijk gemaakt op het gebied van literatuur. Waarom geef je haar niet zelf les? Ze is toch een zeer ontwikkelde vrouw.'

'Wat heeft het met muziek te maken of iemand bekend is,' antwoordde hij geërgerd.

'Het zou voor ons bepaald niet slecht zijn geweest als je die vrouw als leerling had. Je weet toch hoe we ervoor staan,' probeerde ze nog. Maar het was Sebastian een gruwel les te geven aan iemand die de muziek niet volledig was toegedaan, iemand die alleen maar een beetje beter wilde leren spelen om bewonderd te worden.

Anna Magdalena wist zeker dat Sebastian had begrepen waar ze op doelde. Maar ze kon het niet laten nog even door te gaan: 'Je weet net zo goed als ik dat de Gottscheds een aanzet zouden kunnen zijn, en dat daarna allemaal vrouwen die ook geld te missen hebben, zouden volgen. Ieder extra lesuur zou geld in het laatje betekenen. Bovendien, dat soort dames laat zich vast niet kennen, ze zouden het bedrag nog naar boven afronden ook.'

Zoals de laatste tijd steeds vaker het geval was met Sebastian, als hij ergens niet voor voelde, gromde hij binnensmonds: 'Ik heb wel wat anders te doen.' En weg was hij.

Dorothea had het allemaal aangehoord. Ze had het geweldig gevonden toen de in heel Leipzig bekende en bewonderde mevrouw Gottsched in hun huis was geweest. Dorothea dweepte met deze excentrieke en zeer ondernemende en begaafde vrouw.

'Ik kan vader niet volgen. Hij geeft toch ook les aan totaal onmuzikale leerlingen uit welgestelde families,' zei ze tegen Anna Magdalena. 'Al die dichtende en schrijvende dames die altijd rond mevrouw Gottsched dwarrelen...'

Anna Magdalena kende haar stiefdochter goed genoeg om te weten dat het meisje zelf maar al te graag één van die dames zou zijn die huize Gottsched zomaar in- en uitliepen. Ze kende echter ook de feitelijke situatie daar en zei: 'Je overschat de invloed van mevrouw Gottsched. De vrouwen willen alleen maar de erkenning van haar invloedrijke echtgenoot. Als hij iemand uit de grijze massa omhoog trekt, mag ze zich verder dichteres noemen, en wie hij belachelijk maakt kan het verder wel vergeten. Daarbij komt, lieve kind, dat hij zich gedraagt als een grootgrondbezitter, die zich alles toeëigent wat hij hebben wil.' Ze trok Dorothea naast zich op de divan. 'Jij bent het kostbaarste dat ik heb. Al onze kinderen hoorden van jou de dichterlijke woorden over liefde en geloof, mooier dan welke dichteres ze ook maar zou kunnen schrijven. Wie heeft een Gottsched nodig? Wie heeft een ander oordeel nodig dan dat van God?' En na een korte pauze, waarin het vuur in de haard scheen mee te luisteren, zei ze meer tegen zichzelf: 'Ooit, en dat weet ik wel zeker, zul jij een mooiere kroon dragen dan deze hooggeleerde professor.'

Elisabeth, die stilletjes met een naaiwerkje bezig was geweest, had het gehoord. Ze riep: 'Ik weet wel wat ik wil!'

'O ja? En wat dan wel?'

'Trouwen en koffie drinken.' Ze lachten alle drie.

'Dit zou Friedelena vast hebben opgeschreven,' grinnikte Dorothea. Ze zuchtte: 'Weet je, Liesje, bij mij heeft het geluk niet aan de deur geklopt. Ik geloof dat ze mij gewoon vergeten zijn. Maar bij jou, kleine schattebout, zal het anders zijn. Je bent mooi en je leert ijverig. En je zult het zien, dan komt voor jou de prins op het witte paard. De mooiste, de nobelste!'

'Ik wil er alleen maar één zoals vader,' legde Elisabeth maar even vast.

Anna Magdalena nam zich voor, als de gelegenheid zich voordeed, haar man op te vrolijken met dit gesprek tussen zijn dochters. Al wist ze zeker dat Elisabeth over een paar jaar anders zou denken.

Twee jaar na de dood van de vorige zuigeling werd Johann geboren. Anna Magdalena kon nog maar net van de tuin naar huis komen.

'Ga gauw Sybilla halen,' zei ze tegen Gottfried. 'Niet meelopen naar huis, maar Sybilla en mevrouw Bose halen.' Gottfried was helemaal van de kaart want hij zag de zweetdruppels op zijn moeders voorhoofd. Bovendien had ze nog altijd de schoffel in haar hand, en die hoorde toch echt in de tuin. Om de paar meter bleef ze staan, en klampte zich daaraan vast. Arme Gottfried. In zijn onnozelheid dacht hij dat zijn moeder misschien wel doodging. Toen hij bij de Boses aankwam was hij in tranen. De familie ontving hem hartelijk zoals altijd en vroeg waarom hij huilde. Toen wist hij het weer: 'Jullie moeten mee, naar moeder. Ze kan de schoffel niet loslaten.'

De Boses keken hem niet begrijpend aan. Plotseling riep Sybilla: 'Het kind, moeder, het kind komt.' Ze renden naar de overkant. Gottfried begreep het: hij zou weer een broertje of zusje krijgen.

Dorothea was ontroostbaar omdat zij niet thuis was geweest toen haar moeders bevalling inzette.

'Maar het is toch juist goed dat jij met Elisabeth en Christoph buiten was. Het ging allemaal zo snel. We konden niet eens de vroedvrouwen halen.' En tegen de helpsters zei Anna Magdalena: 'Dat is het geheime recept: in de tuin werken, dan komt het kind vanzelf.'

Iedereen was blij weer zo'n kleine schreeuwerd te kunnen sussen en gasten te kunnen uitnodigen. Sybilla, die ook de navelstreng had doorgeknipt, was degene die als peettante de kleine mollige Johann boven de doopvont hield.

Dorothea vertelde die avond aan Elisabeth dat haar vader van háár moeder zeven kinderen had gehad. 'Maar daarvan leven er nog maar vier.'

Elisabeth dacht na: 'De groten dus, Friedemann, Emanuel, Bernhard... en jij, Dorothea.'

'Ja, ik ben de oudste. Het eerste kind. En denk nog even na: je moeder heeft vandaag haar elfde kind gebaard. En met z'n hoevelen zijn jullie nog?'

'Gottfried, ik, Christoph en nu Johann.'

'Klopt. Vier van de elf zijn in leven.'

Elisabeth schrok ervan en ze drukte zich tegen haar grote zus. Dorothea streek het meisje over het dikke haar en zei: 'We zullen goed op Johann passen, hè?'

'Ja,' zei Elisabeth, 'net zoals we op Christoph hebben gepast, en hem eindelijk hebben geleerd dat hij niet in zijn broek moet plassen.'

Anna Magdalena vroeg zich af waar Sebastian het meest blij om was, om de geboorte van het jongste gezonde kind of om zijn onderscheiding. Hij was benoemd tot 'hofcomponist van het Poolse koninklijke en keurvorstelijke hof van Saksen'. Weliswaar bracht dat niet meer geld in de huishoudportemonnee, maar het was het soort officiële erkenning waar haar man zo lang op had gehoopt. Sebastian hoopte dat hij er ook meer aanzien en eer in de stad door zou krijgen, want ze wilden in hem nog altijd niet meer zien dan de cantor van de Thomaskerk. Iemand die te gehoorzamen had aan de stad Leipzig en braaf korte cantaten verzorgde voor bij de zondagspreek, zonder daar beroemde musici voor nodig te hebben.

Het scheelde dat ze nu een student kost en inwoning verschaften die als tegenprestatie de kinderen onderwees en hand- en spandiensten voor Sebastian verrichtte. Het was al snel vanzelfsprekend geworden dat Bach zich voor het geven van zijn privélessen door deze jongeman liet vervangen. Ook kon hij Sebastian aan het orgel vervangen. Bovendien handelde hij heel betrouwbaar en correct correspondentie voor hem af. Niet alleen Sebastian was aan de jongeman gewend geraakt, ook de kinderen hielden van hun verstandige, gevoelige leraar. Maar ja, die had zo zijn eigen toekomstplannen. En zo kwam het dat hij al na een half jaar vroeg om een getuigschrift over zijn diensten in huize Bach.

Sinds de leraar was vertrokken zag Sebastian het niet zitten. Er kwam weer zoveel werk op hem af. Wat was het belangrijkste? De geestelijk achtergebleven Gottfried onderwijzen?

Zijn leerlingen in het gareel houden en ze meer aandacht geven? Ondanks al dat werk was er – hoe je het ook wendde of keerde – altijd geldgebrek. Hij was blij met iedere begrafenis waar hij met een paar scholieren kon zingen, omdat dat weer wat opleverde.

Hoewel de grote zoons nu elders woonden, ging het er in huis aan toe als in een duiventil. Er waren bijna iedere avond gasten, die weliswaar hartelijk werden ontvangen door Anna Magdalena, maar toch ook altijd op hem, de Thomascantor wachtten. Hij voelde zich vaak verscheurd, omdat hij persoonlijk altijd maar één doel had: de muziek die hij in zijn hoofd had op papier zien te krijgen. Deze dagen wou hij zo dolgraag naar Zeitz om daar met Schemelli, de cantor van het slot te overleggen. Ze waren namelijk van plan samen een kerkgezangboek te maken, en dat moest met Pasen klaar zijn. Sebastian verstond de kunst om in een koperplaat rechtstreeks, dus zonder de muziek die hij in zijn hoofd had eerst gewoon te hebben genoteerd, het spiegelbeeld van het notenbeeld te graveren. Hij had aan die klus wel zijn handen vol. Hij wilde niet alleen de muziek in brede kring toegankelijk en verkrijgbaar maken, nee, wat hij ambieerde, was een schitterende, glanzende uitvoering van de muziek. Anna Magdalena zag wel hoe hij het Thomaskoor opjutte om tot betere prestaties te komen, om de liederen perfect ten gehore te brengen. En dat betekende nieuwe ergernis, want Sebastians superieuren zagen er niets in om aan het zangonderricht van de leerlingen zoveel meer tijd en aandacht te geven.

'Ze ondergraven de eredienst aan God,' klaagde hij tegen zijn vrouw. En al gauw zei hij het tegen ieder die het maar wilde horen: op die manier zou niemand de zangprestatie van de jongens goed genoeg krijgen. Hij kreeg gewoon niet voldoende tijd en middelen om de jongens te trainen. Was hij niet aangesteld om muziek te maken ter meerdere glorie van God? Dat interesseerde die blaaskaken geen barst. Met des te meer tegenzin onderwees hij de jongens in de andere vakken. Daar kwam nog bij dat slechts een enkeling het onderwijs serieus nam en zelfstandig studeerde.

De prachtige melodieën waren voortdurend in Sebastians hoofd, en als hij dan eindelijk de tijd en rust vond zich er intensief aan te wijden, dan zag hij vaak niet meer goed. Hevige hoofdpijn klopte tegen de fluwelen tonen – het baatte weinig dat zijn vrouw zo vaardig de notenbalken alvast voor hem had getrokken. 's Avonds waren zijn ogen uitgeput. De veer miste de juiste lijn, en de inktstreepjes namen voor zijn ogen vreemde vormen aan. De lijnen van de balk werden waterig, en het leek of de wind er golven in blies. Hij had hulp nodig. Van zijn vrouw kon hij dat werk er in de avonduren niet ook nog eens bij vragen. Het verzorgen van de kinderen en het ontvangen van altijd weer gasten vergde al zoveel van haar. Bovendien was zijn Anna Magdalena alweer hoogzwanger. Binnenkort was het zover.

De hulp kwam in 1737, en bleef vijf jaar. Iedereen verheugde zich, want de persoon in kwestie was geen onbekende. Het was Elias die bij het gezin Bach introk. Elias was een kleinzoon van een oom van Sebastian. Hij had zijn theologiestudie uit geldgebrek moeten afbreken, want nu zijn vader, een gewaardeerde cantor in Schweinfurt, was gestorven, moest hij niet alleen zichzelf maar ook zijn moeder onderhouden. Ze hadden uitgerekend dat hij twee jaar zou moeten sparen om zijn studie te kunnen voortzetten. Daarna zou hij bij de familie Bach kunnen blijven wonen en naast zijn studie de kinderen verder onderwijzen.

Elias Bach was van zo'n beetje dezelfde leeftijd als Dorothea. Sebastian grapte: 'Er trekt weer een zoon bij ons in. Een welgemanierde zoon, die ik niet meer hoef op te voeden.'

Toen hij Elias zag, herinnerde Gottfried zich ineens weer die eerste keer dat hij net als de oudere jongens een pijp probeerde te roken. Jazeker, *die* gebeurtenis was hem bijgebleven. 'Ik wil nooit meer roken,' had hij tegen zijn ouders gezegd. 'Niet met Elias, en niet met wie dan ook.' Hij moest er niet aan denken zich ooit weer zo ellendig te voelen.

Ook Anna Magdalena herinnerde zich die dag nog, maar beslist vanwege iets anders: de kus die bedoeld was als toneelkus, maar die een kus was gebleven. Zoals een bloem een bloem is en een lied een lied. Ze had zich goed voorgenomen te doen alsof er niets was gebeurd. Dat was het beste. Maar met Elias was het anders gegaan. Had hij Anna Magdalena voor die tijd bewonderd en graag gemogen, na de kus was er iets in hem veranderd; Anna Magdalena was sindsdien de begerenswaardigste vrouw ter wereld. Nog wekenlang na het familiefeest had het hem grote moeite en zielepijn gekost om te zorgen dat zijn hunkering onopgemerkt bleef. Zijn hart stond nog altijd in brand. Hij noemde Sebastian zoals vroeger: 'peetoom'. Het was deze man, met wie Anna Magdalena het bed deelde, die sinds de dood van zijn vader de zorg voor zijn familie op zich had genomen.

Toen Elias hem daarvoor bedankte, zei Sebastian alleen maar: 'Ook ik moest het toen ik nog maar zo'n jochie was zonder vader stellen. Dan ondervind je wel hoe belangrijk het is om familie te hebben. Wie anders zou iemand moeten bijbrengen dat er ook een vader in de hemel is die over ons waakt?'

Met Bach was alles eenvoudig. Hij had inderdaad Elias' vader kunnen zijn, en ze waren familie. Maar Anna Magdalena was maar zes jaar ouder dan Elias. Ze hadden broer en zus kunnen zijn. Elias had niets liever gewild dan dat ze zíjn vrouw was geweest. Hij zou haar zo graag als vriendin hebben bejegend en haar met haar mooie naam aangesproken. Ach, wat had hij haar graag dag en nacht het hof gemaakt. Maar hij paste goed op, want hij wilde haar zeker niet in verlegenheid brengen. Zij kon er tenslotte niets aan doen dat hij voortdurend aan haar moest denken. De kus van vele jaren geleden was nooit uit zijn gedachten. Ook zij had hem daarna zo geschrokken aangekeken. Ze hadden er geen van beiden op gerekend, op wat in dat toneelstukje was gebeurd. 'Zij heeft er natuurlijk nooit meer aan gedacht,' zei Elias tegen zichzelf.

'Kom mee naar de tuin,' zei Anna Magdalena tegen Elias, de dromer.

'Graag!' Met twee emmers en vier messen, want de kinderen wilden ook helpen. Ze lachten en hadden met z'n allen plezier bij het uittrekken van de bieten en het oogsten van de sla.

Wat is ze mooi, en wat heeft ze altijd schik in de kleinste dingen, dacht Elias. En Anna Magdalena dacht ook zoiets: wat is het heerlijk met hem samen te zijn. Tot nu toe was het nooit bij haar opgekomen om een huisonderwijzer mee naar de tuin te nemen. In gedachten verontschuldigde ze zich: Elias hoorde toch gewoon bij de familie. En om paal en perk te stellen aan de gevoelens die in haar leefden, vroeg ze: 'Zou je me niet moeke willen noemen, zoals de jongens van de Thomasschool doen? Dat past beter bij peetoom, zoals je Sebastian altijd noemt.'

Elias kon niet onmiddellijk reageren. Moeke, had ze gezegd. Hij keek haar aan en toen zag hij weer die verwarring in haar blik. Anna Magdalena vroeg iets van hem. Ze had dus kennelijk ook problemen met zijn aanwezigheid in huis.

'Je wilt dus dat ik je moeke noem?'

'Ja, dat wil ik graag,' zei Anna Magdalena, en alleen door haar plotselinge tranen zag hij dat ze, net als hij, haar gevoelens wilde wegstoppen.

'Alleen maar als ik je liefste moeke mag noemen,' probeerde hij er luchtig over te doen om Anna Magdalena weer op te vrolijken. 'Want weet je, ik heb een peettante die ik moeke noem, en de dagen die ik met jou doorbreng, wil ik beslist niet inruilen voor die met haar.'

Anna Magdalena kon weer wat rustiger ademhalen en ze was gelukkig. Zo kwam alles toch nog in het reine. Het was voor het eerst dat ze ervoer dat het bepaald niet makkelijk is om voor een andere man meer te voelen dan betamelijk is.

De getalenteerde jongeman was de ideale leraar voor de kinderen. En Sebastian had eindelijk weer een privésecretaris. Maar afgezien van alles wat Elias de familie uit handen nam, gaf hij ze iets wat onbetaalbaar en trouwens überhaupt niet te koop is: zijn warme vriendschap en liefde voor alle leden van het gezin van zijn zozeer beminde Anna Magdalena. Kost en inwoning, dat was wat hij ontving voor zestien uur per dag ter beschikking staan van het gezin.

Ook Dorothea genoot ervan: zo'n gezellige leeftijdgenoot in huis. En naast alles wat Anna Magdalena voelde en probeerde niet onder woorden te brengen, vond ook zij de jongen bijzonder aardig. Maar hoezo: jongen? Elias was immers maar zes jaar jonger dan zijzelf. Hij was dertig. Elias zelf wist, zonder er ooit een woord over te zeggen, dat hij zijn hele leven slechts van één vrouw zou houden, de zangeres Anna Magdalena, de moeder van een stel lieve kinderen en de vrouw van Sebastian, de zoon van zijn oudoom. Voor hem was ze een koningin, ze liep zo mooi recht dat je er zelf vrolijk van werd. Je werd er licht om het hart van. Als ze zong, wilde hij wel ter plekke sterven, want zo stelde hij zich de hemel voor. Haar haar was als vloeibaar brons. Het vlamde zo vurig, dat het eruitzag of het ieder moment over haar schouders zou stromen, hoewel ze het overdag met vele knipjes en speldjes en schuifjes op haar hoofd vastzette. Als Anna Magdalena maar in de buurt was, was Elias al gelukkig. En nu had het lot het zo geregeld, dat hij een paar jaar met haar in hetzelfde huis kon wonen...

Al direct vanaf het begin was voor iedereen duidelijk dat Elias dol op Anna Magdalena was. Aan de ogen van zijn 'liefste moeke' zag hij al haar verlangens. Hij zag het als ze moe was, en begreep niet waarom ze zich dan niet wat rust gunde.

Anna Magdalena was in verwarring over de zorgen van Elias. Toen het niet lang meer duurde voordat ze zou bevallen, vroeg hij haar voortdurend of hij haar werk uit handen kon nemen, zodat zij wat meer kon rusten. Tot nu toe hadden alleen Dorothea en vroeger Friedelena dat gedaan. Het was altijd de gewoonste zaak van de wereld geweest dat ze pas vlak voor de bevallingen op bed ging liggen. Maar Elias was zo attent en meelevend dat hij er zelfs op aandrong dat ze ook wat met de kinderen ging wandelen, opdat ze wat meer frisse lucht kreeg. Toen Carolina geboren werd, bracht Elias haar een grote bos zelfgeplukte bloemen. Anna Magdalena was erdoor geroerd, ze had nog nooit voor zichzelf een cadeautje gekregen bij een geboorte – alleen voor het nieuwe kindje.

Toen ze later in de Thomaskerk bij de doopvont stonden, was Anna Magdalena echt gelukkig: Picanders vrouw en een van de meisjes Bose waren de peettantes. Sebastian had zich oprecht verheugd over de geboorte van zijn dochtertje, hoewel hij toch wel liever een zoon zou hebben gehad. Maar Elias hield maar niet op tegen ieder die het wilde horen te zeggen: 'Kijk toch eens hoe mooi die kleine Carolina is!'

Anna Magdalena keek nog eens goed naar haar kind en lachte: 'Zo zien baby's er toch altijd uit, Elias. Alsof ze regelrecht van het paradijs komen.' Anna Magdalena voelde zich die dag een koningin. Om haar heen was haar hele gelukkige familie en vele vrienden. En kleine Carolina keek al met open oogjes haar wereld in.

Terwijl de kleinsten goed opgroeiden, hadden de ouders vaak grote zorgen om Friedemann en Bernhard, die nog altijd niet hadden geleerd om, nu ze niet meer onder de directe invloed van hun vader stonden, een ordentelijk leven te leiden. Friedemann zocht zijn plezier altijd maar weer in openbare gelegenheden met alcohol en vrouwen, hetgeen hem een zeer slechte naam bezorgde. Anna Magdalena, die er wel aan gewend was dat hij moeilijker was dan de andere kinderen, vergaf hem veel. Ze had altijd begrip opgebracht voor zijn moeilijke karakter. Als er jaarmarkt was in de stad had hij nooit zijn kooplust kunnen beheersen, noch de drank kunnen laten staan. Maar nu konden zijn uitspattingen niet meer worden goedgepraat met zijn leeftijd, het had er meer van weg dat zijn karakter nog altijd niet echt ontwikkeld was. Sebastian en zij hadden er veel verdriet van, ook omdat ze wel zagen hoe begaafd de jongen was.

Met Bernhard was het al niet anders. Hij had zijn aanstelling in Sangerhausen verspeeld. In het getuigschrift van de kerk stond dat zijn levenswandel 'weinig geciviliseerd' was. Bovendien had hij al zoveel geld geleend, zonder te weten hoe hij het ooit zou kunnen terugbetalen, dat hij er de voorkeur aan gaf onder te duiken. Anna Magdalena was bezorgd, ze vreesde voor zijn leven, nee, ze wilde niet nóg een kind verliezen. Sebastian kon niet veel anders doen dan naar Sangerhausen schrijven en de hogere instanties aldaar op de hoogte te brengen van zijn vaderlijke zorg:

Wat kan ik nog meer zeggen of doen? Daar geen vermaning, zelfs geen liefdevol aangeboden hulp uitkomst biedt, moet ik geduldig mijn kruis dragen, mijn ontaarde zoon aan Gods barmhartigheid overlaten, er niet aan twijfelen dat hij mijn deemoedige smeekbede wil aanhoren, en hopen dat mijn zoon uiteindelijk naar Gods wil zal handelen en zal inzien dat de enige weg de bekering is die ons is vergund door Gods goedheid.

Het echtpaar wachtte op een levensteken. Ze konden Bernhard niet eens laten weten dat Carolina was geboren. Ze hadden geen adres. Waar was hij? Emanuel, de derde zoon, was tot vreugde van zijn ouders evenwichtiger dan zijn broers. Toen hij vierentwintig was, kreeg hij werk als cembalist bij kroonprins Friedrich van Pruisen. Hij was een goede en ijverige toetsenist geworden. Hij was linkshandig en had zich dan ook nooit speciaal in het bespelen van strijkinstrumenten bekwaamd. Emanuel beschikte zowel over talent als over karaktervastheid. Toen hij het ouderlijk huis verliet en naar Berlijn trok, nam hij zijn leven in eigen hand. Tevreden en ook een beetje trots, volgde Anna Magdalena Emanuels veelbelovende loopbaan. Aan hem merkte ze dat haar liefdevolle opvoeding ook vrucht had gedragen.

'We moeten leren van de gelijkenis in de bijbel.' Anna Magdalena versperde haar man de weg.

Sebastian begreep niet wat zijn vrouw van hem verlangde. Hij was nog niet eens in huis, of ze praatte al op hem in. Ze wilde eerst buiten met hem spreken, of hij haast had of niet.

'Even dan,' bromde hij. 'Ik heb nog veel te doen. En mijn hoofd staat toch al op barsten.'

Maar ze nam de tijd en zei rustig en ernstig: 'Vertel me eerst hoe de vader met de twee zonen zijn "verloren zoon" heeft ontvangen?'

'Is Bernhard thuis?'

Sebastian had niet geantwoord, hij had alleen maar gehoopt, dat Bernhard eindelijk terecht was. Hij wilde onmiddellijk langs zijn vrouw naar binnen. Hij verheugde zich. Hij verheugde zich beslist veel meer dan de vader in de gelijkenis van de verloren zoon zich had kunnen verheugen! Maar Anna Magdalena stond als een rots in zijn weg en trok zich weinig aan van zijn ongeduld.

'En hoe...' vroeg ze, 'hoe zou de vader in het verhaal zijn zoon hebben ontvangen, als hij alleen naar huis was gekomen om in vrede te kunnen sterven?'

Nu begreep Sebastian, zonder verder te hoeven vragen, wat zijn vrouw eigenlijk wilde zeggen. Toen Anna Magdalena zag dat hij het had begrepen, greep ze hem vast. En ze kon hem nog steeds houden, ook toen zijn voeten het begaven en hij met zijn volle gewicht tegen haar leunde. Elias en de jongen die samen met Bernhard van Jena naar Leipzig was gekomen, hielpen Sebastian in huis de trappen op.

Bernhards 'vriend' zag eruit als een zak vodden met botten en een smerige kop. Hij had Bernhard meer gedragen dan dat hij hem had begeleid. Het geld voor de reis was hij de koetsier schuldig gebleven, hij had de man zelfs met zijn mes bedreigd als hij op het idee mocht komen hen halverwege uit de koets te gooien. Bernhard was niet meer bij bewustzijn. Door de koorts was hij haast onherkenbaar. Zijn lippen waren gebarsten, in zijn oogwimpers kleefde etter en van zijn vroeger zo mooie dikke haar, waren alleen wat rafelige plukken over. Al sinds hun aankomst, klitte Bernhards begeleider aan Anna Magdalena.

Ze walgde zo van deze stinkende man, dat ze hem ten slotte

beval: 'En nu ga je je onmiddellijk van top tot teen wassen. Met veel zeep. Dorothea zal je een jas van mijn man geven, totdat je kleren ook gewassen en weer droog zijn.' Toen begonnen de ouders hun zieke zoon uit te kleden. Voorzichtig waste Anna Magdalena hem met warm water en zeep. Het uitgemergelde lichaam was overdekt met blauwe plekken en vlooienbeten. Van dit hele gedoe merkte Bernhard niets. Zelfs toen ze hem in het andere bed legden, op een schoon laken, deed hij geen moment zijn ogen open.

'Hij is niet meer in deze wereld,' zei Anna Magdalena. Met de kostbare zalf van de Boses smeerde ze Bernhards lippen en zijn geschonden handen in. Ze zong daarbij zijn lievelingsliedjes, net als vroeger toen hij nog klein was, en ze masseerde zijn voeten en streek hem liefdevol over de armen. Sebastian ademde zo zwaar dat Anna Magdalena vreesde dat zijn hart het van verdriet zou begeven. Hij lag op zijn knieën voor het bed, zodat ze zijn hoofd in haar schoot kon leggen en hij zijn tranen de vrije loop kon laten.

De koorts wilde niet wijken. Kort voor hij stierf, scheen Bernhard te beseffen wie er aan zijn bed zaten.

'Dorothea,' mompelde hij. En: 'vader' en: 'Elisabeth' en 'mijn lieve kleine Gottfried' en 'Christoph, jongetje van goud' en met een kleine glimlach: 'moesje'.

Anna Magdalena onderdrukte haar tranen en hield hem de kleinste voor: 'En dit is Carolina.'

Op 27 mei 1739 droegen ze Bernhard, vierentwintig jaar oud, naar het kerkhof. Daarna meldden ze hem af aan de universiteit van Jena, waar hij zich had laten inschrijven.

Sebastian ging de strijd met zijn verdriet om de verloren zoon aan door zich in de muziek te storten. Tot diep in de nacht componeerde hij nieuwe melodieën, zonder dat iemand erom had gevraagd.

Anna Magdalena verlangde in deze tijd hevig naar Friedelena. Die zou beslist ziedend zijn geweest, ze zou de jongen terecht hebben gewezen, ze zou hebben gezegd, als hij eenmaal in bed had gelegen, dat hij maar mooi moest blijven liggen, anders was hij toch alleen maar de anderen tot last. En ze zou zo erbarmelijk om Bernhard hebben getreurd, dat de hele familie uit zijn verstarring zou zijn ontwaakt.

Alleen voor Gottfried was het eenvoudig: 'Bernhard is nu toch in de hemel. Nu kan hij zelfs met de engelen muziek maken.' Hij wist het zeker, werd zelfs kwaad als de anderen klaagden dat Bernhard zo weinig van het leven had kunnen genieten. Gottfried was ervan overtuigd dat de engelen zijn grote broer nu zouden helpen om gelukkig te worden. En omdat er in de hemel immers meer dan genoeg goud was, zou hij altijd genoeg hebben en nooit meer schulden hoeven te maken.

Het was een troost voor Sebastian dat Friedemann liet weten dat hij naar Leipzig zou komen. Hij zou vier weken blijven en in die tijd wilde hij veel muziek maken. Hij zou nog twee musici uit Dresden meebrengen, schreef hij. Daar verheugde zijn vader zich enorm op, en het deed hem goed in zijn rouw om Bernhard.

Elias bleef de goede genius van de familie. Zijn rustige, hartelijke houding ontdeed de dagelijkse problemen vaak van de scherpe kantjes. Altijd en overal pakte hij aan. Toen hem een beter betaalde positie werd aangeboden, bedankte hij voor de eer. Heel hoffelijk schreef hij dat hij hier nodig was. Met name voor de kleintjes was zijn regelmatige onderwijs van groot belang. Hij was zo goed in Leipzig geacclimatiseerd, en voelde zich zo thuis in huize Bach, dat hij probleemloos bij afwezigheid van Anna Magdalena en Sebastian de bestaande contacten kon onderhouden en nieuwe contacten leggen en bovendien de dagelijkse werkzaamheden verrichten. Ook durfde hij intussen zijn muzikale vaardigheden te laten horen en bewijzen dat hij goed was. Zo verving hij Sebastian soms aan het orgel, en schreef hij zijn eerste cantate voor een kerkdienst. Bach bracht hem de vaardigheden bij die ook Elias' vader had beheerst, namelijk datgene wat een cantor moet weten en kunnen. En zodoende was het voor de familie mogelijk voor enkele dagen naar Weißenfels te reizen.

De kinderen vermaakten zich in het huis en de tuin van tante Johanna en hun grootmoeder. Anna Magdalena leerde de zangeressen in het slot kennen.

'Ach moeder, ik was helemaal vergeten hoe heerlijk het is om hier te zijn,' zei ze een keer, toen ze bij de openstaande tuindeuren stond en de schone, frisse lucht van vroeger inademde.

Haar moeder kwam naast haar staan en legde haar gerimpelde hand op de arm van haar jongste. 'Mij doet het ook zo goed. Het liefst had ik jou en de kinderen veel vaker om me heen, maar ik weet best hoe belangrijk je voor Sebastian bent in Leipzig en hoeveel werk daar moet worden gedaan om alles soepel te laten lopen.' Ze zuchtte: 'Fijn dat jullie hier nog drie concerten geven. Dan gaan jullie gelukkig wel met aardig wat verdiensten terug naar Leipzig.'

Toen Anna Magdalena na een lange tijd eindelijk weer eens op het toneel stond en voor een publiek zong, voelde ze hoe moe ze eigenlijk was – en haar gedachten gingen steeds weer in de richting van de kinderen en van haar moeder, die sinds de dood van haar man zo oud was geworden. Moeder klaagde nooit, hoewel ze haar voeten iedere dag moest verbinden, en elke keer leek er meer bloed in het verband te zitten. Elisabeth had haar een pot vette zalf gegeven die uit Leipzig was meegekomen. De grootmoeder was verrukt en prees haar kinderen en heel Leipzig vanwege de wonderzalf. Het verband kleefde niet meer in de wonden. Ze kon het zonder pijn verwijderen...

De bijval die ze hier ineens weer ondervond, bracht Anna Magdalena terug in het hier en nu. Ze was in het slot in Weißenfels en de zaal was tot de laatste plaats bezet, omdat iedereen haar graag nog eens wilde horen. Het zingen van deze liederen was zo vanzelfsprekend geworden, maar in de huiskamer in Leipzig kreeg ze geen applaus.

***

'Er staat een kooi met een sijsje in de kamer!' riep Gottfried toen hij na Weißenfels zijn eerste inspectietocht in huis hield.

'Nee joh, die bruine snavel en dat borstje... dat is geen sijsje, dat moet een groenling zijn,' wist Elisabeth te vertellen. Ze waren nog maar net terug in Leipzig of ze snaterden alweer opgewonden door elkaar.

'Laat mij eens kijken,' zei Anna Magdalena, die vertederd raakte zodra ze de bonte veren en de vlugge sprongetjes van zo'n zanger zag.

'Het spijt me, Liesje, maar Gottfried heeft gelijk. Het ís een sijsje. De kleuren van zijn veren zijn een beetje anders dan je gewend bent.'

'Maar hoe komt dat diertje hier?' vroeg Elisabeth zich met een diepe frons af.

'Hij moet toch kunnen wegvliegen!' zei Gottfried.

'Niet het deurtje opendoen, Gottfried.' Zijn moeder hield hem tegen.

'Nee, nee, Gottfried, niet het deurtje opendoen,' zei de jongen zelf en om zich in bedwang te houden hield hij zijn armen stevig op zijn rug.

Waar de vogel en de kooi vandaan kwamen, dat hoorden ze van Elias toen hij thuiskwam. 'Het sijsje, lieve moeke, is voor jou. Het is natuurlijk een bijzondere vogel. Hij heeft op precies dezelfde manier zangles gekregen als jij vroeger. Hij maakt langere trillers en een heleboel verschillende, heel anders dan de sijsjes die je in Leipzig vindt. Ik heb al meer dan een jaar geprobeerd een zo goed geschoolde zanger te vinden. Gisteren kreeg ik eindelijk te horen dat er in Halle een was.' Elias had het wel goed gedacht: Anna Magdalena was blij als een kind.

'Elias, hoe kan ik je bedanken?' Ze kon niet anders dan hem steeds weer omarmen en steeds weer zijn handen kussen. Trots paste ze vanaf die dag op het kleine gevederde diertje als op haar kostbaarste schat. Haar eerste gang 's morgens was altijd naar de vogel. Ze nam de doek van de kooi en keek verrukt hoe vrolijk hij onmiddellijk begon heen en weer te springen. Niemand mocht hem voeren. Dat deed alleen zij. Iedere dag vertelde ze aan Elias hoe het vogeltje het maakte.

Het diertje maakte niet alleen langere trillers dan zijn Leipziger soortgenoten, hij bedacht zowaar ook nieuwe melodietjes. Als in de kamer werd gemusiceerd, legde hij zijn kopje zo tegen zijn borst dat hij wel een ijdele haan leek. Deze sijs zou op den duur de voorvader worden van een dozijn nakomelingen, want Dorothea zou Dorothea niet zijn geweest als ze niet toch in Leipzig een wijfje voor haar moeders vogeltje had weten te vinden. En zo had Anna Magdalena niet alleen meer aandacht voor de muziek, de tuin en haar gezin, nee, meerdere malen per dag ging ze met fijngesneden hardgekookt ei, gerstemeel, muur, smeerwortel, kleine stukjes kommer, of met wormpjes en vliegjes die ze in de tuin vond naar de kooi, waar de sijsjes om het eten kibbelden. Toen Sebastian een keer naar Berlijn ging, naar zijn zoon, gaf Anna Magdalena hem een nakomeling van haar gevederde ouderpaar mee, want Emanuel was al net zo'n vogelliefhebber als zijzelf. In Berlijn, daar had hij al eens over geklaagd, waren zulke zangvogeltjes niet te vinden.

Haar vogelliefhebberij was niet het enige waar Elias de aanzet toe had gegeven. Toen hij terugkwam van een bezoek aan zijn moeder in Schweinfurt, bracht hij voor Anna Magdalena een bos gele anjers mee. Het nieuwste van het nieuwste, een soort die iedereen graag wilde hebben. Anna Magdalena was dol op de geur. Ze gaf ze twee maal per dag vers water, opdat ze maar lang mooi zouden blijven.

'Wat een mooie anjers, Elias!' zei ze. 'Die zou ik best in mijn tuin willen hebben.' Ze had het nog niet gezegd of Elias schreef aan zijn oom, die een tuinbouwer kende, daarna aan zijn moeder in Schweinfurt en ten slotte aan een vriend in Halle: 'Wees zo goed, probeer eens of je voor mijn liefste moeke, die zich nog meer verheugt op bloemen dan een kind op zijn kerstcadeautjes...' En wat bracht de postkoets toen voor haar: een pakje met zes zaailingen.

Elisabeth keek teleurgesteld naar de onaanzienlijke plantjes.

'Maar Elisabeth... zo is het toch altijd in de tuin: nu zijn ze nog klein en alleen maar groen. Wacht maar tot het voorjaar, dan zul je een mooie geurende gele bloem op je jurk kunnen spelden, en Sybilla en haar zusjes ook.'

Aan Gottfried werd opgedragen de zaailingen iedere avond met lauw water te begieten. Toen het winter werd, werden de plantjes zorgvuldig afgedekt, opdat ze niet zouden bevriezen. En toen de voorjaarszon de bodem verwarmde, sloegen de plantjes aan en werden de eerste knoppen zichtbaar.

'Het is gelukt, Elias. Nu zullen we ook hier in Leipzig met gele anjers voor de dag kunnen komen!' Anna Magdalena straalde toen ze Elias die in de kerk achter het orgel zat, opzocht en hem het vrolijke bericht uit de tuin bracht. 'Nu kan ik niet alleen onze gasten met die heerlijke geur verrassen, maar wij vrouwen zullen de bloemen allemaal op onze boezem dragen.'

'De geur van de gele anjer doet werkelijk in niets onder voor die van rozen. Maar...' Elias schraapte zijn keel, hij móést het zeggen: 'Maar er is geen vrouw bij wie geur en bloemen zo goed staan als bij jou.'

Anna Magdalena werd rood en liep zo snel ze kon de kerk uit.

's Avonds wilde Gottfried van Elias weten waarom er speciaal in Schweinfurt bloemen werden gekweekt en hoe een tuin er daar uitzag. De kinderen waren allemaal dol op alles wat groeit en bloeit en leeft, en Christoph bedacht dat hij zelf wel tuinman kon worden. Hij beloofde Gottfried dat hij hem dan beslist zou meenemen.

'Jij en ik zouden dan beslist de allermooiste anjers hebben,' juichte Gottfried.

'En dan zouden jullie gezellig bij mijn ouders wonen,' zei Elias om de toekomstplannen van de jongens te ondersteunen, hoewel hij het sterke vermoeden had dat Christoph geen tuinman maar musicus zou worden en dat Gottfried zijn wens zeker weer zou vergeten. Elias vertelde van de zuidelijke hellingen rond Schweinfurt, waar in het voorjaar de hemelsblauwe gentiaan groeide: 'Die bloem is zo intens blauw, het diepste, het stralendste blauw dat ik ooit heb gezien. Nog feller dan van de korenbloemen in het veld...' Hij zag dat ook Anna Magdalena's ogen begonnen te schitteren. En hij wist wel wat ze weldra zou vragen.

'Elias,' zei ze inderdaad een paar dagen later, 'Ik kan aan niets anders meer denken dan aan dat blauw, waar je zo enthousiast over vertelde. Denk je dat je me die wonderschone blauwe anjers kunt bezorgen?'

'Gentianen, mijn liefste, hemelsblauwe gentianen.' En hij had er maar al te graag aan toegevoegd: 'Hemelsblauw zoals jouw wonderschone ogen...'

Toen Sebastian naar Berlijn reisde, had Anna Magdalena zich al zorgelijk zwak gevoeld. Nu was er echter geen twijfel meer mogelijk: ze was weer zwanger. Na de laatste geboorte was de menstruatie een jaar lang weggebleven, toen was ze nog eenmaal zwanger geworden, maar had de vrucht na een paar weken alweer verloren. Ze had gedacht, nee eigenlijk gehoopt, dat haar vruchtbare tijd voorbij was. Maar elke morgen, als ze bij het koken van de pap weer misselijk werd, was het haar duidelijk: ze had zichzelf voor de gek gehouden, en ze moest niet alleen alsmaar overgeven, ze voelde zich iedere dag zwakker.

'Mama, je ogen zijn niet wit maar geel, en er zitten vlekken in,' zei Elisabeth en ze begon te huilen. Haar moeder probeerde haar te kalmeren, maar zelf zag ze het ook. Ook haar armen. Haar huid was gevlekt als een blad in de herfst. Elias, die Sebastian moest vervangen, was elke keer bezorgder als hij thuiskwam en zag dat het weer erger was geworden. Anna Magdalena deed iedere dag alles wat ze moest doen langzamer. Ze at langzamer. Zelfs aan de klavecimbel bewogen haar vingers steeds langzamer, totdat beide handen op de toetsen stil lagen.

Toen Dorothea dat zag, nam ze haar stiefmoeder bij de smalle schouders en leidde haar voor zich uit naar bed. Anna Magdalena lag zo stilletjes met haar hoofd in het kussen, dat de kleinsten al dachten dat ze voor altijd was ingeslapen.

Elias was vreselijk bezorgd en hij besloot een brief naar Berlijn te sturen om zijn gewaardeerde peetoom aan te raden naar huis te komen. Toen Bach niet kwam, maar zijn reis zelfs verlengde, schreef hij opnieuw. Hij smeekte de Thomascantor naar huis te komen, zijn vrouw was in levensgevaar.

'*Wij zijn zo bang en verdrietig vanwege de steeds verergerende toestand van de zo geëerde vrouw mama. Ze heeft al sinds twee weken geen enkele nacht ook maar één uur rust gehad, ze kan noch zitten, noch liggen. Het is zo erg dat de anderen me afgelopen nacht hebben geroepen en wij er bijna zeker van waren dat we haar tot ons intense verdriet zouden verliezen...*'

Bach reageerde ook op deze brief niet, en liet zijn gezin in Leipzig met hun angsten en zorgen alleen. Elias zou het liefst een vriend naar Berlijn hebben gestuurd om Bach te overtuigen dat het ernstig was, maar Dorothea raadde dat af. Het enige wat ze zei was: 'Toen onze moeder op sterven lag, was hij ook op reis. Onze smeekbeden hebben toen ook niets uitgehaald.'

De kinderen vreesden hun moeder te verliezen, en omdat Elias zelf ook zo angstig en bezorgd was om Anna Magdalena – ze kreeg geen hap eten meer naar binnen – was zelfs hij geen echte steun voor ze. Hij hielp Dorothea weliswaar zo goed hij kon, zodat zij voortdurend bij Anna Magdalena kon zijn, maar tussen zijn troostende woorden door hoorden ze heus wel iets wat ze helemaal niet van hem gewend waren: zorg en verdriet.

Carolina van vier ging naast haar moeder liggen. 'Ik sta pas weer op als mama opstaat.' Elisabeth slaagde er echter in het meisje tot andere gedachten te brengen door haar warme chocola te beloven.

'Dat is een geweldig idee. Doen jullie dat vooral. Ja, ga maar, Elisabeth. Ga gezellig even samen naar het koffiehuis.' Anna

Magdalena lachte haar meisjes toe en moedigde ze aan: 'Neem genoeg geld mee, en zoek de gezelligste tafel uit.'

Toen Elisabeth en Carolina opgetogen de trap afhuppelden en het plannetje aan de anderen vertelden, aarzelde Dorothea of zij of Elias niet toch maar bij de zieke zou blijven. Maar Anna Magdalena zei uitdrukkelijk dat ze haar heel goed een poosje alleen konden laten en droeg ze zelfs op zichzelf met warme chocola te gaan verwennen. 'Weet je wat, zet mijn lieve vogeltjes hier bij mij op de kamer. Dan heb ik de beste afleiding die in Leipzig te vinden is.'

Toen Anna Magdalena twee uur later weer vrolijke geluiden in huis hoorde, wist ze dat het uitstapje een goed idee was geweest. Haar Liesje zat altijd boordevol goede ideeën. Daar ging de deur open, en Elias kwam zachtjes binnen om Anna Magdalena niet wakker te maken voor het geval ze sliep. Maar ze was wakker. Die paar uur dat ze met de sijsjes alleen was geweest, terwijl ze wist dat haar flinke kinderen eindelijk even plezier hadden, hadden haar goed gedaan. Ineens drong de geur door van chocola. En jawel. Elias droeg een grote kop warme chocola naar haar bed. Voorzichtig hielp hij Anna Magdalena overeind en gaf haar lepeltje voor lepeltje te drinken. Heerlijk was het.

Die kleine zoete slokjes deden haar goed. En toen herinnerde ze zich die heel bijzondere kus van vroeger weer, die veel langer had doorgewerkt dan hij had geduurd. Ze kon niet anders. Met elk lepeltje dat hij geduldig in haar mond schoof, kon ze haar tranen minder goed inhouden. Ze huilde en ze dacht dat ze nooit meer zou kunnen ophouden. En het kon haar niet eens schelen. Elias ging stilletjes door met het vullen van lepeltje na lepeltje, en voordat de kop leeg was, was Anna Magdalena voldaan en getroost.

'Dank je wel, Elias,' zei ze en hij wist dat hij meer had gedaan dan een zieke te eten geven.

Anna Magdalena was lang ziek. Ze lag voortdurend in bed, en o wat werden haar armen en benen dun. Ook toen Sybilla Bose haar verjaardag vierde, was ze, hoe graag ze ook had gewild, niet in staat naar de overkant te gaan om haar vriendin even te kunnen gelukwensen, en al helemaal niet om vrolijk met iedereen mee te feesten. In plaats daarvan nam ze haar dierbaarste boek van haar bureautje: 'Gedachten over het lijden van Christus' door J.J. Rambach. Ze had het al lang geleden gekregen. Zo netjes als ze maar kon, schreef ze:

'Anna Magdalena Bacchin, geboren Wülckin, Anno 1741
Ter ere van de heugelijke geboortedag van de hoogedele, hoogbegaafde, zowel wat eer als wat deugd betreft, jongedame, Christiana Sybilla Bosin, mijn bijzonder gewaardeerde en geëerde buurvrouw en ten diepste geliefde vriendin, wilde ik met dit kleine, echter van harte gemeende, aandenken, mij bij haar aanbevelen, Anna Magdalena Bacchin'

Het was altijd weer Elias die Anna Magdalena de hulp bood die ze nodig had. De volgende brief schreef niet Anna Magdalena, maar Elias. Hij had gezien hoe haar handen beefden en hoe er zweetdruppeltjes op haar voorhoofd parelden toen ze de opdracht in het boek voor haar vriendin had geschreven. Elias verweet zich later dat hij haar er niet van had weerhouden.

Hij kon niet anders. Zodra hij in de buurt kwam van Anna Magdalena, legde hij heel even zacht zijn hand op haar arm of haar rug. En zij genoot dat korte moment van zijn aanraking, die zoeter was dan chocola en opwekkender dan koffie. Elias was het beste medicijn dat in heel Leipzig te vinden was.

Toen de arts weer bij Anna Magdalena was, en ze hem vertelde dat ze van plan was naar Weißenfels te gaan, merkte hij op dat ze óf van de inspanning van zo'n reis blijvende schade zou ondervinden, óf, als ze goed door de crisis zou komen, dat het haar juist goed zou doen. Wie zou Anna Magdalena de reis niet hebben gegund? Maar één iemand was er die geen risico wilde nemen. Elias nam Anna Magdalena de beslissing uit handen. Hij zei: 'Moeke, lieve moeke, ik zal een brief voor je schrijven naar Weißenfels, zodat ze weten dat je niet komt.'

'Wie zegt dat ik niet ga?'

'Wie niet zonder hulp de trap op kan lopen, moet misschien nog een poosje wachten?' vroeg hij voorzichtig. En toen zei hij slim: 'Ik weet zeker dat jij tegen iemand anders die nog zo zwak was, hetzelfde zou hebben gezegd.'

Elias haalde schrijfgerei en wachtte. Hij had zelf al een aanhef geschreven. Het viel Anna Magdalena zwaar, maar ten slotte dicteerde ze:

Gezien mijn al enige tijd voortdurende ziekte ben ik jammer genoeg niet in staat de verrukkelijke afgesproken uren met u door te brengen. Op aandringen van de mijnen zal ik een dergelijke reis niet ondernemen...'

Elias liep snel de kamer uit, voordat zijn beminde moeke tot andere gedachten kon komen. In de schrijfkamer schreef hij er nog de datum en de afzender bij. Daarbij liet de ganzenveer hem in de steek, of eigenlijk verschreef hij zich gewoon van louter zorg en spanning, althans hij schreef: 'Maria Magdalena Bachin'. Toen hij daar later op attent gemaakt werd, kon hij het alleen maar verklaren doordat hij tijdens zijn studie theologie altijd, wanneer in een bijbeltekst sprake was van een Maria, aan Anna Magdalena had gedacht.

Hoewel Anna Magdalena niet meer geel zag in haar gezicht, kon ze nog wekenlang niets in haar oude tempo doen. Waar dat maar mogelijk was, ging ze zitten. Dorothea en Elisabeth namen hun moeder al het zware werk uit handen. Ook Elias raadde haar telkens weer aan om zichzelf te ontzien. Als hij Anna Magdalena's gezwollen buik zag, sneed hem dat door de ziel. Zou ze de zwangerschap en de geboorte wel goed doorstaan? Hij was bang dat Anna Magdalena voor de bevalling haar laatste krachten zou gebruiken en dan de ogen voor altijd zou sluiten.

'Moeke, lieve moeke!'

'Wat is het, Elias?'

'Beloof me bij de liefde voor de hemelsblauwe gentianen dat je volgend voorjaar weer gezond zult zijn.'

'Ik beloof het bij het nieuwe broedsel van de sijsjes, de gele anjers en vooral bij de hemelsblauwe anjers.'

'Hemelsblauwe gentiaan, lieve moeke. Het is gentiaan. Een heemplant die tegen vorst kan, die het liefst schrale bodem heeft, maar wel veel zon...'

Anna Magdalena lachte en veegde haar ogen af. Ze was door zijn woorden en door de manier waarop Elias had gesproken zo vrolijk geworden dat haar ogen er vochtig van waren. Lachen had ze al sinds weken niet meer gedaan. Het was alsof daarmee de lente al was begonnen.

Hoewel ze haar oorspronkelijke kracht nooit meer terug-kreeg, groeide in haar een gezond meisje. Toen Susanna werd geboren waren wederom twee dochters van Bose dooptante. Meneer Graff, die kort daarna met een van de meisjes Bose trouwde en die uit een geslacht stamde van mensen wie de so-ciale problemen van de stad Leipzig aan het hart gingen, werd een goede vriend van de familie Bach.

Elias was opgelucht dat Anna Magdalena alles zo goed had doorstaan. Hij was veel zenuwachtiger geweest dan zijn peet-oom toen de vroedvrouwen waren gekomen.

Susanne was het laatste kind dat Anna Magdalena baarde. Van haar eigen dertien kinderen, leefden nog slechts drie zonen en drie dochters.

In de tijd dat Anna Magdalena langzaam bijkwam van de ge-boorte, bereikte haar het bericht dat de jonge conrector van de school zich had verhangen. Het kwam hard aan. Hij had geen geluk bij de vrouwen gehad en zich in steeds grotere schulden gestoken, maar nog erger vond ze dat hij vaak zo spottend over God had gesproken. Zijn lot deed haar denken aan Bernhard. Ook hij had het in het leven niet goed aangepakt.

Sebastian had soortgelijke gedachten. Toen ze terugliepen van de begraafplaats, vroeg hij aan zijn vrouw: 'Zijn wij tekort-geschoten tegenover deze jongeman?'

Anna Magdalena knikte: 'Ik heb hem uit het oog verloren. Ik

heb me niets aan hem gelegen laten liggen. Ik dacht niet aan hem. Hij durfde ook nooit eens zomaar bij ons aankloppen. Zelfs in mijn gebeden dacht ik niet aan hem. Het kwam nooit bij me op dat we in hem onze Bernhard hadden moeten zien.' Bernhard, die met zijn voorliefde voor het orgel zozeer op zijn vader had geleken, en die soms de raad kreeg niet zo theatraal te spelen. Bernhard, die net als de conrector schulden had gemaakt, en die er niet in slaagde een normaal fatsoenlijk leven te leiden.

Maar toen dacht Anna Magdalena aan de tekst en muziek van een lied dat ze altijd zo graag had gezongen, omdat ze er blij en vrolijk van werd. Hoezo kwamen deze regels nu bij haar op, nu ze met zoveel vragen zat. Ongeacht de omstandigheden, zong ze, naast haar man lopend: *'Jesu, meine Freude...'* De weg naar huis was twee coupletten lang.

Bij de Thomasschool aangekomen, waren ze allebei tot rust gekomen. Een troep lawaaiige scholieren stormden hun voorbij. Maar dat verstoorde hun innerlijke rust niet.

Vijf jaar al woonde Elias bij de familie Bach, maar nu kreeg hij een eigen betrekking als cantor aangeboden. In Zöschau zou hij nog een paar maanden ervaring opdoen, daarna zou het zo kunnen lopen als zijn moeder hoopte, namelijk dat hij in Schweinfurt een cantoraat zou krijgen, zoals vroeger zijn overleden vader. Sebastian was blij vanwege de goede vooruitzichten, en ook Anna Magdalena gunde Elias een vaste betrekking in zijn geboortestad.

Of hij het zo geregeld had dat al heel gauw na zijn vertrek er andere lieve hulp voor Anna Magdalena kwam? Een paar dagen nadat Elias met veel ingehouden tranen afscheid had genomen, trok Anna Magdalena's tante, Martha Elisabeth Hesemann, voor langere tijd bij het gezin Bach in. Ze had gehoord dat haar nicht ziek was, en hielp nu zo goed ze kon mee in het huishouden. Haar zoon was meegekomen en die kon een opleiding volgen aan de Thomasschool. Eindelijk kon zij, als weduwe, ook eens iets terugdoen voor de familie. En zelf was zij op deze manier ook geholpen.

Martha Elisabeth schrok toen ze Anna Magdalena zag, maar dat liet ze niet merken. Het was alsof haar nichtje een schaduw van zichzelf was geworden, een wezen uit een andere wereld. Ze begreep dat Anna Magdalena niet alleen maar voedzaam eten en rust nodig had, maar ook nieuwe levenslust. Ze zorgde voor de kleine Susanna, gaf haar schone luiers en ontlastte Dorothea, die ook voor haar vader moest werken, nu Elias er niet meer was.

Iedereen miste Elias. Voor Sebastian was het lastig geworden om een vervanger te vinden om bij de kerkdiensten orgel te spelen, de kinderen kregen geen onderwijs meer, en Anna Magdalena moest aanzien hoe de laatste bos bloemen die Elias voor haar had geplukt, verwelkte. 'Bloemen voor mijn lieve moeke, zodat ze gauw weer leert zelf te bloeien,' had hij er vrolijk bij gezegd.

Al een paar dagen na zijn vertrek kwam er een brief. Elias bedankte Bach voor de fijne tijd en ook zijn hooggeëerde moeke, de jongemeisjes en de lieve neefjes. Hij stuurde de jas en de laarzen die hij had mogen lenen bij deze terug. Ook daarvoor dank. Het weer was beter geweest dan hij had gedacht en hij had een voorspoedige reis gehad.

Vroeger was Anna Magdalena altijd van 's morgens vroeg tot 's avonds laat in touw geweest, maar sinds haar ziekte was ze gauw buiten adem en trappen lopen viel haar zwaar. Ze moest de krachten die ze had goed gebruiken. Steeds vaker liet ze zich verontschuldigen als ze weer eens niet bij een festiviteit of andere gebeurtenis aanwezig kon zijn. Zelfs haar stem was zwakker geworden door de ziekte. Om überhaupt wat langer achter elkaar te kunnen zingen, moest ze nu stemoefeningen doen. Ze voelde zich als haar vogeltjes die ondanks hun kleine kooi, van het leven en van hun verlangen zongen.

Toen haar jonge vriendin, Sybilla Bose, in het huwelijk trad, was ze blij. Sybilla trouwde met haar geliefde Johann Zacharias Richter. Ze zou in Leipzig blijven wonen, want hij was een al even succesvolle koopman als haar ouders. Anna Magdalena, Dorothea en Elisabeth vlochten voor Sybilla een krans van groene twijgen om de huisdeur van de Boses op de dag van de bruiloft mee te versieren. Een andere kleur was niet te vinden op deze februaridag, want alles was bedolven onder een dikke laag sneeuw.

Het was een dag vol vreugde. En vol genot. Zowel voor smulpapen als voor liefhebbers van muziek. Sebastian had voor de gelegenheid een nieuwe bruiloftscantate geschreven, die Anna Magdalena nu voor haar hartsvriendin zong. De concertzaal in huize Bose was vol vrolijke mensen.

'Mama, je moet me beloven dat je dit lied ook zult zingen als ik trouw,' zei Elisabeth, die zich enorm had verheugd op deze dag.

'Natuurlijk, dat doe ik,' verzekerde Anna Magdalena haar dochter.

Sybilla heette nu mevrouw Richter en ze was door haar huwelijk een koopmansvrouw geworden. Zoals dat in Leipzig gewoonte was, werd op het bruiloftsfeest een inzameling gehouden. Elisabeth en Gottfried hadden de taak op zich genomen de gasten om een gift te vragen. Telkens weer gingen ze met een bus rond. De Boses zouden zich de volgende dag niet hoeven schamen als ze de opbrengst naar de armenzorg brachten.

Dit was niet de enige bruiloft in het jaar 1744. Emanuel had in Berlijn Caroline Maria Dannemann leren kennen, en al gauw de tien jaar jongere vrouw ten huwelijk gevraagd. Na bijna drie jaar ondernam Anna Magdalena voor het eerst weer een reis. Hoewel dat veel van haar vergde, genoot ze ervan de overgelukkige bruid en bruidegom te zien. Hoe anders was het en hoe heerlijk om de eigen kinderen toe te zingen. Ze had zich geen lievere schoondochter kunnen wensen.

Nu ze terugdacht aan de feestelijkheden, moest Anna Magdalena steeds lachen, want niet alleen vloeide de wijn die dagen rijkelijk, alle gasten kregen ook een vaatje mee naar huis. De vader van de bruid was wijnhandelaar, en hij was bepaald niet krenterig.

Wie later een bezoek aan Emanuel en zijn jonge vrouw bracht, herinnerde zich dat altijd als buitengewoon gezellig. Zodra de glazen leeg waren, schonk Carolina ze weer vol. Zelf kon ze trouwens beter tegen het edele goedje dan welke stoere kerel ook.

Anna Magdalena schreef weer wat vaker brieven, want na de bruiloft van Emanuel en zijn Carolina moest Sebastian zonder haar reizen. Als de kinderen hun moeder wilden zien, moesten ze naar Leipzig komen. Sebastian vond altijd wel iemand die graag met hem mee reisde, soms was het Friedemann, dan weer een van de begaafdste instrumentalisten van de Thomaskerk, die op die manier de kans kreeg om ook buiten Leipzig bekendheid te krijgen. Johann Christoph Altnikol had een mooie stem, een bas. Hij was niet zomaar een leerling van Sebastian, ook zijn meest geliefde. Bij hem klonk het 'zoals het moest klinken'. Johann Christoph Altnikol was zo vaak bij de familie Bach thuis, dat al gauw een bijzondere relatie ontstond tussen hem en Elisabeth.

'Liesje, Johann Christoph is er!' klonk het dan door het huis. Sebastian zei tevreden: 'Mooi zo. Een geschikte man voor onze Elisabeth.' Anna Magdalena zei maar niets. Als ze zich te positief voor de toekomstige schoonzoon had uitgesproken, zou Sebastian minder enthousiast zijn geweest. Hij dacht namelijk dat het zijn idee was geweest de twee te koppelen. Maar het was nota bene hun eigen Christoph geweest die de eerste intimiteiten mogelijk had meegemaakt. Hij moest namelijk op wacht staan, toen Elisabeth de eerste stiekeme kusjes met Johann Christoph uitwisselde.

'Gaan jullie maar zonder mij, ik pas intussen wel op mijn kleine zangers,' zei Anna Magdalena tegen man en kinderen, toen Emanuels eerste kind was geboren. Ze herinnerde zich de laatste reis naar Berlijn nog. Ze wou niet opnieuw naar adem happen als ze naar de derde verdieping moest. Ze had 's nachts pijn in haar borst en in haar rug gehad en het koude zweet was haar uitgebroken. 'Ga alsjeblieft. Met Gods zegen. En groet het knulletje van me.'

Het was Sebastians eerste kleinkind, en de grootvader was opgetogen. Toen ze weer thuis waren, was zo'n beetje het eerste wat hij te melden had: 'Een echte kleine Bach is het! Echt waar, Anna Magdalena, hij greep al naar mijn vinger, net als zijn vader naar een orgelregister grijpt.' Anna Magdalena glimlachte alleen maar. Grijpen niet alle baby's naar alles wat naar hen wordt uitgestoken? En waren niet al zijn kinderen *echte Bach-kinderen*?

Anna Magdalena kwam Leipzig eigenlijk niet meer uit. Ook voor haar man was het een en ander veranderd. Beiden hadden met het klimmen der jaren met wat gezondheidsproblemen te kampen. Sebastian voerde zijn cantaten nog altijd heel mooi uit in de kerk, maar er kwamen steeds minder nieuwe werken. 'God kan het ook zonder onze woorden stellen. We kunnen Hem ook zo eren. Hij hoort onze dankbaarheid ook in de muziek. En over jou, mijn lieve vrouw, verheugt Hij zich al als je maar neuriet terwijl je de kinderen optilt of als je Zijn vogeltjes voedert.'

Anna Magdalena begreep hem wel. Er was zoveel waar ze zelf ook geen woorden meer voor vond.

In maart 1746 reisde Anna Magdalena met alle kinderen naar Weißenfels. Niet om daar een paar onbezorgde dagen door te brengen, maar om afscheid van haar moeder te nemen. Margaretha Wilkes magere lichaam lag opgebaard in de slotkerk. Al haar kinderen waren er, en zo konden ze hun verdriet om de dood van hun moeder met elkaar delen. Wat viel er te zeggen op zo'n dag? De kleinkinderen vroegen hun ouders van alles over hun grootmoeder en bij het afscheid beloofden Caspar en zijn zusters veel contact te houden.

Tijdens de terugtocht speelden Anna Magdalena allerlei beelden uit het verleden door het hoofd. Van toen haar moeder nog jong was en zij, Anna Magdalena, een ruwwollen jasje had, en haar moeder haar haar neus liet snuiten, terwijl ze dat al lang zelf kon. En hoe moeder haar haar had gekamd na het baden, wat altijd zo'n pijn deed dat de tranen haar daar bij over de wangen liepen. Hoe trots haar moeder was geweest toen ze klavecimbel leerde spelen. En hoe blij ze zelf was geweest toen ze eindelijk zangles kreeg. Toen ze trouwde had haar moeder de hele dag een behuild gezicht gehad, en bij de geboorte van ieder kind van Anna Magdalena had haar moeder gezegd: 'Dat is bij al onze moeite en pijn het allermooiste wat God ons geeft.' Die woorden hadden Anna Magdalena goed gedaan, want haar zwangerschappen waren haar allemaal zwaar gevallen. Ze dacht aan haar moeders troostende woorden en voelde zich ondanks haar verdriet rijk bedeeld. Ze had een moeder gehad die blij was met ieder nieuw kleinkind en die nooit had gezegd: 'Zo is het wel genoeg.'

Toen ze zowat weer in Leipzig waren, kwamen ze langs de oude schuur, die Anna Magdalena altijd aan haar moeder deed denken, omdat hij met de jaren bouwvalliger werd en helemaal scheefzakte. De aanblik sneed haar door de ziel. Vanaf nu bestond er in Weißenfels nog wel een huis waar ze welkom was, namelijk bij Johanna en haar man, maar niet meer een huis waar ze met al haar problemen en vreugdes terecht kon, er was geen moeder meer die haar gewoon in haar armen sloot. Het verdriet om het gemis van haar moeder bleef. Het verbaasde haar dat ze als volwassen vrouw nog altijd zo graag haar moeder zou hebben gehad. Ook Dorothea was verdrietig. Ze rouwde met haar stiefmoeder mee. Ze had veel van oma Margaretha gehouden.

Ondanks het verdriet was Anna Magdalena's huis nog altijd vol leven. Friedemann woonde nu veel dichterbij, namelijk in

Halle. Hij was daar organist voor de Lievevrouwenkerk geworden. Hij kwam graag naar Leipzig om er zijn vrienden te ontmoeten. Terwijl de oudste Bachjongens aan een loopbaan als musicus waren begonnen, werkte Sebastian aan een opdracht die Frederik de Grote hem had bezorgd. De koning had hem het thema voor een fuga meegegeven met de bedoeling dat hij daarop zou improviseren. Bach beschouwde dat als een uitdaging, te meer omdat de vorst verstand had van muziek. Na een jaar zond hij Frederik zijn improvisatie toe, en enige canons als eerste deel van het *Musikalisches Opfer*. Daarna ging hij aan de slag met aparte fuga's en voegde ze samen tot één grote cyclus. *Die Kunst der Fuge* was al zo ver gevorderd dat de druk werd gepland.

Toen Johann Christoph Altnikol in Naumberg een aanstelling kreeg als organist, werden de voorbereidingen getroffen voor Elisabeths huwelijk, de eerste bruiloft in eigen huis. Anna Magdalena verzamelde alvast huisraad voor het jonge stel, om ze een makkelijke start te geven. Maar voordat het zover was, kwam Anna Magdalena's lievelingszusje logeren. Ze bleef een paar weken.

Het was anders dan vroeger wanneer ze elkaar zagen. Beide zusjes hadden altijd eindeloos veel plannen gehad. Johanna had haar ziel en zaligheid aan haar man Andreas en aan mooie kleren gegeven, Anna Magdalena werd vanwege haar voorliefde voor vogels door Johanna uitgelachen. Maar over muziek hadden ze altijd eindeloos met elkaar kunnen praten. Ze hadden samen altijd alle nieuwe liederen gezongen. In de loop der jaren was dat al wel een beetje anders geworden, omdat Anna Magdalena, zoals Johanna het zei, 'het ene kind na het andere baarde'. Maar nu had zij, Johanna, die geen kinderen had, haar enige grote liefde, haar man Andreas verloren. En zo kwam het dat ze deze keer met een gebroken hart kwam. Deze keer waren de dagen vol herinneringen aan hem.

'Waarom heeft hij toch niet zo oud mogen worden als onze vader? Waarom was het ons niet vergund langer samen te leven?' klaagde Johanna.

Anna Magdalena verdroeg de vertwijfelde vragen van haar zusje, al had ook zij er natuurlijk geen antwoord op. 'Wij beiden worden even oud, lieve schat.' Iets anders kon Anna Magdalena niet bedenken. En ze voegde eraan toe: 'Onze mannen waren allebei ouder dan wij. Echtgenoten hebben de hulp van hun vrouw nodig, en ze verlaten deze wereld eerder dan wij.'

'En als wij vrouwen dan alleen zijn,' vulde Johanna aan, 'hoop ik dat we ons kunnen redden. Ik tref het nog, want ik heb een eigen inkomen. Zolang het hof daar het nog kan bekostigen, kan ik er als zangeres blijven werken. En jij hebt kinderen bij wie je later kunt gaan wonen.'

Anna Magdalena had er nog nooit over nagedacht hoe het verder zou moeten als Sebastian er niet meer zou zijn. Ze zou wel een klein pensioentje van de stad krijgen, want daar was Sebastian tenslotte in dienst. Hij was niet de werknemer van een vorst, of koning, die gewoonlijk veel beter voor de weduwen zorgde.

Noch de kinderen, noch de muziek, noch een kop koffie in een koffiehuis kon Johanna van haar sombere gedachten afleiden. Het enige wat haar enigszins kon opvrolijken, was haar voornemen om nu ze in Leipzig was, een nieuwe garderobe aan te schaffen. Ze had bedacht dat ze nu, als weduwe, heel andere kleren moest dragen. Niet één jurk, nee gelijk maar twee jurken en drie rokken liet Johanna maken. Al direct bij het ontbijt vertelde ze opgewekt dat ze weer moest gaan passen, en maar niet kon bedenken wat voor band ze zou kiezen. Dorothea en Elisabeth boden aan tante te begeleiden en mee te helpen kiezen. Dat leidde ertoe dat Johanna heel gul nog een hoed voor Elisabeth en een rok voor Dorothea bestelde. Op de vraag van Anna Magdalena wie dat dan betalen zou, antwoordde ze: 'Dat laat ik toch gewoon opschrijven. Jullie hebben hier een goede naam, Anna Magdalena.' Johanna had nota bene voor het verschuldigde bedrag niet haar eigen naam Krebs opgegeven, maar de naam Bach.

'De cantor en leraar Bach?'

'Ja, mijn lieve zwager, Bach.'

Sebastian was veranderd. Hij had het niet meer zo vaak over zijn ergernissen en teleurstellingen. In plaats daarvan prees hij Anna Magdalena en zei steeds hoe goed God het met hem voorhad, dat hij zo'n ijverige vrouw had en dat hij voldoende inkomen had.

Er was nog iets veranderd in zijn leven. Het gebeurde gewoon, ook al bad Anna Magdalena dagelijks om verbetering: Sebastian zag met de dag slechter. Het begon ermee dat hij iedere dag vanaf een uur of twaalf niet meer kon lezen, maar al gauw was er geen enkel uur van de dag dat hij de noten nog kon onderscheiden. De letters leken wel over het papier te zwemmen, en het papier zelf golfde als de zee.

Anna Magdalena zag de wanhoop van haar man, en het deed haar veel verdriet, want ze kon hem dan wel voorlezen, maar in het orkest en bij repetities moest Sebastian zich op zijn gehoor verlaten, en kon hij de musici en zangers niet meer de plaats op de notenbalk noemen. Beter dan wie ook, wist ze dat hij feitelijk niets meer van wat op papier stond kon onderscheiden. In de voorbije jaren had hij de muziek die hij hoorde altijd ook tegelijk in notenbeeld voor zijn innerlijk oog gezien. Zo beschikte hij feitelijk altijd over ieder blad muziek. Ze kende niemand anders die, zoals gezegd, muziek ook rechtstreeks in spiegelbeeld in een koperplaat kon graveren. Maar wat hielp hem deze vaardigheid, nu hij niet meer goed kon zien.

Ze gingen naar de beste oogarts, maar het mocht niet baten. Anna Magdalena zag dat er een vlies op zijn oog verscheen. Ze moest steeds naast hem zitten om hem te vertellen wie zich in de kamer bevond, omdat hij ook mensen nog slechts vaag kon onderscheiden. Al tijdens zijn bezoek aan Potsdam, toen hij voor Frederik de Grote het *Musikalisches Opfer* uitvoerde en de Heiligegeestkerk daar vol mensen en muziek was, had hij geen noot meer op papier zien staan. Altijd was nu een van de kinderen of zijzelf in zijn buurt om te helpen.

De grote dag was aangebroken. Elisabeths trouwdag. Het huwelijk vond plaats in Leipzig. De hele familie was druk met het ontvangen en bedienen van de gasten. Telkens weer vertelde Anna Magdalena aan Sebastian hoe beeldschoon hun dochter er in haar bruidsjurk uitzag en hoe het bruidspaar straalde. Anna Magdalena zong nog eenmaal, en nu voor haar eigen kind, het bruidslied, zoals ze het ook voor haar liefste vriendin Sybilla had gedaan.

Ihr Diener, werte Jungfer Braut,	Uw dienaar, mooie lieve bruid!
viel Glücks zur heutgen Freude!	Wie u hier in uw bruidskleed ziet,
Wer sie in ihrem Kränzchen schaut	Wie hoort de klok die voor u luidt,
und schnödem Hochzeitzkleide,	Wie meezingt in uw bruiloftslied,
dem lacht das Herz vor lauter Lust	Wiens hart hier overloopt van vreugd,
bei ihrem Wohlergehen.	Die hoeft je maar te vragen:
Was Wunder, wenn mir Mund und Brust	Wat is het dat u zo verheugt?
vor Freude übergehen!	Hij weet het: dag der dagen.

Nog nooit had Anna Magdalena deze woorden met zoveel persoonlijke vreugde gezongen. Ze merkte hoe ontroerd ze was, nu het om haar eigen geliefde kind ging. De tranen sprongen haar in de ogen. Dat was niet eerder gebeurd. Bij het volgende couplet, over de bruidegom, kreeg ze zich weer onder controle.

Daarna zong ze nog het bruiloftslied dat ze zelf in haar muziekboekje had geschreven. Dat lied vertelde hoe de liefde zelfs het sterven mooi en het leven licht maakt. Voordat Anna Magdalena inzette, kuste ze Sebastians hand, die al ongeduldig achter de klavecimbel zat. Dit was tenslotte een familiefeest. En een bruiloft was pas goed, als ook de oudere echtparen hun liefde een nieuwe impuls gaven. Anna Magdalena, de moeder van de bruid en zangeres, had haar muziekblad net zo min nodig als haar man. Ze zong met half geloken ogen het korte refrein:

Bist du bei mir, geh ich in Freuden　　Als jij bij me bent dan ga ik
zum Sterben und zu meiner Ruh.　　vredig 't aardse leven uit.
Ach, wie vergnügt wär so mein Ende,　　'k kan geen mooier einde denken.
es drückten deine schönen Hände　　Liefste, jij zult mij dat schenken,
mir die getreuen Augen zu.　　als je mij de ogen sluit.

Elias was er ook. Zijn hart begaf het bijna toen Anna Magdalena daar zo rustig en helder zong. Toen hij indertijd uit Leipzig was vertrokken, had hij gevreesd dat zijn lieve moeke nooit meer zou zingen. Bij het laatste lied dat zijn peetoom en diens vrouw zo ontroerend brachten, kreeg ook hij tranen in de ogen. Het idee dat Anna Magdalena hem ooit bij zijn sterven zo zacht in de armen zou sluiten, was oneindig teder. Hij was niet de enige van de aanwezigen van wie de ogen vochtig waren.

Hoe anders voelde het wanneer je zelf trouwde dan wanneer je met die ervaring van jezelf het huwelijk van een ander bijwoont. Hier was dus de echtverbintenis van een dochter, die toch die hele last van het huwelijk van haar ouders had meebeleefd. Maar ze was zo onbevreesd en sterk dat het Anna Magdalena niet anders verging dan háár moeder indertijd. Ook zij had op de trouwdag van haar kinderen toegegeven aan haar ontroering. Nu pas begreep ze het. Moeders wisten wat de dochters onvermijdelijk te wachten stond. En dat was naast leven en geluk, ook verdriet en angst. Anna Magdalena wenste dat ze nog lang zou leven om haar kind te kunnen bijstaan in moeilijke tijden.

De eigenlijke muzikale verrassing hadden ze samen met Picander bedacht. Ze zongen Liesjes koffiecantate en gaven tussen de coupletten door een quodlibet ten gehore. Daarvoor moesten alle gasten van tevoren even hun tekst instuderen, zodat ze dan vrolijk samen konden zingen. Sebastian genoot ervan het hele uitgelaten gezelschap te dirigeren.

En toen mocht Gottfried zijn zusje het cadeau van al haar broers en zusters overhandigen: een heuse koffiemolen. 'Er komt nog wat,' riep hij opgewonden. En Anna Magdalena reikte hem een zakje koffiebonen aan.

'En nu heeft vader nog iets voor mannen, ik bedoel voor de man, voor de bruidegom.' Gottfried was zenuwachtig. Hij had nu een belangrijke taak. Zijn vader zou het tabakslied spelen en na een bepaald afgesproken couplet moest hij, Gottfried, de bruidegom een buidel met tabak geven die hij zijn vader moest ontfutselen. Sebastian ging achter de klavecimbel zitten en zette met zijn lage stem het lied in, waarin hij zichzelf met een pijp vergelijkt: de tabak in de pijp gaat in rook op, net zo vergaat het ons mensen.

Sebastian hield zich niet precies aan wat was afgesproken. Arme Gottfried werd daar natuurlijk bloednerveus van, maar zijn vader zorgde wel dat het ten slotte goed kwam, zodat de aanwezigen luid voor Gottfried applaudisseerden.

Elisabeth kon haar tranen nog maar net inhouden. Gottfried was zo blij voor haar geweest, dat ze telkens als ze naar haar geliefde verlangde, bij haar broer een luisterend oor had gevonden. Johann Christoph Altnikol was in de ogen van Gottfried een ridder van het soort dat al lang uitgestorven was. Hij had zijn zusje gelukkig gemaakt. En na de bruiloft zouden ze in een koets stappen en naar hun nieuwe woonplaats, naar Naumberg, vertrekken.

Gottfried had steeds weer geïnformeerd hoe de stad, en vooral hoe de kerk heette, waar Altnikol speelde. En telkens had Elisabeth geduldig geantwoord dat de stad Naumberg heette en dat Johann Christoph organist in de Wenzelkerk zou zijn. Gottfried kon nu eenmaal nooit goed bevatten wat hem werd verteld. Zodra hij Elisabeths stem hoorde, stelde hij zich voor dat beiden naar een wonderschoon slot zouden vertrekken en daar zouden wonen.

Elisabeths ogen waren vochtig, en daar zou het bij zijn gebleven, als niet meteen na deze ontroerende bijdrage aan het feest de familie Bose haar cadeau had aangeboden. De koopmansfamilie had niet alleen vier kippen in een grote kooi meegebracht, maar ook een beeldige gouden ketting die de hals van de bruid zou sieren. Sybilla deed hem Elisabeth om. En nu zag iedereen in haar decolleté een glanzend kruisje hangen. Dat was voor geluk.

'Een dag lang het paradijs voor ons Liesje,' zei Anna Magdalena tegen Sebastian. Hij geloofde dat maar al te graag. Ook al had Anna Magdalena zo ongelofelijk veel te doen gehad, en nog, en al had het feest meer gekost dan ze zich konden veroorloven. Maar voor hun dochter was deze hele dag puur geluk geweest. Er was niemand die het jonge paar de vreugde niet gunde. Toen de bruiloftsbus was rondgegaan waren er ook na deze bruiloft genoeg gulle gevers om de volgende dag een flink bedrag naar de stedelijke aalmoezenkas te kunnen brengen.

Zijn oogprobleem kostte Sebastian zoveel energie dat hij dikwijls eigenlijk alleen maar moe was. Hoe graag had hij achter het orgel gezeten en al zijn plannen nog verwezenlijkt. Maar hij zat met al die andere verplichtingen, zoals bijvoorbeeld het lesgeven op school, waar hij zich nauwelijks meer toe in staat voelde. Het hinderde hem ook dat hij zo vaak struikelde en ook dat hij de mensen niet meer herkende. Altijd maar weer uitte hij de wens dat zijn leven nu toch eens mocht eindigen. De cantaten die hij voor anderen over het thema 'dood' had gecomponeerd, werden nu zijn gebed:

Liebster Gott, wann werd' ich sterben?	Lieve God, mag ik nu sterven?
Meine Zeit läuft immer hin,	Ik vertoef hier al zo lang.
und das alten Adams Erben,	En als een van Adams erven
unter denen ich auch bin,	diende ik U met luit en zang.
haben dies zum Vaterteil,	Laat het nu voor mij voorbij zijn.
dass sie eine kleine Weil'	Laat het nu genoeg voor mij zijn.
arm und elend sein auf Erden,	Zoveel smart in het bestaan.
bis sie selber Erde werden...	Aarde, laat me nu maar gaan.

Het was echter niet Sebastian die als volgende van Anna Magdalena's dierbaren de dood zou vinden, maar haar liefste vriendin Sybilla Bose, die inmiddels een gewaardeerde en vrolijke koopmansvrouw was geworden. Ze stierf bij de bevalling van haar eerste kind. Dorothea en haar moeder waren ontroostbaar. Sinds Sybilla een eigen huishouden in Leipzig bestierde, hadden ze elkaar bijna dagelijks gezien. Sybilla's zwangerschap was voor de vrouwen een reden geweest nog intiemer met elkaar om te gaan. Dorothea had geholpen met de uitzet voor het eerste kindje, en ze had alles voor Sybilla gewassen en netjes gestreken en opgevouwen. De jongste van Anna Magdalena, de kleine Susanna, was er ook trots op, want ze had heel wat van de jakjes gedragen en de luiers had ze ook niet meer nodig. Niet alleen hadden ze met elkaar alles in orde gemaakt voor de geboorte, ze hadden ook afgesproken dat Dorothea vaak op het kindje zou passen, zodat Sybilla haar man de helpende hand kon bieden.

En nu, nu de nieuwe wereldburger, die met zoveel liefde was verwacht, er was, kon ook de beste arts van Leipzig Sybilla niet in leven houden. Sybilla's man en familie hadden hun hele bezit willen geven om het leven van de jonge moeder te redden, maar al na één week had de koorts Sybilla volkomen uitgeput. Hoewel ze zelf nog niet echt fit was, wenste Anna Magdalena dat ze nog melk had, dan zou ze het kleine wezentje onmiddellijk hebben gezoogd. Maar haar tijd was voorbij. Susanna was al lang van de borst af. Er moest een baker worden gevonden, en misschien moest je maar hopen dat Sybilla's man spoedig een nieuwe vrouw zou vinden.

Anna Magdalena en Dorothea misten Sybilla vreselijk. Zij was het geweest die hun de toegang tot een andere wereld had getoond. De Bachkinderen waren in de kerk en in de muziek thuis, maar de Boses waren dat in de wereld van de handel, van het zakenleven. De vriendschap tussen de vrouwen bracht mee dat ze van elkaar konden leren en elkaar konden helpen.

'Sybilla had vaak zo'n andere kijk op de dingen dan wij,' zei Dorothea.

'Ja, het was alsof we in twee verschillende werelden leefden,' vond ook Anna Magdalena. 'Maar daarom hielden we juist zoveel van elkaar en waren we zulke goede vrienden.'

'Zonder Sybilla zou ik nooit naar het theater zijn gegaan, en zou ik geen vriendin hebben gevonden van mijn eigen leeftijd,' zei Dorothea.

'En ik heb van Sybilla geleerd hoe je verstandig inkopen kunt doen en kunt onderhandelen. Want echt, Dorothea, van dat soort dingen had ik totaal geen verstand. Als kind was mijn moeder degene die al het nodige aanschafte, en later was daar Friedelena die ervoor zorgde. Pas toen zij er niet meer was, moest ik het zelf leren.'

'Ik weet het wel,' herinnerde Dorothea zich. 'Je ging altijd bij de Boses vragen waar je dit of dat moest kopen. Kruidenierswaren, hout, al dat soort dingen.'

Anna Magdalena lachte. 'Wat fijn dat de Boses altijd zo behulpzaam zijn. Maar gelukkig kunnen we het nu zelf allemaal ook.'

Die avond ging Anna Magdalena met een lege schaal naar de kelder om ingemaakte kool te halen. Omdat ze in gedachten was, vergat ze de lamp. 'Zo moet het zijn,' dacht ze en tastte in het donker tot ze het vat had gevonden. Het lukte haar de houten plank die erop lag eraf te halen, en de doek te verwijderen. Ze vulde de schaal, alles nog steeds in het pikkedonker, en dekte de kool weer toe. Precies zo is het als je een vriendin verliest, dacht ze. Ik zal me nu verder in het donker moeten zien te redden. Tot nu toe had ik haar schijnsel die mijn ogen hielpen en mijn handen en voeten vastigheid gaven. Sybilla was voor Anna Magdalena haar steun en toeverlaat geweest, als ze gedesoriënteerd was, als ze de weg kwijt was. Maar als zij haar vriendin al zo miste, hoe moest het Sybilla's ouders en zusters en broers dan wel vergaan?

Een troost was het bericht dat Elisabeth een kind verwachtte. Negen maanden na de bruiloft was het zover en ze noemden het kindje zoals Emanuel zijn zoon een jaar tevoren had genoemd: Johann Sebastian.

Voor de doop mocht Gottfried zowaar meegaan naar Naumberg. De hele reis in de koets lette hij zo goed op als anderen in de kerk. Dat het huis van zijn zusje eerder klein was en er zeker niet uitzag als een slot, stelde hem niet teleur. Hij had namelijk nog nooit zo'n prachtig kindje gezien. Elisabeth was het helemaal met hem eens. En Anna Magdalena was gelukkig. Dat had hij al gemerkt tijdens de reis, omdat ze nauwelijks stil kon zitten en omdat zijn ouders voortdurend elkaars hand vasthielden en elkaar toelachten. Moeder kuste Elisabeth even voorzichtig als het kleintje. En vader omarmde Johann Christoph zowaar. Dat gebeurde haast nooit.

Daarna gingen ze gezamenlijk naar de Wenzelkerk. De grootvader hield de jongen zelf boven de doopvont. Johann Christoph Altnikol was er trots op een zoon te hebben die dezelfde naam had als zijn bewonderde leermeester, zijn schoonvader. Ze vierden de blijde gebeurtenis tot diep in de nacht en begoten het feestmaal terdege met wijn, koffie en zoete chocolade.

Sebastians oogziekte verergerde. Anna Magdalena maakte zich grote zorgen om haar man. Bovendien was ze bezorgd over hoe het verder met hen moest als hij zijn werk niet meer zou kunnen doen. Het was voor de invloedrijke minister, rijksgraaf van Brühl uit Dresden, reden om het stadsbestuur van Leipzig eens hartig toe te spreken over de ongelukkige situatie waarin Bach zich bevond. Hij stelde voor dat de kapelmeester Harrer uit Dresden een oefencantate zou laten horen, zodat hij eventueel Bach zou kunnen vervangen als deze zijn werk niet meer zou kunnen doen of als hij kwam te overlijden. Over dat laatste moest Bach natuurlijk niets ter ore komen.

In de herberg De drie zwanen, waar normaliter alleen wereldse muziek werd gespeeld, bracht Harrer in juni 1749 voor het stadsbestuur van Leipzig zijn cantate ten gehore. Zonder daar eerst met Bach over te hebben gesproken, trok hij al gauw daarna uit voorzorg maar vast in de Thomasschool in.

Anna Magdalena was aan de ene kant opgelucht, omdat haar man nu tenminste niet meer het onderwijs voor zijn rekening hoefde te nemen. Maar tegelijkertijd vreesde ze dat Sebastian zou worden gekort op zijn salaris. Ze vroeg niets, noch aan haar man, noch aan het stadsbestuur. Sebastian daarentegen was ziedend. Wacht maar! Hij zou ze weleens wat laten zien! Hij had tot nu toe alles zelf weten te regelen en dat zou hij blijven doen. En dus deed hij al het werk zowel voor de school als voor de kerk met des te meer eerzucht. Maar intussen waren zijn gedachten elders. Met hartzeer dacht hij aan de fuga's.

Anna Magdalena had steeds zijn woorden in haar hoofd: 'Ik ben nog niet klaar.' Hij was nog bezig met het werk voor Frederik de Grote. *Die Kunst der Fuge* was nog niet af. Ze deelde zijn zorg dat hij niet aan de aangenomen opdracht zou kunnen voldoen.

Hij had al wel de volgorde van de verschillende delen in zijn hoofd en ook hoe ze moesten klinken. Ze zag zijn onrust aan de blik waarmee hij bijna blind naar het orgel ging. Hij sliep nu ook slecht, omdat hij voortdurend de muziek hoorde die hij nog moest schrijven. Anna Magdalena was zelf ook heel moe, ook al doordat Sebastian de dagen en nachten niet goed meer uit elkaar hield. Hij liep rond in de muziekkamer om te componeren. En daar moest dan iemand zijn om de noten op te schrijven. Zelf kon ze het niet doen. Misschien kon ze hun schoonzoon vragen of hij een poosje kon komen – of zou ze het Elias vragen? Zolang ze zoiets niet had geregeld, probeerde ze op allerlei slinkse manieren Sebastian weer in bed te lokken. Tenslotte had niet alleen hij, maar vooral zijzelf absoluut voldoende slaap nodig.

Als Bach naar zijn werk moest, ging Anna Magdalena naar hem op zoek. Ze hoefde natuurlijk eigenlijk alleen maar te roepen, maar ze ging toch liever naar de muziekkamer, keek naar hem, raakte hem zacht aan, opdat hij uit zichzelf om haar hulp zou vragen. Zoals hém het licht in de ogen ontbrak, zo beschikte zíj niet over de woorden om haar man te troosten. Maar deze problemen verbonden hen meer dan welke goed gemeende zinnen ook.

Wel vonden Anna Magdalena en ook Elisabeth mooie woorden als ze elkaar schreven. En dat deden ze vaak. Gottfried wachtte dagelijks de postkoets op en vroeg dan of er brieven waren. Misschien had Elisabeth geschreven, of één van zijn broers. En ook van Elias kwamen er vaak lieve brieven. Hij had warempel blauwe gentianen gestuurd, die Gottfried nu trouw begoot, hoewel iedereen zei dat ze als gras waren, je moest ze juist geen water geven, en je moest de aarde eromheen ook zeker niet schoffelen of bemesten. Dat laatste had hij dan ook nog nooit gedaan, maar er waren dagen dat ze er zo treurig en verdroogd uitzagen, dat hij er toch maar een beetje water bij goot.

'Morgen misschien,' troostte de koetsier de jongen, als hij niets voor hem bij zich had.

In de herfst was Elisabeth zelf naar Leipzig gekomen. De spulletjes die ze voor de reis nodig had zaten in een doek geknoopt. Ze stapte uit de koets en omhelsde haar dierbaren. Maar waar was haar zoon?

Ze was gekomen om bij haar moeder te kunnen uithuilen, want haar kind was dood. Hij had zo kort geleefd, maar was in die tijd het grootste geluk van zijn ouders geweest. Het verdriet van haar dochter deed Anna Magdalena meer pijn dan al haar andere problemen. Ze legde koude doeken op de gezwollen borsten en probeerde haar af te leiden. Zo dapper en ondernemend als haar dochter van nature altijd was geweest, zo ontroostbaar en lusteloos was ze nu, nu ze om haar zoontje rouwde.

Anna Magdalena's tweede zoon, Christoph, was nu zeventien. Hij had niet lang geleden een aanstelling gekregen als hofmusicus in Bückeburg. De dagen vóór zijn vertrek vielen Anna Magdalena zwaar. Niet dat ze zorgen had om deze jongen met zijn sterke karakter, maar o wat zou ze hem missen. En zij niet alleen. Allemaal zouden ze hem missen, en Sebastian al helemaal.

Wat kon ze hem meegeven? Wat kon ze nog voor haar jongen doen? Anna Magdalena zocht haar handbijbeltje en schreef op het schutblad: *'Als blijvend aandenken en ter christelijke stichting schenkt aan haar lieve zoon, dit verrukkelijke boek, Anna Magdalena Bachin, geboren Wülckin, je trouwe en goedmenende mama, Leipzig, d 25 December 1749'*

Eind december vertrok Christoph naar Bückeburg. Weer dacht ze aan de tijd dat ze zelf zeventien was en van haar gezin afscheid had genomen. Anna Magdalena was oprecht blij voor haar zoon. Maar ze hadden zelf Christoph zo dringend nodig. Hij had zijn vader zoveel vreugde bezorgd, en ook zijn moeder kon altijd op hem rekenen. Het verbaasde en verheugde Anna Magdalena hoe haar man, die toch zijn zoons zo nodig had, ze aanmoedigde om naar elders te trekken en dat hij zo blij voor ze was als ze een goede baan vonden.

Sebastian hield zich staande. Maand na maand. Harrer had een jaar tevergeefs in Leipzig erop gewacht dat hij hem zou kunnen opvolgen. Dus werd de man naar Dresden teruggeroepen. Wie had kunnen voorspellen dat hij nog maar een paar weken langer in Leipzig had hoeven blijven.

Elisabeth kwam met haar man naar Leipzig. Altnikol kwam zijn schoonvader helpen met het schrijven van de muziek. Hij noteerde de laatste grote fuga, die zijn hoogtepunt moest krijgen in een deel met vier thema's en waarvan alle stemmen spiegelbeeldig omkeerbaar zouden zijn. Sebastian ondertekende het stuk nog, zodat hij als componist ervan de geschiedenis in zou gaan.

Anna Magdalena's leven was nu totaal verstrengeld met het werk van Sebastian. Ze begeleidde haar blinde man, en sprak samen met hem de laatste teksten uit.

Wenn wir in höchsten Nöten sein   Vaak weten we het echt niet meer.
und wissen nicht, wo aus und ein,   Dat overkomt ons keer op keer.
und wissen weder Hilf noch Rat,   Wat is verkeerd en wat is goed?
obgleich wir sorgen früh und spät,   Wie zegt ons hoe het verder moet?
so ist dies unser Trost allein,   Maar zijn we dan de weg echt kwijt,
dass wir zusammen insgemein   dan blijft ons toch één mogelijkheid:
dich rufen an, o treuer Gott,   we bidden tot de goede God
um Rettung aus der Angst und Not.   om redding uit ons treurig lot.

Het waren niet alleen de dagelijkse zorgen die Sebastian onrustig maakten. Hij bereidde zich erop voor te sterven: 'Ik treed voor uw troon...' Zo begon zijn tekst daarvoor.

Anna Magdalena had voor zichzelf geen wensen meer dan de dagelijkse beslommeringen aan te kunnen. Ze had niet veel energie meer, al kon ze haar verplichtingen nog wel nakomen, en dat stemde haar tevreden. Zij maakte zich niet klaar voor de dood, nee zij moest zich erop voorbereiden haar man los te laten, zodat hij in vrede kon sterven.

Er was in die tijd een Engelse oogspecialist, die van zich deed spreken. Hij verrichte operaties waarbij hij het waas voor het oog wegnam. Hij heette John Taylor. Zo'n operatie was heel duur en vaak bleef herstel van het oog uit. Ook stierven patiënten tijdens de operatie. Maar het was voor Sebastian de enige kans om nog te kunnen werken.

In maart 1750 verscheen Taylor. Hij bracht aanbevelingsbrieven mee van verscheidene hoven en vertelde de bezorgde familie dat hij ook Händel al met goed gevolg had behandeld. De arts betrok een kamer in de Thomasschool.

Eerst schraapte hij een dun laagje van de oogbal af, zodat zich daar nieuwe huid op zou vormen. Daarna legde hij dikke verbanden aan, gedrenkt in speciale tincturen. Wat de oogarts ook probeerde, Sebastian zag niet beter. Eerst dacht Anna Magdalena nog dat het aan de zalf, het verband en al het bloed lag, dat Sebastian niet kon zien. Maar toen dat allemaal weg was, zag hij nog minder dan tevoren. Door die hele behandeling was hij ook zo zwak geworden dat hij nu voortdurend ziek was. Hij had Anna Magdalena's hulp meer dan ooit nodig. En hij vergat daarbij vaak dat ze nog veel ander werk te doen had.

Op een dag in de zomer voltrok zich een wonder. Ineens herkende Sebastian iedereen aan tafel weer. Dus toch eindelijk een verbetering? Maar nee, een paar uur later klaagde hij over hevige hoofdpijn, en kort daarna raakte hij bewusteloos.

Anna Magdalena schudde haar man heen en weer, om hem bij bewustzijn te krijgen. Ze liet de twee beste artsen van Leipzig komen om Sebastian bij te staan. Toen hij bijkwam, was hij helemaal blind en kon hij de rechterhelft van zijn lichaam niet meer gebruiken. Anna Magdalena masseerde zijn handen, zijn armen, zijn voeten. Hoe moest hij nu orgel spelen? Zijn ogen kon hij desnoods missen, maar hij moest toch minstens de muziek kunnen voorspelen die ze moesten opschrijven. De laatste grote fuga was nog lang niet klaar!

Johann Christoph Altnikol had naast zijn schoonvader op de orgelbank gezeten steeds alles genoteerd wat Sebastian speelde. Anna Magdalena vroeg hem nu om Sebastian vooral niet te vragen op te staan. Ze wist dat het hem kwaad zou maken als tot hem doordrong dat hij niet meer kon lopen. De daaropvolgende dagen hield ze haar man voortdurend in het oog, hoewel er altijd iemand was die haar even kon aflossen.

Sebastian vroeg om zijn biechtvader, Christoph Wolle. Hij kwam en bediende de zieke. Hij verzorgde voor Sebastian het laatste sacrament. Wolle kende Bach. Hij was op de hoogte van zijn situatie, en hij wist hoe belangrijk zijn geloof voor hem was. Samen met hem bad hij de 25ste psalm. 'Naar u, o heer, gaat mijn verlangen uit. Ik ben bang. Red me toch uit mijn benauwenis.' En toen ontvingen ook de andere leden van de familie de ouwel en wijn. Anna Magdalena, Dorothea, Gottfried, Christian, Elisabeth en haar man. Ook de twee jongste dochters, Carolina en Susanna, waren erbij. Ze klemden zich aan hun moeder vast, want ze waren bang.

Op 28 juli 1750 ontvielen Sebastian zijn laatste krachten. Allen zagen de vrede op zijn gelaat. Ze gunden hem de rust.

Anna Magdalena onderging de dood van haar man, zoals eertijds die van haar driejarige dochtertje Henriëtta. Ze kon maar niet accepteren dat Sebastian voor altijd was verdwenen. Nee, dacht ze steeds. Nee, hij is niet dood. Ze sprak die gedachte niet uit. Ze hielp haar kinderen afscheid van hun vader te nemen en te treuren.

Friedemann en Emanuel waren ook naar Leipzig gekomen. Friedemann ging zo gebukt onder zijn verdriet, letterlijk, het leek wel of hij zijn vader op zijn rug droeg. Alleen Dorothea slaagde erin hem wat te laten eten en drinken. Emanuel was de enige die zag dat ook hun moeder hulp nodig had. Hij vroeg wat hij voor haar kon doen, en nam zich voor goed op haar te letten, zodat ze er niet ook onderdoor ging.

Er was zoveel te doen en te regelen. Anna Magdalena moest ervoor zorgen dat alle administratieve werkzaamheden door vervangers werden overgenomen tot er een opvolger voor Sebastian zou zijn gevonden. Dat was helemaal nieuw voor haar, want Sebastian was degene die altijd had besloten wat er moest worden gedaan. Zijn levende en levendige hart was het geweest dat met zijn maat en ritme ook het dagelijkse ritme van de andere leden van het gezin had bepaald.

Op 31 juli droegen de lijkbezorgers het lichaam van Sebastian in alle vroegte naar het Johanneskerkhof. De leerlingen van de Thomasschool liepen achter de familie aan. Het was slechts een *'Viertelleiche'*. Dat hield in dat de stad voor zijn voormalige cantor een heel goedkope begrafenis had geregeld. Slechts een kwart van de leerlingen zou zingen, en niemand zou een extra uitkering krijgen. Na de dienst sprak de geestelijke slechts de gebruikelijke woorden: dat de hoogedele en hooggeachte heer Johann Sebastian Bach in God zacht en zalig was ontslapen. Geen woord meer dan het hoognodige. Sebastian was voor de stad niet meer dan een willekeurige ambtenaar geweest. Een ambtenaar, zoals ze komen en gaan. Anna Magdalena was Sebastians plaatsvervanger dankbaar dat hij toch alle Thomasleerlingen bij de begrafenis had laten zingen. De jongens deden goed hun best, en gaven blijk van hun medeleven.

Anna Magdalena keerde met haar gezin terug naar de Thomasschool. Hun huis was leeg, zonder Sebastian.

Alles is vergankelijk, al wensen we weleens dat het anders was

Leipzig, 1750-1760

Anna Magdalena had na Sebastians dood schone lakens genomen. Alsof hij na een reis terug zou komen, had ze het bed fris opgemaakt. Maar al meteen de eerste nacht, lagen er nieuwe slapers in. De twaalfjarige Carolina kwam met haar jongere zusje aan de hand: 'Mama, mogen we vannacht bij jou slapen?'

Anna Magdalena vond het best. Anders mochten de jongsten ook altijd bij haar slapen, als Sebastian niet thuis was. Toen Dorothea nog bij haar stiefmoeder ging kijken, zei Anna Magdalena: 'Voor jou, mijn lieve Dorothea, is er ook nog plaats. Ik weet heel goed hoe klein en onbeschermd je je voelt wanneer je vader is gestorven. Ik vind dat we elkaar nu extra moeten steunen. En degene die al het langst volwassen was, de tweeënveertigjarige stiefdochter, die altijd nog de jongejuffrouw werd genoemd, ging nu samen met de jongsten en Anna Magdalena in het ouderlijk bed liggen.

De nacht was stil en lang. De twee vrouwen lagen wakker, maar toch wachtten ze tot de volgende dag om alles te bespreken.

Pas toen het alweer bijna licht was, viel Anna Magdalena in slaap. Ze droomde dat ze heel alleen ergens ronddwaalde. Er groeiden geen bomen en geen gras. Er was ook niet een weg waar ze over liep, nee ze waadde door een beekje. Toen ze al heel lang zo had gelopen en de zon al hoog aan de hemel stond, wilde ze van het water drinken waar ze doorheen liep. Ze bukte zich en nam een handvol. Het water was warm en smaakte zout. 'Wat is dat?' vroeg ze, maar meteen wist ze het, het waren tranen. De zoute beek was een beek van tranen. Ze liep verder en huilde, zodat ook háár tranen in de beek vielen. Toen ze een heel eind had gelopen, zag ze in het volgende dal een helder bergmeer. Ze liep erheen, trok haar kleren uit en stapte in het ijskoude water.

Toen ze wakker werd, rilde ze nog. Maar haar hoofd was helder en ze wist dat God haar zou bijstaan. Heel zacht stond ze op om de andere slapenden niet te wekken. Toen ze in de keuken de haard aanmaakte, moest ze zich telkens het zweet van het voorhoofd vegen, terwijl er toch nog geen vuur was. De zomerhitte had zich in die dagen in Leipzig tot in alle kieren en naden genesteld. Ze hadden de vorige avond zelfs alle kasten en kisten opengezet, zodat de daarin opgehoopte warmte kon worden vervangen door de koelere nachtlucht. Terwijl ze zorgvuldig het hout in de vuurplaats legde, dacht ze eraan dat Sebastian nooit graag in de keuken was gekomen. Was hij bang geweest dat er vonken op zijn kleren zouden vallen, of dat ze naar rook of etenswaren zouden ruiken? Hier, in de keuken, was Friedelena gestorven. Sebastian had haar van de grond getild en haar als een kind op zijn bed gelegd. Anna Magdalena dacht ook aan al die keren dat ze in deze keuken misselijk was geweest en hoe ze steeds had begrepen wat dat betekende.

'Wat zit ik hier nu te suffen.' Ze riep zichzelf tot de orde. 'Er is zoveel te doen, en ik sta hier maar te mijmeren over dingen die allang voorbij zijn.' Tegelijk bedacht ze dat ze al heel binnenkort niet meer in deze keuken een maaltijd zou bereiden. Hoogstens een half jaar konden ze hier nog blijven. En nog maar een halfjaar zou ze inkomsten, genadebrood, ontvangen. Als weduwe had je recht op nog twee maal het salaris van je man. Maar zij zou het slechts één maal ontvangen, want bij aankomst in Leipzig hadden ze een voorschot gevraagd. Dat was het inkomen van een kwartaal geweest, en er was nooit genoeg geld overgebleven om de schuld te vereffenen. Hoe lang ze hier met Dorothea, Gottfried en de meisjes kon blijven wonen? Een andere regel was dat weduwen een halfjaar woonrecht kregen. Maar wat als er al eerder een opvolger kwam en de woning nodig had?

Het vuur brandde. In de eetkamer had iemand al tafel gedekt. Anna Magdalena telde het bestek en de borden. De meisjes konden het niet hebben gedaan. Ze waren immers zo'n beetje tegelijk in bed gestapt. Het moest toch iemand van de familie zijn geweest. Er was voor achttien mensen gedekt. Dus waren alle gasten meegeteld. Ze bezaten allemaal verschillende borden. Daaraan kon ze zien dat ze zo neergezet waren dat haar gezin op de vaste plaatsen zou komen te zitten. De lievelingsborden van de kinderen waren als plaatskaartjes. Toen glimlachte Anna Magdalena. Zoiets kon immers slechts één iemand gedaan hebben: Elias! En die sliep nog, zoals bijna alle anderen, in het koele souterrain, liever dan op de hete zolder.

Die morgen keek niemand op de klok. De een na de ander kwam tevoorschijn. Ze omhelsden elkaar. Ze fluisterden soms plotseling en wisten dan zelf niet waarom. Wat was het fijn iedereen te zien. Ze waren gelukkig dat ze elkaar nog hadden.

Gottfried stelde zijn vragen recht voor z'n raap, en kreeg het daardoor voor elkaar dat ze grapjes konden maken maar ook samen konden huilen. 'Is vader nu bij Friedelena?' vroeg hij. En even later, toen hij had nagedacht, zei hij verbaasd: 'Maar dan is hij nu in de hemel weer met de moeder van Dorothea en Friedemann getrouwd.'

'Daar trouw je niet,' zei Friedemann. 'Ik denk dat vader alweer achter een orgel zit. Helemaal van goud, Gottfried. Zoiets moois kunnen zelfs de Boses niet in hun werkplaats smeden.'

'Maar wordt vader daar dan aan zijn ogen geopereerd? Of ziet hij nu al meteen weer goed?'

'Daar hoeft niets te worden geopereerd,' mengde Emanuel zich in de discussie. 'Wie in de hemel zijn ogen opendoet, ziet zo goed als een buizerd, nee, beter nog, als een lynx. Die ziet zelfs in het donker, wie er allemaal rondwandelt.'

'Ook notenschrift?'

En Friedemann zei: 'Vanzelf. Als hij kan lezen, dan kan hij ook muziek lezen.'

Wat deed het goed om samen met de zwakbegaafde broer

te worden getroost en tegelijk toch ook te kunnen huilen. Op een gegeven moment concludeerde Gottfried dat zijn vader het beter had getroffen dan zij allen die hier in Leipzig waren achtergebleven.

'Ik zou het bepaald niet onaangenaam vinden als de complete familie Bach bij mij in Schweinfurt kwam,' zei Elias. Voordat Gottfried aan de tuin en de bloemen daar zou denken, kwam Anna Magdalena tussenbeide: 'Vanavond zijn we hier nog allemaal fijn bij elkaar en pas dan zullen we met elkaar bespreken hoe het verder moet.' Ze had heel goed gezien hoe moe de jongens waren. Ze moesten eerst tot rust komen. Haar zoons hadden geen vader meer, die het pad voor hen effende. Ze had een afspraak gemaakt met meneer Graff, want nu ze weduwe was, moest ze bij hem te rade gaan. Ze moest van hem horen wat de mogelijkheden voor haar waren, want zonder Sebastian had ze ineens bijna helemaal geen rechten meer.

In één avond kon niet worden geregeld wat maanden zou gaan kosten. Anna Magdalena had de hoop gekoesterd dat Emanuel de aanstelling van zijn overleden vader zou krijgen. Iedereen was blij dat hij het talent had en ook bereid was te solliciteren naar de betrekking. Zijn moeder en zusters en Gottfried konden dan in Leipzig blijven wonen. Al een week later kreeg hij een oproep om voor te spelen.

Het was nooit bij Anna Magdalena opgekomen dat de begaafde en zelfstandige jongeman kon worden afgewezen. Maar dat was wel het besluit van de commissie. Misschien was het vanwege de herinnering aan de vader met zijn opvliegende karakter. In het verslag stond althans: 'De heer Bach is weliswaar een groot musicus geweest, maar niet een groot leermeester.'

Het bericht dat Emanuel niet zou worden benoemd kwam als een mokerslag. Anna Magdalena was dagenlang van de kaart. Als hun eigen zoon niet in Leipzig zou komen werken, zou ze dan haar gezin bij elkaar kunnen houden? Wie zou dan haar met de twee kleine meisjes en Dorothea en Gottfried onderhouden?

Dorothea begreep precies wat dat betekende. 'We blijven bij elkaar,' zei ze telkens weer tegen Anna Magdalena. Maar de moeder antwoordde steeds: We zullen de weg volgen die God ons wijst, want hij heeft beloofd weduwen en wezen te beschermen. Welke weg dat is, moeten we aan hem overlaten.' Ze klampte zich vast aan de woorden waar een christen zich op verlaat, omdat haar niets anders overbleef.

Zoals ze wel dachten werd kapelmeester Harrer, de man die al tijdens Bachs leven vergeefs had gehoopt hem te kunnen opvolgen, de nieuwe Thomascantor. De jonge Ernesti zou de periode tot Harrers benoeming overbruggen. Van Anna Magdalena werd verlangd dat ze alvast enkele kamers aan de familie ter beschikking stelde.

Wat een geluk dat Christoph voor langere tijd van zijn werk in Bückenburg vrij kon krijgen, zodat hij zijn moeder kon komen helpen. Hij regelde de nalatenschap. Hij maakte een overzichtelijke lijst van wat er na de dood van zijn vader aan instrumenten, muziekstukken en huisraad was. Anna Magdalena schreef de stad een brief waarin ze vroeg om het gebruikelijke halfjaar inkomen. Dat werd haar toegezegd, zoals het eerder ook aan de vorige cantorweduwen was uitgekeerd. Overigens stond inderdaad nog vast dat het al verleende voorschot daarvan moest worden afgetrokken. In plaats van muziek en liedteksten schreef Anna Magdalena nu in haar mooie handschrift smeekbeden om weduwenondersteuning.

Christoph ordende het muzikale oeuvre van zijn vader. Zo vond hij ook werk dat hij niet kende. Samen met zijn moeder nam hij de muziek door. Sommige composities konden worden gedrukt. Dat leverde ook weer iets op voor de huishoudportemonnee.

Anna Magdalena vroeg haar zoon alles overzichtelijk in de muziekkamer uit te spreiden. 'Zo houden we overzicht van wat er nog is. En leg terzijde wat voor je broers nog van nut kan zijn.'

'Waar zijn de gezangen die vader schreef?' wilde hij weten.

'Die heb ik aan de jonge Ernesti gegeven, zodat hij de tijd hier wat gemakkelijker kan overbruggen. Sinds ik ze aan Ernesti heb gegeven, is het bestuur heel wat inschikkelijker tegenover mij.'

'Goed van je,' zei Christoph. Hij was blij dat zoveel opgeschreven muziek nog steeds te horen zou zijn.

Nu en dan ging Anna Magdalena wel aan de klavecimbel zitten om zich enkele maten beter te herinneren. En dan greep het haar als een koorts. Ze voelde geen honger, geen dorst. Alles wat ze weggaf wilde ze nog één keer horen. Ze zong iedere aria die door haar handen ging. Ze zocht in al het werk, zoals ook de klanten in de zaak van Bose zich de waardevolste stukken lieten tonen, om het beste, het mooiste te vinden. Anna Magdalena wilde zelf beoordelen welke muziek niet mocht worden weggegeven, voordat ze hem zelf had gekopieerd om tenminste iets ervan voor zichzelf te houden. Hier en daar vond ze muziek die haar onbekend voorkwam. Pas als ze hem speelde, herkende ze hem weer... Het waren verrassende ontmoetingen met oude vrienden die ze na zoveel jaren weer tegenkwam en dan kwamen de fijne uren die ze samen hadden doorgebracht weer boven.

Toen de kinderen kwamen zeggen dat het zo langzamerhand tijd was voor de avondmaaltijd, zei ze: 'Weet je nog, Dorothea, toen Sebastian in de kerk zijn muziekblad niet meer vond?'

'Bedoel je dat van "Jezus, waar zijt gij?" Toen we zo moesten lachen bij de maaltijd?' Maar Anna Magdalena antwoordde niet. Voordat iemand iets kon zeggen, begon ze het te zingen, zodat ze het zich allemaal zouden herinneren.

Anna Magdalena at pas, toen Carolina de muziekkamer in kwam met een kant en klare boterham. Ze had hem zelfs in kleine blokjes gesneden en hield hem haar moeder onder de neus. 'Lieve mama, de boter is heerlijk vers en het brood ook. Ruik maar.' En toen stopte Carolina het eerste stukje in Anna Magdalena's mond.

'En?' vroeg ze.

'Lekker, heel lekker,' zei moeder. En meteen volgde een tweede hapje. Carolina probeerde haar moeder in haar goede bui te houden, zoals je doet als je kleine kinderen voert en dan tevreden zucht, als ze hun bord leeg hebben. Ze zong zelfs samen met Anna Magdalena, zodat ze kon zeggen: 'Eerst moeten we nu een slokje drinken, anders klinkt het niet zo mooi.' En ze zag erop toe dat haar moeder de hele beker kruidenthee leegdronk.

Van lieverlee ging iedereen naar bed. Toen ook Carolina bijna omviel van de slaap zei ze: 'Lieve mama, ik ga vast, maar ik wacht op je.'

'Ja, doe maar. Ik kom zo,' zei Anna Magdalena. 'Je bent zo lief voor me, net als Elias altijd. En van die liefde is één graantje voldoende voor een hele dag en één uur voor een half leven.'

'Weet je mama dat hij wat graag met je zou trouwen?' zei Carolina.

'Hé? Hoe kom je erbij?'

'Ik slaap toch ook in het souterrain met de anderen,' zei het meisje. 'Ik heb het zelf gehoord. Hij wil alleen het goede moment afwachten.'

Toen Carolina even later zei: 'Grapje. Mag toch wel?' was Anna Magdalena's hart even van slag.

Maar moe was ze helemaal niet. Ze voelde zich zo rijk als toen ze in Köthen met zingen begon. Ze had toen haar eerste salaris gekregen en het was zoveel meer geweest dan ze had verwacht dat ze niet wist wat ze ermee zou doen. Nu voelde het net zo. Al die liederen die ze gezongen had, al die muziek die ze de laatste jaren had begeleid, het was als de oogst in de herfst, als ze aardappels, kool en zoete druiven uit haar tuin naar binnen droeg. Sebastians muziek, hun gezamenlijk musiceren, het gleed door haar handen en geest als schitterende edelstenen.

Anna Magdalena ging helemaal niet naar bed, maar al vroeg in de morgen naar haar trouwe vriend Graff, de zwager van haar gestorven vriendin Sybilla. Hij was de rechtspersoon voor Sebastians nalatenschap en stond haar bij alle vragen en problemen terzijde. Anna Magdalena had met hem afgesproken dat ze voor de kinderen een voogd zou aanwijzen, opdat ze de vrijheid zou hebben opnieuw te trouwen.

Maar al gauw kwam ze erachter dat van een nieuw huwelijk geen sprake kon zijn als ze de kinderen wilde behouden. Als ze opnieuw trouwde, zou ze onmiddellijk uit de ouderlijke macht worden ontzet. Anna Magdalena hoefde geen moment na te denken. Ze trok haar verzoek van een week eerder weer in en vroeg het voogdijschap aan voor Christoph (achttien), Johann (vijftien), Carolina (twaalf) en Susanna (negen). Ook vroeg ze of Johann Gottlieb Görner als tweede voogd mee wilde denken over de verdeling van de nalatenschap.

Soms zei Anna Magdalena stilletjes: 'Mijn God, hoe moet het verder gaan?' Eigenlijk zei ze het zo vaak dat het een gebed werd, en dat ze er op ging vertrouwen dat God uitkomst zou bieden. Toen voelde ze zich in staat te handelen en was ze ondanks de vele tegenslagen weer vol goede moed.

Ze had de toezegging gekregen dat ze van het weduwen- en wezenfonds dat Graff beheerde, jaarlijks vijf daalders zou ontvangen. Een dergelijk bedrag werd aan vijf speciaal aangewezen weduwen en twee studenten uitgekeerd. Maar hoe kon ze daarvan in het dure Leipzig rondkomen? En nog wel nu, nu alle burgers zich herinnerden welke schulden de familie Bach nog bij hen had? Zoveel kwamen er aan de deur en eisten hun geld op. En er was niemand die haar iets wilde lenen. De schulden van haar lieve zuster Johanna waren háár schulden geworden. Het bedrag was achtenvijftig daalders.

'We verzoeken mevrouw Bach vriendelijk de schulden onmiddellijk aan ons te voldoen,' schreven de schuldeisers, want ze hoopten dat er bij de verdeling van de nalatenschap nog genoeg zou zijn. Als ze niet snel waren, zou er niets meer te verdelen zijn.

Christoph had de laatste dagen heel wat bereikt. Hij ging met een aantal muziekstukken op pad en probeerde er kopers voor te vinden. Ook Friedemann had laten weten dat hij zou komen, want hij begreep dat ze in Leipzig zijn hulp goed konden gebruiken.

Voordat Friedemann verscheen, deed Anna Magdalena iets waar ze met niemand over sprak en wat heel lang haar geheim zou blijven. Ze waste haar haren, liet ze drogen en borstelde tot ze glansden. Toen wikkelde ze ze om haar hand en stak de knot op haar achterhoofd met spelden vast. Daar deed ze een muts overheen, zoals ze dat de laatste tijd wel vaker had gedaan. Vervolgens ging ze de stad in. Voor een hoedenwinkel, waar allerlei hoofddeksels in de etalage lagen, hoeden, mutsen, sjaals en pruiken, bleef ze staan. Ze bestudeerde de pruiken heel nauwkeurig. Wat waren die duur!

Er kwamen ook twee heren voor de etalage staan. Ook zij schenen in de pruiken te zijn geïnteresseerd. Ze spraken Engels en Anna Magdalena verstond ze dan ook niet goed. Ze gingen al snel de winkel in, maar nodigden Anna Magdalena beleefd uit als eerste naar binnen te gaan. De langste van de twee hield vriendelijk de deur voor haar open. Anna Magdalena schudde het hoofd en werd knalrood. Niet dáár wilde ze naar binnen gaan. Ze ging een steegje rechts van het pand in, dat naar de binnenplaats achter het huis leidde.

Toen ze de deur opendeed van een houten schuur, sloeg haar een bijtende stank tegemoet. Ze had te diep adem gehaald, want het brandde in haar keel, tot in haar longen, leek wel. Ze hoestte en keek om zich heen. Bergen haar lagen er. Geitenhaar, begreep ze direct. Twee mannen waren namelijk bezig de borstelige geiten tot gladde wezens om te toveren. Van dat soort haar waren ook de pruiken die Sebastian droeg gemaakt. Ze hadden hem zijn pruik mee in het graf gegeven. Zelfs in de kist, toen hij daar met gesloten ogen lag en je kon zien dat zijn ziel hem had verlaten, had hij er indrukwekkend uitgezien.

De tranen sprongen Anna Magdalena in de ogen, door de herinnering. Nu even niet, vermaande ze zichzelf. Hou je hoofd erbij. Sinds Sebastian er niet meer was sprak ze wel vaker tegen zichzelf. Dat werkte goed. Bijna net zo goed als haar gesprekken met Sybilla, die al lang in de hemel was, en haar toch zo goed raad leek te geven.

'Mevrouw, als ik het ondanks mijn ontstoken ogen goed zie, bent u mevrouw de weduwe Bach.'

Anna Magdalena kende de man wel die haar had aangesproken, al wist ze niet hoe hij heette. Hij was een trouwe kerkganger en zijn ogen hadden er altijd zo slecht uitgezien. Nu begreep ze pas hoe het kwam dat ze zo rood waren. Hij roerde in de tobbe en goot steeds een scheut van de stinkende vloeistof over de bij elkaar gebonden bosjes haar die op grote zeven lagen zodat ze konden uitdruipen.

'Wat brengt u hier, mevrouw Bach,' vroeg hij.

'Ik wil u mijn haar aanbieden. Ze zijn lang en er zit geen enkele grijze haar tussen.'

De aangesprokene was verbluft. Hij deed een stap achteruit. 'U... U wilt uw haar verkopen?' Als antwoord knoopte Anna Magdalena haar mutsje los en trok de spelden uit haar haar. Zoals de gezinsleden dat gewend waren sprongen de haren in grote golven tevoorschijn en vielen tot ver over haar heupen. Hoe geschonden en pijnlijk de ogen van de man ook waren, hij zag wel hoe prachtig ze waren. Bijna geschokt deed hij nog een paar stappen achteruit, en hij sloeg voortdurend zijn handen in elkaar.

Toen hij bekomen was, zei hij: 'Ik zal de meester moeten halen. Hiervoor moet ik de meester roepen,' en weg was hij.

Daar stond Anna Magdalena. Met losse haren was ze nooit buitenshuis geweest, en de laatste tijd had ze steeds vaker een muts gedragen. 'Hier ben ik dan. Samen met de geiten. Maar ík zal stilzitten en geen kik geven.'

De man kwam met de meester-pruikenmaker terug. Anna Magdalena zag wel hoe verbaasd ook deze man naar haar lange haar keek. Zijn eerste woorden waren: 'Deze kleur wordt zelden gevraagd. Ze zullen geverfd moeten worden.'

Aha, het gaat al om de prijs, begreep Anna Magdalena. Lieve God, help me dat dit goed gaat lopen.

Toen greep de pruikenmaker in haar haar, probeerde met zijn handen hoe sterk het was en hield de uiteinden tegen het licht.

Gelukkig maar dat ik er al lang geen krullen meer in heb gezet en dat het haar gezond is, dacht ze opgelucht.

'Wilt u een recht kapsel tot de kin?' vroeg de man.

'Wat is er nog meer mogelijk?' vroeg Anna Magdalena.

'Wel, we kunnen ook de haren in bosjes dicht bij de hoofdhuid af te knippen. Dan zou er geen haar meer onder de muts uit kunnen komen.'

'Ik hoef geen haar voor onder mijn muts,' zei Anna Magdalena dapper. 'Mijn haren groeien zo snel als het onkruid in mijn tuin.'

'Ik zou zo zeggen dat ook uw moed op onkruid lijkt. Het is beslist even onuitroeibaar.'

Anna Magdalena was blij met de woorden van de pruikenmaker. Eindelijk was ze niet meer zenuwachtig.

'Het kan ook nog helemaal anders,' zei de man. 'Dat is wel een hele ingreep, maar het zou u zes daalders meer opbrengen.'

'Zes daalders meer dan wat?'

'Dan moeten we het haar wegen. Ik schat...' Hij nam het op zijn hand en voelde het gewicht. 'Ik schat dat het zo'n tien daalders gaat worden. Hoe langer het haar is, hoe meer het waard is. En zulk mooi haar als u hebt, heb ik nog nooit gezien. En ik ben nog wel pruikenmaker.'

Anna Magdalena's hart maakte een sprongetje. Tien daalders, en daar nog eens zes bij? 'En die behandeling, hoe gaat dat precies?'

De pruikenmaker legde haar uit wat de gang van zaken zou zijn. De haren zouden met een speciale schaar, zoals voor schapen, dicht bij de hoofdhuid worden afgeschoren. Daarna zou een afdruk van haar schedel worden gemaakt, zodat de haren weer laagje na laagje precies zo op een linnen model van de schedel konden worden genaaid. 'Dan gaat er geen millimeter verloren,' zei hij bijna spijtig.

'Goed, waar wachten we op?' zei Anna Magdalena opgewekt.

'Zou mevrouw de weduwe Bach er niet nog even over nadenken?' wilde de pruikenmaker toch nog weten.

'Ze hoeft niet meer na te denken, want ze heeft het al dagen geleden besloten,' zei ze. Bovendien, zei ze in zichzelf, wil ze absoluut niet nu naar huis gaan en hier ooit nog moeten terugkomen. Ze was al een geit geworden en kon pas weer zichzelf worden als ze was kaal geschoren en hier vandaan kon, haar vrijheid tegemoet.

Drie man sterk hield zich nu met Anna Magdalena bezig. Er werden meerdere scheidingen in haar haar gemaakt en precies afgemeten plukken werden samengebonden. De plaatsen op haar hoofdhuid werden met inktlijnen gemarkeerd. En daarna werd pluk na pluk met een breed scheermes afgeschoren. Dat gebeurde zo dicht op de huid dat het eruit zag alsof de haren die ze kwijt was eruit waren getrokken. Toen ook de laatste pluk zorgvuldig en van een nummer voorzien op het papier lag, haalde iedereen opgelucht adem. Ook Anna Magdalena was merkwaardigerwijs opgelucht.

De meester-pruikenmaker stonden de zweetdruppels op het voorhoofd. 'Nu komt nog de behandeling,' waarschuwde hij. 'Daarvoor moet u heel stil zitten.' Die kunst verstond Anna Magdalena. Een vrouw die zich voorstelde als pruikennaaister, tekende de lijnen op Anna Magdalena's hoofd na. Op de plaatsen waar geen lijnen stonden masseerde ze zorgvuldig een vette zalf in de huid. Daarna trok ze nog eens met houtskool de lijnen over. En met een andere kleur markeerde ze de haarinplant. Toen ze smalle vochtige stroken linnen op Anna Magdalena's hoofd had gelegd, riep ze de hulp in van nog een andere vrouw.

'Nu wordt het heet, maar het duurt niet lang.' Met een dikke penseel streken ze een hete ranzige vloeistof op de stroken. Anna Magdalena zei tegen zichzelf: 'Niet heter dan de gloeiende staven bij mijn hospita in Köthen. Niet heter...' Dat herhaalde ze net zo lang tot de twee vrouwen tevreden waren.

Nu moest Anna Magdalena opnieuw heel stil zitten. Noch haar gezicht, noch de hoofdhuid mocht bewegen. Haar ogen branddén en haar hals jeukte vreselijk, omdat de haarstoppeltjes in haar huid staken.

'Heel stil,' zei ze tegen zichzelf. 'Niet knipperen, niet opkijken, niets denken, niets denken...'

'Ik geloof dat het zo wel genoeg is.' Het verlossende woord kwam van de meester-pruikenmaker. Hij had gecontroleerd of het doek en de vloeistof nu een goed geheel vormden. 'Het mag niet helemaal hard worden,' legde hij uit. 'Nu moet u langzaam uw voorhoofd fronsen, en uw hoofdhuid een beetje bewegen.' Haar voorhoofd kon Anna Magdalena wel bewegen. Maar haar hoofd was totaal gevoelloos. Daar was alleen nog het branden, zoals de hete zon op een steen brandt. De pruikenmaker hielp haar. Met gespreide vingers bewoog hij zachtjes haar hoofdhuid. Ja, en toen voelde ze het. De strakke muts liet los. Met een mesje sneed de vrouw de mal bij de hals en aan de zijkanten een eindje in, en tilde het kapje van Anna Magdalena's hoofd. Samen bekeken de pruikennaaisters of de lijnen op de afdruk nog goed te zien waren.

'Ik ga aan het werk,' zei de ene vrouw. De andere smeerde Anna Magdalena's hoofdhuid dik in met zalf en legde er met veel zorg schoon verband op. Toen hielp ze haar nog heel voorzichtig de muts erover heen te doen. Ze was bijzonder vriendelijk en daar was Anna Magdalena haar dankbaar voor.

Zestien daalders en zeven groschen bracht ze mee naar huis. Het verlies van haar haar was verdrietig en pijnlijk, maar er was haar een enorme last van de schouders gevallen. In de komende weken zouden ze weten rond te komen. Het hoognodige zouden ze kunnen aanschaffen.

De verandering aan Anna Magdalena viel niemand op. Zo vreemd was dat niet. Ze zei niet waarom ze zich anders gedroeg. Ze is in de rouw, dachten de mensen. Daarom draagt ze tegenwoordig altijd een muts. En de kinderen accepteerden eenvoudig dat hun moeder ook 's nachts een katoenen sjaal droeg.

Nog voordat de geschonden hoofdhuid van haar hoofd afgeschilferd was, verscheen Friedemann. De meisjes hingen als klitten aan hun stiefbroer. Het viel Anna Magdalena op dat de band tussen Friedemann en Dorothea nog even sterk was als toen ze klein waren.

Met de komst van Friedemann groeide de verwachting dat alles op de één of andere manier wel goed zou komen. Hij trad op in het koffiehuis en nam zijn broers en zusjes mee, zodat zij intussen lekker koffie en chocola konden drinken. Friedemann was ontspannener dan toen zijn vader nog leefde. Ook had hij na al die jaren kennelijk geen wantrouwen meer jegens zijn stiefmoeder.

Elke keer als Anna Magdalena de woorden 'hoofd' of 'haar' hoorde, werd ze pijnlijk aan haar weer aangroeiende stoppels herinnerd. Ze moest zichzelf afleiden om niet voortdurend als een zieke kat op haar hoofd te krabben. Ze had daar een foefje voor bedacht. Ze beeldde zich in dat ze een beeldschoon kapsel had dat met een massa spelden in model werd gehouden. En die haarspelden prikten nu alsmaar in haar hoofd.

Ze verbaasde zich er nog vaak over hoe eenvoudig het was geweest haar haar te laten afscheren zonder dat iemand iets in de gaten had. Niemand interesseerde zich ervoor. Als Sebastian nog had geleefd, had ze haar geheim nog geen dag kunnen bewaren. Altijd voordat hij zich omdraaide om in te slapen, had hij eerst zijn gezicht in haar haren gedrukt. Eigenlijk had ze hem haar haar mee in het graf moeten gegeven. Hetgeen een mens dierbaar is, zou eigenlijk die mens moeten toebehoren, vond ze. Maar dan... dan kon ook Elias aanspraak maken op haar haar. Ze verwierp de gedachte meteen weer, schudde haar hoofd, maar raakte hem toch niet kwijt. Hoe zou het gegaan zijn als ze nu toch weer had mogen trouwen? Ze wist wel zeker dat ze dan al haar haren nog had gehad.

'Er is een pakket uit Schweinfurt gekomen! Ik kan het meteen afhalen!' Gottfried danste van opwinding in het rond. 'Zeker van Elias. Misschien heeft hij weer cider en wijn gestuurd. En dan is misschien weer de helft bedorven, net als vorige keer.'

'Ik wou maar dat hij aardappels stuurde,' zei Dorothea. 'Wijn wordt toch altijd alleen maar door de mannen gedronken, en de azijn, waar de appelsap in is veranderd, is dan voor de vrouwen. Die mogen wij dan gebruiken om mee schoon te maken. Ik ga mee, Gottfried.'

En ineens wou iedereen mee, om te zien wat voor pakket er uit Schweinfurt was aangekomen voor de weduwe Bach. Dat ze allemaal gingen, betekende meestal 'allemaal behalve Anna Magdalena'. Zijzelf had ook onmiddellijk begrepen, dat terwijl zij aan Elias had gedacht, de man allang weer iets liefs voor haar had gedaan.

Al waren de kinderen bepaald niet meer klein, ze renden als een stel blagen weg, maar ze vergaten niet een kruiwagen mee te nemen, want met Elias wist je het nooit. Zelfgemaakte wijn, cider, planten, zaailingen, of zelfs levende eenden en kippen...

Met alle kinderen buiten, was het huis stil geworden en Anna Magdalena bedacht wat Elias hun al allemaal had gestuurd. Zaad voor radijsjes bijvoorbeeld. Of rode bieten en een keer een zak veren in allemaal verschillende kleuren van uitheemse vogels. En ook bloemzaden, die hij zo prees en waar toen doodgewone pimpernel uit tevoorschijn kwam, die op de eerste de beste weide te vinden was. Er kwamen steeds meer herinneringen boven en ze moest lachen. Elias was voor haar altijd als een verfrissende regenbui op een hete stoffige straat. De gedachten aan hem maakten overmoedig, en heus niet alleen als je nog maar een kind was.

Ze stond op, grinnikte, en zocht naar muziek. Ze zocht iets wat Elias ooit met een brief had meegestuurd. Een melodie die hij zelf had gecomponeerd, en hij had erboven geschreven: 'Mijn liefste moeke: een melodietje dat vogels zingen. En dat ze altijd maar weer herhalen. Ieder jaar vertellen ze hetzelfde, omdat hun alles zo eenvoudig voorkomt, en omdat het hart maar weinig nodig heeft.'

Daar had ze het gezochte blad in de hand. Ze ging zitten aan het klavichord en zette de muziek bijna uitdagend op de standaard achter de toetsen. Omdat ze alleen was, kon ook niemand er aanstoot aan nemen. Elias zou gelachen hebben, dat wist ze wel zeker. Ze speelde de melodie zoals Elias hem opgeschreven had. Het klonk als vogelgezang en de tonen klonken door de metalige klavecimbelaanslag als regendruppels die klingelend op hete straatstenen vallen. Ze herinnerde zich hoe ze als kind door de regen had gelopen en er maar niet genoeg van kon krijgen... hoe de vochtige aarde, de straten, de daken roken, hoe er op haar haar eerst een fijne nevel kwam te liggen, en hoe er daarna dikke druppels in vielen, en hoe ten slotte het water er gewoon uit droop zoals het ook uit de bomen om haar heen droop, die voor niemand meer beschutting boden tegen de regen. Toen ook haar schoenen vol water waren en het er bij iedere stap uitklotste was het tijd naar huis te gaan. Die regen, dat was volmaakt geluk. Het eindigde pas toen ze zag hoe haar moeder bezorgd het hoofd schudde.

Anna Magdalena had zich dus aangewend tegen zichzelf te spreken. Ze zei: 'Ik ben gelukkig, want ik was een gelukkig kind. En Elias kan nu eenmaal in mijn ziel kijken.' Ze begeleidde de melodie, met gefluit als van een vogeltje, als van twee vogeltjes en nog meer. Toen Gottfried als eerste de kamer instormde, vond hij daar een kwetterende, twitterende, kwinkelerende en spelende moeder, die zich de tranen van het lachen uit de ogen veegde.

'Kijk eens wat we hebben! Kijk nou!' Hij straalde. En zoals altijd struikelde hij over zijn eigen woorden: 'Elias heeft een hele koffer gestuurd...' Verder kwam hij niet, want Friedemann zeulde een enorme houten kist de kamer in. In een bijgevoegde brief, schreef Elias dat hij alles met veel plezier voor zijn lieve moeke had ingepakt, in de hoop haar wat vreugde te verschaffen. In de koffer lag om te beginnen voor Gottfried een van de twee jassen van Elias.

'Hij wist precies dat ik deze zo mooi vind,' zei Gottfried blij. Vervolgens kwamen er vier flessen wijn tevoorschijn. 'Proberen hoe hij smaakt,' zei Friedemann bij iedere fles. 'Proberen hoe hij smaakt,' echoden alle anderen. En daarmee was vastgelegd dat de vrouwen niet zouden worden uitgesloten, dat ook de twee kleine meisjes zouden mogen proberen. Er kwamen nog een paar stukken heerlijke zeep tevoorschijn. Die waren voor Dorothea, Elisabeth en Emanuels vrouw. En ook nog een nieuw soort brood. Het was heel droog, maar doordat het in smalle repen gebakken was, kon je er goed in bijten. Iedereen was blij.

Hoe komt het toch dat we zo vaak vrolijk zijn, vroeg Anna Magdalena zich af. Vrolijk over ons gewone leventje. Juist nu, nu de nood en de onzekerheid zo groot zijn?

Friedemann was nog altijd in Leipzig. Nu hun vader niet meer bepaalde wat er moest gebeuren, kon Dorothea met haar broer omgaan zoals twee normale volwassen mensen. Ze bespraken hun toekomst met elkaar, en maakten plannen, eerst zonder Anna Magdalena, en vervolgens samen met haar. Ieder dacht erover na hoe de toekomst voor zichzelf en ook samen met de anderen in te richten. Carolina en Susanna waren oud genoeg om ook enige verantwoordelijkheid te dragen, maar nog wel zo jong dat de volwassenen vanzelfsprekend rekening met hen hielden.

Zo vaak maar mogelijk was, nam Anna Magdalena als ze iets te regelen had haar twee jongsten mee. Beide meisjes waren van nature wat bedeesd, en ze moesten een beetje aangemoedigd worden, vond hun moeder. Ze moesten leren voor zichzelf op te komen.

Toen alle formaliteiten voor de nalatenschap waren afgehandeld, kwam de familie bijeen met de door hen aangewezen zaakwaarnemer Graff. Een derde van het bezit zou naar Anna Magdalena gaan. Het overige zou zo goed mogelijk onder de kinderen worden verdeeld. Alle instrumenten zouden voor de zoons zijn. Alleen het klavichord was voor Anna Magdalena, en verder nog wat meubelen. Dorothea kreeg een soort uitzet zodat ze zelfstandig een huishouden kon voeren en een heleboel boeken. Voor de twee jongsten werd een stapel composities van hun overleden vader opzij gelegd. Die zouden te zijner tijd door moeder en dochters worden uitgegeven zodat ze van de opbrengst konden profiteren.

Het verheugde Anna Magdalena te zien hoe lief de broers en zusjes met elkaar omgingen. Steeds weer verzekerden ze elkaar hoe tevreden ze waren met wat hun werd toebedeeld. Dat Anna Magdalena als 'onbezoldigde weduwe' haar grote gezin niet alleen kon onderhouden, had Graff al direct aan haar en alle kinderen duidelijk gemaakt. Of ze het horen wilden of niet: hij drong erop aan dat Anna Magdalena alleen de twee jongsten bij zich zou houden. De zelfstandige Dorothea, de zwakzinnige Gottfried en de vijftienjarige Christian moesten bij hun oudere broers en zuster intrekken. Ze konden zich nuttig bij hen maken en één mond meer om te voeden zou toch niet een al te groot probleem zijn.

Het was goed dat Graff zo duidelijk stelde wat de beste oplossing was om de achtergebleven familie te behoeden voor totale verpaupering. En zo zaten ze dan op die avond van de verdeling van de bezittingen bij elkaar. Gottfried had er vrede mee dat hij in het nieuwe jaar naar Elisabeth en haar man zou gaan. Zijn zusje had hem al zo vaak gezegd dat het beslist heel fijn zou zijn als hij bij hen woonde. Ze konden goed rondkomen, hadden altijd genoeg te eten, en Gottfried zou een eigen kamer krijgen.

Dorothea was al aan het bedenken hoe ze Friedemann zou kunnen helpen bij zijn werk in Halle, want haar broer had al gezegd dat hij haar graag bij zich zou hebben. Dat ze een hartelijke verhouding hadden, kon je wel merken aan Dorothea's plagerijen: 'Wacht maar. Als ik straks bij je woon, sleur ik je elke morgen uit bed. En verder zal ik zoveel reclame voor mijn verwaande broertje maken, dat je omkomt van de nieuwe leerlingen.' Ze lachte en voegde er ondeugend aan toe: 'Ik moet tenslotte ook nog nieuwe kleren kunnen kopen, en niet alleen voor het huishouden zorgen, ik moet netjes voor de dag komen. Waarom heb ik, oude vrijster, anders uit de nalatenschap het boek *De huwelijksschool* gekregen?'

Elisabeth en Anna Magdalena konden niet echt lachen om

wat Dorothea er daar zo vrolijkjes uitflapte. Elisabeth niet, omdat ze zelf zo makkelijk en blij door het leven ging en een man had die zo goed voor haar en de kinderen zorgde en ook nog eens zo vanzelfsprekend bereid was Gottfried bij zich in huis te nemen. En Anna Magdalena niet omdat ze wel wist dat Dorothea haar beste jaren aan de familie had gegeven. Zij had nooit de kans gehad zich te ontplooien zoals Elisabeth. Misschien bloeit ze op als ze in Halle is, hoopte Anna Magdalena. Ze zal daar wat meer contact hebben met leeftijdgenoten en niet meer op kinderen hoeven passen. Maar Anna Magdalena realiseerde zich ook heel goed op wie ze dan wel zou moeten passen: op haar grote broer Friedemann.

De nalatenschap werd verdeeld, de schulden niet. De schuldeisers vroegen naar mevrouw Bach, en naar niemand anders. Anna Magdalena had inmiddels acht documenten, waarop de schulden overzichtelijk werden genoemd. Ze sprak er met niemand over. Ze kón het niet. Noch met de kinderen, noch met meneer Graff. Bij elkaar was het een bedrag dat ze, ook al ging ze nog zo verstandig om met wat ze ontving, nooit zou kunnen aflossen. En toch moest ze de schulden zien te vereffenen. Maar hoe? Ze bezat alleen nog wat meubels, muziek, en haar klavichord.

Ze dacht na, want er was niemand om dit probleem mee te bespreken. Ze had het hardop uitgesproken: 'Mijn klavichord.' Ze had zich gerealiseerd dat het klavichord haar schulden flink kon verminderen. Die gedachte liet haar niet los. Het klavichord waar ze al haar geliefde melodieën op kon spelen. Het klavichord waar ze bij kon zingen en waarbij ook haar meisjes konden zingen en dansen. De daaropvolgende nacht huilde Anna Magdalena om haar klavichord. Misschien meer dan ze ooit in haar leven had gehuild.

Ze moest ophouden met denken. Het was immers duidelijk wat er moest gebeuren. Zo duidelijk dat ze de volgende dag heel rustig aan Friedemann kon vragen hoeveel haar instrument kon opbrengen. Ze stemde zo rustig en zelfverzekerd in met een goede prijs dat niemand protesteerde. Niemand zei: 'Nee zeg, één toetsinstrument moet je beslist houden, zonder instrument kun je niet leven, zonder je klavichord zul je niet meer zingen.' Ook kwam het bij niemand op dat er voor Carolina of Susanna een instrument moest blijven. Ze zouden er alle drie gebruik van hebben gemaakt. Niemand kwam op die gedachte. Ook Anna Magdalena zelf niet.

Er was dus een koper gevonden. Een paar dagen later al werd het instrument opgehaald. Maar daarmee waren de schulden nog lang niet voldaan. Bijvoorbeeld de schulden die haar zuster Johanna had gemaakt. Om die reden stapte Anna Magdalena rechtop en zelfbewust met haar beide dochters bij het naaiatelier naar binnen en vroeg de eigenares te spreken. Toen de vrouw kwam zei Anne Magdalena plompverloren: 'Ik kan u slechts een tiende van de schuld betalen, en daarom wil ik graag de rest vereffenen door naaiwerk te doen.' Ze legde vijf daalders op de toonbank.

'En wie garandeert me dat mevrouw Bach kan naaien?' brieste het mens. 'Denk maar niet dat je de enige bent. Er lopen hier zat vrouwen de deur plat of ze voor me mogen werken.'

Anna Magdalena had zich voorgenomen kalm te blijven. Ze nam de vijf daalders weer van de toonbank en zei: 'Tsja. Dit zou de enige mogelijkheid zijn geweest om de schuld van mijn zuster af te betalen.'

De vrouw zag wat er ging gebeuren: de situatie liep uit de hand. Straks werd de schuld helemaal niet vereffend en gingen ook die vijf daalders haar neus voorbij. 'Wacht, mevrouw Bach. Wacht even, niet zo haastig.' De naaister sprong ineens om haar heen alsof ze een rijke klant was.

Volkomen onverwacht mengde Carolina zich in het gesprek. Ze wees naar een vrouw die met zilverkleurige draad een patroon op fluweel borduurde. 'Dat kunnen wij ook.'

'Wat kunnen jullie ook?' wilde de naaister weten.

'Naaien, zomen, borduren... alles wat nodig is om een mooie jurk te maken. Zelfs van heel grove stof kunnen we goedpassende broeken en vesten maken.'

Anna Magdalena slikte. Mijn God, wat beweerde dat kind daar allemaal!

'En waarom zou ik dat geloven?' zei de vrouw. 'Dat wil ik dan eerst weleens zien.' Ze liep naar een grote tafel, waar een aantal halfklare kledingstukken en lappen stof lagen. Ze zocht tussen de lappen en vond een wit laken. 'Dit moet worden gezoomd.' Toen zocht ze in een zak en vond een klein lapje. 'Zo moet het,' zei ze. 'Net zo regelmatig, en over de naad twee keringdraden opzij trekken en vier inslagdraden bij elkaar nemen, zodat deze mooie ajourrand ontstaat.'

Het duizelde Anna Magdalena. Maar Carolina vroeg: 'Moeten we met wit garen naaien of moeten we een afwijkende kleur nemen?' De naaister hoorde niet wat ze zei, want ze stond al bij de rolletjes garen en zocht passend bij de stof een dikke rol uit.

'Aha, ton sur ton,' zei Carolina. Het viel Anna Magdalena op hoe rustig en met kennis van zaken Carolina sprak, zoals ze dat van Sebastian kende.

De naaister dacht even na. Ze zei: 'Ik moet nog ergens een grove warme rok hebben. Hij is al geknipt. Leg de stof in regelmatige plooien en bevestig tweezijdig de tailleband eraan.' Ze liet zien hoe ze het bedoelde en stak de eerste vouwen met spelden vast.

Even later stonden ze op straat. Carolina droeg het in papier gewikkelde tafellaken en Susanna de stofdelen voor de rok. 'Waar zijn we aan begonnen!' riep Anna Magdalena bezorgd, toen ze buiten gehoorafstand waren.

'Stil maar. Komt helemaal goed. Ik heb toch zo vaak met de vrouwen bij Bose genaaid,' zei Carolina.

'Ik ook,' riep Susanna.

'Echt waar? En wordt het dan echt zo netjes als dat mens wil?' vroeg Anna Magdalena ongelovig. En als uit één mond klonk het antwoord: 'Ja hoor.'

Carolina wilde onmiddellijk aan het werk. Maar toen Anna Magdalena het naaikastje haalde, zei Carolina: 'Niet met die naalden, moeder. Ik haal er wel wat bij Bose, die zijn veel scherper en maken geen lelijke gaten in de stof. En voor de ajoursteek hebben we juist een stompe naald nodig. Dat werkt heel makkelijk.' Ze had het nog niet gezegd of weg was ze.

Anna Magdalena maakte haar schrijftafel leeg. Daar zou nu het naaiwerk worden gedaan. Ze legde de stof voor de rok in plooien en zette ze met spelden vast. Susanna wachtte ongeduldig. Ze had haar moeder de spelden aangereikt, maar nu wilde ze laten zien dat zij ook kon naaien. Dat ze wist hoe je eerst de plooien erin moest rijgen, zodat ze makkelijker aan de band te naaien waren. 'Maar je mag alleen maar de plooien erin rijgen,' waarschuwde Anna Magdalena. 'Niet al met naaien beginnen, hoor!' waarschuwde ze. Ze moest weg om te gaan informeren hoe het zat met het legaat van Menzel van een daalder en acht stuivers. Het was aan Sebastian beloofd en ze wou weten of ze als weduwe het geld ook zou krijgen. Op de terugweg, greep ze steeds weer naar het geld dat ze zo verrukkelijk in haar stoffen beursje voelde zitten.

Toen Anna Magdalena de kamer in kwam, vond ze haar twee meisjes verdiept in hun naaiwerk. Ze keek wat Susanna had gedaan. Vier rijen had het meisje keurig netjes genaaid.

'Zodat het goed blijft zitten,' zei ze. En ze benadrukte nog eens. 'Een luiwammes naait maar één rij, als je het goed wilt doen, doe je er twee. Maar wie het echt vakkundig werkt, doet er minstens drie.'

Anna Magdalena kreunde haast: 'En dat weet jij allemaal? En daar heb ik nooit wat van geweten?'

Carolina deed er nog een schep bovenop. Ze zei haast verontschuldigend: 'Ik heb het zelf altijd als een spelletje beschouwd als we mochten kijken bij de Boses in het atelier. Pas toen we vanmorgen bij die naaister waren, bedacht ik dat we het zelf ook wel zouden kunnen. Ik vond het altijd al leuk, naaien en borduren.'

Anna Magdalena keek naar wat op tafel lag en kon haar ogen niet geloven. Carolina had inmiddels de hele rand van het tafellaken omgeslagen en gezoomd en ze had al één lange zijde van heel regelmatige ajourgaatjes voorzien. Haar moeder klapte van verbazing en blijdschap in de handen. 'Carolina, je bent geweldig. Dat is hoge kunst, wat je daar doet.'

Carolina was blij met haar moeders compliment. Een mooier cadeau had ze niet kunnen krijgen. Eigenlijk had nog nooit iemand haar zo geprezen.

Toen Anna Magdalena die avond alleen in haar slaapkamer lag, dacht ze terug aan de voorbije dag. Hoe ze dat atelier in was gestapt, overmoedig, om haar schuld te vereffenen, en hoe ze er van tevoren helemaal niet over had nagedacht wat dat inhield: vakkundig naaien. Zelf zou ze dat tafelkleed van z'n leven niet netjes hebben kunnen zomen. In elk geval niet zonder eerst urenlang te oefenen. En dan die verrassing dat Carolina iets kon wat haarzelf totaal boven haar macht ging. Hoe ze daar de leiding had genomen. En zelfs Susanna stak haar moeder naar de kroon. Hoe ook dat kind aanpakte! En hoe ijverig ze hadden gewerkt! Zulke flinke meisjes. En zij, hun moeder, had daar nooit iets van gemerkt. Had ze dan nooit goed op haar jongsten gelet? Had ze al toen Sebastian ziek was, de meisjes verwaarloosd?

De tranen sprongen haar in de ogen. Binnenkort zou ze alleen met ze zijn. Tot nu toe had ze eigenlijk alleen gezien dat zíj voor Carolina en Susanna moest zorgen. Maar nu hadden de kinderen laten zien hoe groot ze al waren. Ze dacht er ook aan hoe blij Carolina was geweest met het compliment. Het meisje kon niet alleen uitstekend naaien, ze had hen vandaag regelrecht gered. Mijn God, dacht Anna Magdalena. Altijd heb ik me maar zorgen om de jongens gemaakt, en daar heeft Dorothea me al die jaren bij geholpen. Elisabeth gaat zich nu om Gottfried bekommeren. En de meisjes hebben vandaag hun brevet voor volwassenheid gehaald. Naaien is een kunst, begreep ze. Ze had zelf die avond nog het grootste deel van de rok klaargemaakt.

Dat kon ze wel. Dat waren eenvoudige steken. Maar de naald door de dikke stof heen steken, was niet zo makkelijk. Haar duimen en wijsvingers waren gaan bloeden, ze had er lapjes omheen moeten wikkelen om te zorgen dat er geen vlekken in de rok kwamen.

Altijd dacht Anna Magdalena aan haar klavichord. Ze merkte dat ze het minder erg vond dat ze niet opnieuw mocht trouwen, dan dat ze geen instrument meer had. Een instrument is de beste vriend die je kunt hebben, dacht ze. En ze herinnerde zich hoe Sebastian in iedere gemoedstoestand kracht had geput uit zijn muziek en er troost in had gevonden. Zelfs toen hij blind was, was zijn leven door de muziek die hij nog kon horen toch compleet geweest.

Anna Magdalena werd moe. Ze draaide zich op haar zij, zoals ze al die jaren naast Sebastian had gelegen. En toen droomde ze:

Sebastian was wat later naar bed gegaan. Hij had haar verbonden hand gezien en zei: 'Kind toch, wat heb je met je hand gedaan?'

'Sebastian, het klavier heeft me gebeten.'

'Wee het klavier dat jou durft pijn te doen,' viel hij uit. Hij maakte het verband los, kuste haar vingers en zei: 'Deze handen, deze vingers klinken zuiverder en mooier dan het nieuwe orgel in Dresden, en daar mankeert niks aan. Deze handen aanraken is al muziek.' Opnieuw kuste hij de vingers één voor één. En terwijl hij ze kuste, veranderden ze in toetsen. Anna Magdalena keek er verbaasd naar. Ze begon haar vingers langzaam te bewegen. En er klonk muziek. Niet de muziek van één instrument. Ze kon met haar vingers de inzetten van een compleet orkest geven. En toen ze gewend was aan die speelse muziek, veranderden haar handen. De vingers werden vogelveren. Elke hand werd een vleugel die opgewonden fladderde: en weg vloog hij, de vogel. Hoger en hoger. Toen bleef hij even stil hangen en liet een ei vallen. Het viel en viel in een zilveren iets. Het was in een vingerhoed gevallen. Ze wilde beter kijken wat voor kleur het ei had. Ze kwam dichterbij, maar toen dwarrelde een brutaal geel veertje uit de lucht en daalde zachtjes op het ei in dat kleine zilveren nest. Anna Magdalena keek naar boven... maar daar was alleen de zon. Ze wreef zich in de ogen om beter te kunnen zien...

En toen merkte ze dat ze in bed lag en dat de zon haar in het gezicht scheen. Ze had gisteren de luiken niet gesloten. Kennelijk had niemand haar gewekt, omdat zij als laatste naar bed was gegaan. Ze stond op en waste en kleedde zich. Alsof ze op haar hadden gewacht, zaten de kinderen allemaal aan de ontbijttafel. Carolina was alweer aan het werk met het tafellaken. Ze werkte zo geconcentreerd dat ze er rode wangen van had. Zoals ik, wanneer ik muziek kopieer, dacht Anna Magdalena. Ze ging zitten, sprak zachtjes een gebed uit. Er was koffie en de gortepap was verrukkelijk. Ineens herinnerde Anna Magdalena zich de droom weer, toen het eitje van grote hoogte in de vingerhoed viel.

Ze vond die herinnering zo grappig, dat ze in lachen uitbarstte en zich in de pap verslikte. Ze verontschuldigde zich bij de kinderen. Maar die waren pas tevreden toen ze de hele droom te horen kregen.

'Wat mooi was dat,' zei Dorothea. 'Een vingerhoed, je hebt van een vingerhoed gedroomd!'

'Ik geloof dat hij van puur zilver was,' zei Anna Magdalena.

'De Boses hebben echt vingerhoedjes van zilver,' vertelde Susanna.

Dorothea knikte. 'Ja, en die versieren ze zowaar met kleine granaatjes.'

'O,' zuchtte Anna Magdalena.

'Wat is er, moeder?' wou Dorothea weten.

'Ach nee, doet er niet toe.'

Anna Magdalena ging meteen doen wat ze bij het ontbijt had bedacht. Ze zou nog een daalder, acht stuivers en negen centen krijgen van het legaat van Regina Bose. Toen ze later thuiskwam, was in haar beursje niets meer te vinden van dat geld. In plaats daarvan kwam ze met drie kleine pakjes bij haar meisjes aan.

'Één voor jou, Carolina, één voor jou Susanna, en één voor mij.'

De meisjes waren verbaasd. Hun moeder had nog nooit zoiets gedaan. En toen wikkelden ze alle drie tegelijk langzaam het papiertje los. Die van Carolina rolde in haar schoot, en die van Susanna op de grond. Alleen Anna Magdalena die wist wat er in het pakje zat, greep de vingerhoed direct stevig vast. Eerst waren de meisjes stil. Toen zetten ze zich de hoedjes op hun wijsvinger en wiebelden ermee.

'Wat mooi!' zei Carolina.

'En ze zijn alle drie verschillend,' zei Susanna.

Friedemann bleef ook in december nog in Leipzig. Hoewel Harrer Sebastians werk had overgenomen, bleef er toch nog best een en ander te verdienen voor Friedemann. Hij gaf muziekstudenten les of er werd hem gevraagd hier of daar op te treden, want ze kenden hem wel en waardeerden zijn spel. Het ging om muziek van zijn vader, melodieën, liederen die Anna Magdalena voortdurend op de lippen en in het hoofd had.

Friedemann, die in Leipzig toch zo makkelijk zijn draai had gevonden, was zonder nadere uitleg uit Dresden vertrokken. In het logboek van de kerk aldaar stond: '...*Daar hij zonder het aan iemand van het college te melden zijn werk veronachtzaamd heeft, en pas met kerstmis is teruggekomen, echter helemaal het orgel niet heeft bespeeld, en evenmin tijdens de feestdagen diensten heeft waargenomen, verontschuldigde de heer Bach zich weliswaar dat hij, omdat zijn vader in Leipzig overleden is, daarheen is gereisd zonder dat te melden en er daarna, wegens plotseling opgekomen koorts tot kerstmis is gebleven.*'

Er werd niet bij opgetekend dat zijn zuster nu ook bij hem woonde. Er hadden al zo vaak allerlei vrouwspersonen bij hem gewoond, dat niemand geloofde dat het deze keer om zijn zuster ging.

Dorothea pakte haar tassen uit en gaf haar bezittingen een plaatsje in de kasten. Toen overviel haar vier dagen lang de poetsmanie. Ze ruimde de woning op, keerde en waste alles wat door haar handen ging. Overal zag ze rommel en vieze hoekjes die haar broer allang niet meer opvielen. Toen Friedemann doorkreeg dat het met zijn rust gedaan was, besloot hij die eerste nachten elders te gaan slapen.

Dorothea dacht terug aan het afscheid. Haar moeder had haar mooiste kleren ingepakt en gezegd: 'Nu is het jouw beurt om mooi te zijn en aan het sociale leven deel te nemen.' Ze had voor haar stiefdochter gehoopt op het volle leven in Halle. De kleren hingen schoon in de kast. 'Wanneer komt Friedemann eindelijk op het idee mij voor te stellen en mee te nemen naar openbare gelegenheden?' vroeg ze zich af. Hij was meestal maar een paar minuten thuis.

Toen het gezin van de nieuwe cantor zijn intrek in de Thomasschool nam, kon Anna Magdalena de vrouw van Harrer van dienst zijn met allerlei raadgevingen. Het was merkwaardig: de vrouwen mochten elkaar direct. Alsof hun echtgenoten niet vroeger als kemphanen tegenover elkaar hadden gestaan, gingen ze samen met de kinderen van beide gezinnen naar de kerk. Harrer, die wel merkte dat zijn vrouw en Anna Magdalena prettig met elkaar omgingen, bleef maar mopperen over zijn voorganger. Maar één ding moest hij toegeven: Bach had hem veel werk uit handen genomen met het *Weinachtsoratorium* dat hij had geschreven. Er waren warempel liedboeken aanwezig, zodat de gemeente kon meezingen. Anna Magdalena had geen boek nodig. Ze zong hoe dan ook mooier, zuiverder, beter dan wie ook.

Hoewel al gauw na Bachs dood niemand meer over hem sprak, vroegen de kerkgangers die in de buurt van Anna Magdalena in de kerkbank zaten zich af: 'Wie is toch die vrouw met die prachtige stem?'

'Dat is de weduwe van cantor Bach,' hoorde je dan.

In januari kon Anna Magdalena met Carolina en Susanna verhuizen naar een kleine woning in de Hainstraße, de straat waar
ze al eerder een tijdje hadden gebivakkeerd, niet ver van de Thomasschool. Daarbij waren moeder en dochters erg op zichzelf
aangewezen. Het stadsbestuur had wel voor een wagen voor de
verhuizing gezorgd, want ze waren maar al te blij dat ze eindelijk vertrokken, maar het slepen met de kisten en zakken moesten ze zelf doen. Ze hadden na afloop alle drie overal spierpijn.

'Als alles zo licht was geweest als de vogelkooien, zou ik nog
zijn gaan uitpakken en inruimen,' zei Anna Magdalena. Het
was al laat.

'Morgen is er weer een dag,' troostte Carolina. En toen overlegden ze hoe ze de woning zouden inrichten. Met maar twee
kamers viel er niet veel te overleggen. De ene kamer zou woon-
en naaikamer worden, de andere slaapkamer. Er was plaats voor
twee bedden en een kast. Carolina en Susanna waren gewend
samen in één bed te slapen. Dat bleef dus zo. Maar waar was
een plek voor de vogeltjes? Ze hadden vijf kooitjes met sijsjes
gehouden om nageslacht mogelijk te maken.

'We zien morgen wel. Nu we geen souterrain meer hebben,
zullen we onze kamers met de vogels delen,' stelde Anna Magdalena voor.

'We zetten gewoon bij ieder raam een kooi,' stelde Susanna
voor.

Toen ze in de Hainstraße woonden, veranderde er van alles.
In tegenstelling tot al het gedoe vanwege de nalatenschap, de
verhuizing en om werk te vinden, daalde er nu een grote stilte
over het gezinnetje. Alleen de zachte geluidjes van de zangvo-
gels als ze hun vleugeltjes uitsloegen en als ze van het ene naar
het andere stokje wipten of zaadjes oppikten mengden zich in
de gesprekken. Anna Magdalena en de meisjes zaten urenlang
over hun naaiwerk gebogen, en ook als ze 's middags een ommetje maakten om even hun ruggen en ogen rust te geven, dan
zaten ze toch meteen daarna weer binnenshuis over de stoffen

gebogen. De vogeltjes sprongen weer heen en weer, nu en dan waren wat geluiden van de straat te horen.

Hoe hard ze ook werkten, na drie maanden hadden ze alleen nog maar de schulden van Johanna afbetaald. Een kleine meevaller was dat Anna Magdalena door de stad als aalmoesgerechtigde was aangewezen. Ze was één van de 528 personen in Leipzig die om in haar onderhoud te kunnen voorzien een kleine wekelijkse uitkering ontvingen. Soms kwam daar nog een bedragje bij voor hout, of bij ziekte. Toch lukte het Anna Magdalena niet voldoende geld voor brandstof over te houden. Uit nood zaten ze 's winters in de keuken, omdat ze slechts af en toe een uurtje de kachel aan konden hebben. Als de kou in hun botten kroop en hun vingers stijf werden, herinnerden ze zich maar al te goed al dat hout dat daar maar ongebruikt in de Thomasschool lag, en ze stelden zich voor hoe lekker warm ze het zouden hebben als ze die kostelijke stukjes hout in de kachel konden opstoken.

Anna Magdalena was dagenlang koortsig en rillerig. Er was weinig te eten, want ze moesten huur betalen voor het huis, en dan bleef er niet veel over. Opdat de meisjes voldoende binnenkregen, zorgde ze dat ze 's morgens een groot bord pap aten. Haar halfvolle bord vulde ze ongemerkt aan met een flinke scheut water, zodat de kinderen zouden denken dat er genoeg was.

De grote kinderen, die Leipzig hadden verlaten, hadden geen idee dat moeder en hun jongere zusjes nog maar zelden koffie of chocola dronken. Alleen als er bezoek kwam, nam Anna Magdalena het zuinig bewaarde blik koffie uit de kast en deed twee lepels koffiebonen in de molen. Malen deden ze om de beurt, zodat ieder van de geur van versgemalen koffie kon genieten. De gemalen koffie werd tot het laatste korreltje uit het laatje geveegd en in een kan met heet water geschept. Als het koffiemengsel goed gekookt had, werd het gezeefd en in een andere voorverwarmde kan overgedaan. Heerlijk was dat. Wel vier dagen kon je nog water op het aftreksel gieten. Een genot voor je verhemelte en voor je gemoedstoestand.

Anna Magdalena zat nu meestal met naald en draad over naaiwerk gebogen. Ze vond niet dat haar dochtertjes al dat werk alleen hoefden te doen, ook al droomde Carolina ervan ooit een eigen naaiatelier te hebben. 'Jullie zullen zien hoeveel klanten ik dan krijg.' Ze had er het volste vertrouwen in. 'Als je maar echt goed bent en niet te duur. Zoiets gaat als een lopend vuurtje. De mensen vertellen het aan elkaar door.'

Dat de drie een goed team vormden, bleek ook uit de verrassing die ze hadden bedacht voor Elisabeths kindje, dat weldra geboren zou worden. Elisabeth had de familiewieg meegekregen, en ze wisten dat de matras en het dekentje hoognodig vernieuwd moesten worden. Ze gingen aan het werk. Anna Magdalena wist ergens stevige stof op de kop te tikken. Bij de pruikenmaker vroeg ze of hij misschien een restant geitenwol had dat niet voor pruiken geschikt was, want ze herinnerde zich nog wel de grote bergen wol daar. Hij gaf haar een hele vracht en ze hoefde er geen cent voor te betalen. Hij herinnerde zich waarschijnlijk nog hoe mevrouw Bach in haar nood afstand had gedaan van al haar eigen haar. Zo iemand vraagt niet uit hebzucht.

'God zegene u, omdat u mij dit alles zomaar geeft,' zei Anna Magdalena dankbaar. Thuis waste ze alles wat ze had gekregen een paar maal in warm sop, droogde het en spreidde het daarna in een dikke laag uit op een doek. Ze sloeg de úítstekende stukken stof om, naaide de randen met een kleine steek dicht en stikte het zo ontstane matrasje in vierkanten van vijf bij vijf centimeter door, zodat de vulling mooi op zijn plaats bleef.

Carolina zorgde voor hoezen voor een dekbed en een kussentje. Terwijl ze werkten en zich voorstelden hoe het met Elisabeth zou zijn, realiseerden ze zich dat Susanna het lastigste werkje voor haar rekening had genomen. Ze had bedacht om van normale, halfzachte veren dons te maken. Ze had een volle zak veren gehaald, daar greep ze steeds een handvol uit en knipte van iedere veer alleen het zachte puntje af. Er lag voortdurend een bergje heel zachte lichte stukjes veer vóór haar op tafel en ze mocht dus absoluut niet niezen, al verging ze van de kriebel in haar neus.

In de zomer was het zover. De matras, het dekbedje en het kussen waren klaar, en Carolina gaf alles zorgvuldig ingepakt af bij een postkoets. Een paar dagen later kregen ze het bericht: niet alleen was het nieuwe beddengoed goed aangekomen, maar ook was twee dagen daarna een gezonde dochter geboren. Elisabeth en haar man vroegen of grootmoeder Anna Magdalena peettante van het kindje wilde zijn. Het meisje zou Augusta Magdalena worden genoemd.

Anna Magdalena en de nieuwbakken tantes waren dolblij. 'Ik weet wel zeker dat ook Gottfried blij is,' zei Anna. 'Hij heeft jullie beiden, toen jullie nog klein waren, nooit uit het oog verloren. En als jullie sliepen, schommelde hij zachtjes de wieg heen en weer.'

'Wat zou ik ze graag allemaal weer zien,' verzuchtte Carolina. Ze wist heus wel dat er voor zo'n reis geen geld was.

'Dat gaat ook gebeuren,' zei haar moeder.

'Hoezo?'

'Een van ons moet beslist bij de doop aanwezig zijn.'

'Maar dat moet jij dan toch zijn! Ze hopen toch zeker dat jij komt!' En toen vertelde Anna Magdalena wat ze tot nu toe verzwegen had. 'Als het warm wordt krijg ik dikke benen. En het is me al een paar keer overkomen dat er dan een adertje knapte in mijn been.' Ze was even stil. Daarna zei ze: 'Al een dag of twee heb ik een brandend gevoel in mijn kuit, en hij doet bij iedere stap pijn. Ik ben echt niet in staat om te reizen.' En om te laten zien wat ze bedoelde, trok ze haar rok tot boven de knie. De meisjes zagen het gezwollen been van hun moeder. Hier en daar was het donkerrood. Het was goed dat de zusjes het nu wisten, want vanaf die dag letten ze goed op dat hun moeder bij het zitten haar benen hoog legde.

Anna Magdalena liet zich dus vervangen. Een vriend van de familie Bach zou ook naar Naumberg gaan. Carolina kon met hem meereizen. Ze was zo opgewonden over wat te gebeuren stond, dat ze op de dag dat ze zouden vertrekken niet kon eten of drinken. Waar moeder het geld vandaan had dat ze de vriend gaf, zodat hij alle onkosten voor haar kon betalen... ze had geen idee.

Toen Carolina vier dagen later weer thuiskwam, was ze het gelukkigste mensenkind van heel Leipzig. Nog weken daarna schoot haar steeds van alles te binnen wat ze op reis had meegemaakt, en de andere twee hoorden het allemaal maar al te graag.

De vrolijkheid van haar dochter hielp Anna Magdalena over haar lusteloosheid heen. Hoe lang geleden was het niet dat ze brieven had geschreven? Niet aan haar zusters en niet aan haar kinderen. Alleen met Emanuel had ze af en toe contact. Hij had namelijk een succesvol leerboek geschreven. Zijn *Versuch über die wahre Art das Klavier zu spielen* verkocht heel goed. En ieder exemplaar dat in Leipzig werd verkocht, leverde ook Anna Magdalena iets op. Maar toch: vroeger had ze zeker één maal per week aan haar schrijftafel gezeten om contact met haar dierbaren te houden. En dat terwijl ze elkaar in die tijd ook nog best vaak opzochten. Nu gebeurde dat niet meer. En die paar brieven vormden een uitzondering. Met het besluit af en toe de naaitafel te ontruimen om plaats te maken voor inkt en papier, ontstond ook de wens van de dochters om van hun moeder te leren schrijven en rekenen.

In het begin oefende ze alleen met haar eigen meisjes. Maar na een poosje kwamen daar twee meisjes uit de buurt bij en ook één dochter van Bose. Iedere dinsdag en vrijdag leerden de kinderen van Anna Magdalena drie uur lang schrijven en rekenen. 's Avonds bleef de naaitafel ook leeg. Dan schreef Anna Magdalena in alle rust aan haar zusters. Ook schreef ze aan de ijverigste briefschrijver van allemaal: Elias.

Ze ging pas lang na de kinderen naar bed. Tijdens die uren dat ze alleen was dacht ze aan alles wat in haar leven was voorgevallen. Als ze zo mijmerde overviel haar een grote berusting die ze niet kon verklaren. 'Ik ben niet meer jong, ik neem niet meer deel aan het sociale leven. Ik ben een weduwe, die moeite heeft iedere dag voldoende eten op tafel te krijgen.' Ze keek naar haar handen waaraan je kon zien dat ze veel in de tuin had gewerkt. Maar altijd als het zo stil in huis werd, klonken de liederen in haar hoofd, en die droegen haar een andere wereld in. Een wereld van louter vrede. Zoals haar moeder vroeger zei. Altijd was ze daarna blij en getroost geweest. Dan merkte ze dat de vogeltjes hun kopjes al lang in hun veren hadden gestoken om te slapen en dat het hoog tijd was de kaarsen uit te blazen, zodat het donker voor ze werd.

Het was mei 1752, toen de mensen vanwege de hitte naar de rivier trokken voor wat afkoeling. Ook Carolina en Susanna waren in het water gestapt en maakten er plezier.

'Zo zou het iedere dag moeten zijn,' zei Susanna.

'Hè ja, elke dag zondag, elke middag zwemmen in de rivier,' riep Carolina. Ze begonnen te douwelen en duwden elkaar daarbij steeds verder naar waar het dieper was. Ze zagen niet dat een jongen steeds een stok in het water gooide voor zijn hond en dat het dier op ze af kwam zwemmen. Carolina en Susanna waren elkaar steeds onder aan het duwen. Voordat ze de hond in de gaten hadden, had Susanna hem per ongeluk met haar voet tegen zijn snuit getrapt. Meteen beet het dier. Zo diep en hard dat Susanna het uitschreeuwde en zich in het water verslikte. De hond had haar voet als een buit in zijn muil en hij rukte eraan alsof hij hem van haar been wilde scheuren. Pas toen de eigenaar van de hond het water in kwam en het beest bij zijn halsband greep, liet hij los.

Susanna's voet was er heel slecht aan toe. De zwemmers kwamen allemaal om de meisjes heen staan. Een vrouw bood haar omslagdoek aan en wikkelde die om Susanna's voet. Daarna hielpen de mensen de zusjes zich zo goed en zo kwaad als het ging af te drogen. Er waren mensen die een houten kar bij zich hadden. Ze maakten hem leeg en tilden het gewonde meisje erin, zodat Carolina haar zusje naar huis kon rijden.

Nog voor ze de Hainstraße indraaide, had Anna Magdalena al van vooruitgeholde kinderen van het ongeluk gehoord. Ze liep de meisjes tegemoet. Toen ze beiden zag, kon ze maar niet begrijpen hoe zo'n mooie dag zo ellendig kon eindigen. Susanna's voet was één groot bloedbad.

'Mama, mama,' huilde Susanna.

'Ga onmiddellijk een dokter halen,' riep Anna Magdalena tegen Carolina. Die rende weg en de moeder trok de wagen verder met het gewonde kind. Tegen ieder die in de buurt was riep ze dat ze hun grote broer en hun vader moesten halen. 'Opschieten, vlug.' Binnen de kortste keren kwamen vier sterke mannen aanlopen.

'Even wachten. Ik ben zo terug.' Anna Magdalena haastte zich naar boven en haalde een stoel. Ze struikelde de trap meer af dan dat ze liep en zette de stoel naast de kar. 'Til nu alsjeblieft mijn meisje voorzichtig op en zet haar op de stoel,' zei Anna Magdalena. Ze hield Susanna's hand vast om haar te troosten. 'Het doet nu pijn, maar we krijgen het weer goed. Als je eerst maar boven bent en als de dokter er is, dan komt alles in orde. Je zult zien.' De mannen grepen ieder een stoelpoot en brachten Susanna door het smalle trappenhuis naar de bovenverdieping. Ze legden haar meteen op het bed.

'Dank jullie wel allemaal, dank jullie wel,' zei Anna Magdalena.

'Ik stuur mijn moeder,' zei een van de jongere mannen.

'En ik mijn vrouw,' zei een andere.

En dat deden ze. Al gauw kwamen twee vrouwen die Anna Magdalena hielpen om Susanna voorzichtig de natte kleren uit te trekken en haar in zachte doeken te wikkelen. De voet zag er niet best uit.

De dokter kwam en had het erover dat hij het bot moest zetten en de wond moest hechten.

'Hebt u brandewijn voor het kind?' vroeg hij aan Anna Magdalena. Ze schudde van nee.

Hij nam een fles uit zijn tas. 'De helft zal genoeg zijn. De fles kost acht daalders.' Allemaal hadden ze de prijs gehoord. Ze waren er stil van. Niemand in de Hainstraße had ooit acht daalders in zijn beurs.

Anna Magdalena knikte. Ze haalde een glas en goot er de helft van de sterke drank in. Ze ging naast Susanna zitten en zei: 'Drink, liefje. Drink het langzaam op.'

Susanna maakte geen aanstalten om te drinken. Dat 'acht daalders' klonk haar nog in de oren. En ze dacht: de helft daarvan is vier daalders. Daarvan kunnen we een maand lang genoeg eten en ook nog koffie en hout kopen.

'Drink nou toch,' drong Anna Magdalena aan. 'Maar langzaam, want het brandt als vuur.' Susanna nam de eerste slok en hapte naar adem. 'Verder,' beval Anna Magdalena. 'Tot het glas leeg is.' Toen ze het leeg had, zag Susanna erbarmelijk bleek. Maar daar trok de arts zich niets van aan. Anna Magdalena moest haar dochter een doek tussen de tanden leggen en haar hoofd stil houden, terwijl Carolina Susanna's armen moest vasthouden en de twee vrouwen op de schenen van het kind moesten gaan zitten.

'Zitten?' vroegen ze ongelovig.

'Dat zeg ik,' zei hij.

Dat was het begin van een ziekbed dat een jaar zou duren. De wond wilde niet helen en de voet ging zelfs ontsteken. De arts moest dan ook nog vaak met brandewijn komen, en snijden. Elke keer huilden haar moeder en zusje met Susanna mee, die maar niet aan de pijn kon wennen.

De arts kostte geld. Veel geld. Anna Magdalena verkocht wat ze maar verkopen kon. Gelukkig was er nog veel muziek van haar man. Daar probeerde ze kopers voor te vinden. Het leverde veertig daalders op. Maar daarmee kon ze nog niet de helft van de kosten voor de arts betalen.

Het is altijd zo geweest dat als kleinkinderen worden geboren en opgroeien, broers en zusters en vrienden sterven. Anna Magdalena moest afscheid nemen van haar liefste zuster Johanna. Niet lang daarna overleed ook haar oudste zuster Anna Katharina. Ondanks al het verdriet en de eenzaamheid, was het toch bijna alsof ze eraan wende dierbaren naar hun graf te dragen. Toen de Thomascantor Harrer stierf, was het voor Anna Magdalena vanzelfsprekend om zijn weduwe met raad en daad bij te staan.

Een ander afscheid had zich al langere tijd aangekondigd. Elias leed al enkele jaren aan een spierziekte. Het was ermee begonnen dat hij soms ineens de pedalen van het orgel niet meer kon bedienen. Vaak kon hij alleen 's morgens nog spelen. Daarna ontbrak hem de kracht. Dan moest hij eerst weer uitrusten. Hij was er al tweemaal voor in Leipzig geweest, om daar artsen te raadplegen. Ze onderzochten hem, schudden het hoofd en verlangden hun honorarium.

Toen hij op bezoek kwam, had Anna Magdalena een matje in de naaikamer gelegd. De volgende dag beweerde Elias charmant dat hij er verrukkelijk op had geslapen. Anna Magdalena en de meisjes zouden Elias dolgraag bij zich hebben gehouden. Maar hij had zijn moeder in Schweinfurt en die kon hij niet lang alleen laten.

Aan de daaropvolgende brieven kon je zien dat Elias steeds meer moeite had de ganzenpen vast te houden. Soms was hij er zelfs helemaal niet toe in staat. En nog weer wat later schreef een vriend zijn brieven. Ze schreven elkaar toen meer dan ooit, want Anna Magdalena wilde precies weten hoe het met hem ging. In november liet de vriend weten: 'Het ziet ernaar uit dat Elias ons binnenkort gaat verlaten. Hij eet niet meer, en hij komt ook niet meer uit bed. Het is alsof hij de dood tegemoet slaapt...'

Anna Magdalena liet haar dochters de brief zien. 'Kan ik jullie een paar dagen alleen laten?' vroeg ze.

'Natuurlijk kun je dat. We zijn toch geen kleine kinderen meer,' zei Carolina bijna verontwaardigd.

Anna Magdalena had net voldoende geld om naar Schweinfurt te reizen. Geen cent meer. Maar daar zat ze niet mee. Ze moest eenvoudig naar Elias toe, en over hoe het daarna verder moest, dacht ze maar niet. Hoe lang was het niet geleden dat ze had gereisd. Al jaren niet. Ze wist ook niet of ze er lichamelijk wel toe in staat was. Ze ging gewoon in de koets zitten en die schommelde met haar op een sombere novemberdag naar Schweinfurt, de stad waar ze zoveel familiefeesten hadden gevierd.

Toen ze uitstapte, stonden twee familieleden haar op te wachten met een karretje om haar bagage te vervoeren, en met een grote paraplu. Ze begeleidden haar naar het ouderlijk huis van Elias. Anna Magdalena was niet de enige die Elias in zijn laatste uren wilde bijstaan. Ze dronk koffie met zijn moeder en de twee praatten zacht met elkaar om de zieke op de bovenverdieping niet te storen.

'We gaan altijd een voor een naar hem toe,' legde een van de twee nichten uit. 'We wisselen elkaar voortdurend af. Zijn moeder kan de aanblik van haar zieke zoon niet verdragen. Zij blijft altijd hier in de kamer.'

Hoezo kan een moeder de aanblik van haar zieke kind niet verdragen, dacht Anna Magdalena bitter. Moest ze niet wensen in zijn plaats te sterven? Toen ze was bekomen van de reis – en daar had de koffie zeker bij geholpen – kon ze naar de zieke gaan.

Het was de wereld op zijn kop. Buiten blies de wind de regen tegen de ramen en zelfs de schilderijen aan de wand waren vol leven, maar degene voor wie ze kwam, lag bewegingloos en bleek in bed. Voor iemand die sliep, lag Elias veel te gespannen. Hij had zijn hoofd niet gedraaid toen ze was binnengekomen. Met open ogen keek hij recht voor zich uit.

Anna Magdalena kwam dichterbij. Ze schoof een stoel tot vlak bij het bed, zodat haar gezicht meer op dezelfde hoogte was als het zijne. Het leek of Elias haar nog steeds niet had opgemerkt. Anna Magdalena nam zijn beide verkrampte koude handen in de hare. Toen legde ze haar gezicht in zijn handen en hield ze tegen haar wangen gedrukt. Zou ze hem niet meer bij bewustzijn meemaken? Merkte hij al niets meer van het leven?

Was hij al in een andere wereld? Ze kon haar tranen niet tegenhouden. Ze kon ze niet binnenhouden tot er aarde over hem heen zou worden geworpen. Het waren zijn handen waarin ze huilde, en zijn handpalmen waren het die ze tegen haar mond duwde, zodat niemand haar snikken zou horen. Hoe zou ze de volgende jaren doorkomen? Nooit meer zouden zijn lieve tekenen van hun verbondenheid naar Leipzig komen. Nooit meer zou hij haar aan het lachen maken.

Toen gebeurde er iets wat Anna Magdalena eerst niet begreep. Iemand streelde haar gezicht. Daar waren handen die haar tranen wegveegde. Handen die over haar gesloten ogen streken, en oneindig zacht haar gezicht liefkoosden. Een hand tegen haar voorhoofd en een hand die de band van haar muts onder haar kin losknoopte, handen die door haar schouderlange haren streken, die haar hoofd aaiden en Anna Magdalena uitnodigden haar hoofd op zijn borst te leggen.

In die borst voelde ze zijn hart slaan. Anna Magdalena hoorde het ook. Het sloeg duidelijk en vertrouwenwekkend. Ze hoorde de dierbare slag, ze ademde zelf aan Elias' borst, tot ze dronken was van zijn nabijheid en van de aanraking van zijn handen, die het misschien voor de laatste maal vergund was te bewegen.

Terwijl haar hoofd nog op zijn borst lag, hoorde ze zingen. Iemand zong een aria... met háár stem. Nee, ze zong zelf, want nu zag ze de mensen om zich heen. Het moest een familiefeest zijn, een bruiloft. Elias stond tussen de gasten en keek haar aan. Op een manier die ze niet van hem kende. Hij luisterde naar haar woorden met een nooit eerder gezien verlangen in zijn ogen.

'*Bist du bei mir...*' 'Als jij bij me bent, als jij bij me bent, als jij bij me bent...'

Ja, dacht Anna Magdalena, dat is de aria die ik zo vaak heb gezongen en waar Sebastian ook zo van hield.

Bist du bei mir, bist du bei mir,	Als jij bij me bent, als jij bij me bent,
geh ich mit Freuden	dan ga ik in vrede,
zum Sterben und zu meiner Ruh,	dan kan ik rustig sterven,
geh ich mit Freuden	dan ga ik met vreugde,
zum Sterben und zu meiner Ruh...	dan kan ik rustig sterven.

Ze zag de scène voor zich, hoe die zich jaren geleden had afgespeeld. Ze had zich heel licht gevoeld tijdens het zingen. Ze hoorde zelf hoe blij haar stem klonk. Kun je als je nog jong bent al van het sterven houden? Nee, wist ze, toen heb ik daar helemaal niet aan gedacht. Sebastian had het beter begrepen. Hij was tijdens zijn leven vaak zo moe geweest. Maar Elias was toen ook jong. Hoe ging het lied verder, vroeg Anna Magdalena zich af. En toen kwam het weer boven:

Ach, wie vergnügt wär so mein Ende,	Ach, hoe prettig zou mijn einde zijn,
es drückten deine schönen Hände	als jouw mooie handen
mir die getreuen Augen zu.	mijn liefhebbende ogen zouden
	dichtdrukken.

Ineens drong tot Anna Magdalena door in welke situatie ze zich bevond. Ze lag met haar haren los in de armen van Elias. Ze ging snel rechtop zitten, maakte haar kapsel in orde en zette haar mutsje weer op. Elias lag even roerloos als tevoren. Maar nu waren zijn ogen dicht en hij glimlachte. Anna Magdalena wist niet wat ze zeggen moest. Dus kuste ze zijn hand maar ten afscheid en stond op. Toen wist ze wat het met Elias was: hij is mijn grote liefde. Hij is wat hij mij heeft gegeven: mijn liefde.

Opnieuw kuste ze Elias. Deze keer zacht op zijn mond. 'En nu moet ik weg,' zei ze tegen zichzelf. 'Gauw, voordat ik begin te huilen.' Ze schoof de stoel terug.

'Lig je goed?' vroeg ze zacht. Er kwam geen antwoord. Maar ze kende hem goed genoeg om te zien dat er iets van die ondeugende uitdrukking op zijn gezicht was, wanneer hij haar weer eens voor de gek had gehouden.

Anna Magdalena sliep in Schweinfurt diep en goed. Ze droomde van haar overleden vriendin Sybilla. Ze dronken samen koffie en lachten. En toen kwamen overal vandaan kinderen, die bij ze op schoot of onder hun rokken wilden kruipen. Anna Magdalena had één kind aan de borst. Het greep in haar haar en lachte naar haar.

Ze moest lang geslapen hebben, want toen ze wakker werd, waren de anderen allemaal al in de weer. Een neef had die nacht bij Elias gewaakt. Hij had nog met hem gebeden, en toen was Elias vredig voor altijd ingeslapen.

De rouwbijeenkomst werd in de kerk gehouden waar Elias vroeger had gewerkt. De nieuwe cantor speelde stukken die Elias had gecomponeerd. Hij leefde nog in alles wat Anna Magdalena zag en hoorde. Het deed haar goed samen met alle andere rouwenden te zijn.

Ze liep mee naar het graf, maar ze wist dat de ziel van de geliefde dode daar niet te vinden was. Anna Magdalena kon niet huilen, want ze was te vol van vreugde en dankbaarheid. Ze voelde nog de troost die Elias haar met zijn handen had gegeven.

Elias, die al zo lang had geweten dat hij ging sterven, had voor zijn vrienden kleine cadeautjes klaargemaakt. Hij had gevraagd of die als hij zou zijn gestorven konden worden uitgedeeld. Alsof de rouwenden op de dag van zijn begrafenis hun verjaardag vierden. Wekenlang had hij erover nagedacht wat ieder van hen plezier zou doen. Toen Anna Magdalena haar cadeautje uitpakte, vond ze een wollen doek, die haar 's winters heerlijk warm zou houden. Had Elias vermoed dat ze geen geld voor de terugreis zou hebben? Er lagen in de sjaal ook acht daalders.

Op een dag bedacht Carolina dat haar moeder haar en de andere kinderen niet alleen kon leren schrijven en rekenen, maar ook klavecimbel spelen. Zij was het die de Boses op het idee bracht dat Anna Magdalena hun kinderen muziekonderwijs kon geven. 'Maar,' zei ze, 'Moeder heeft moeite met lopen. Er zou dus een instrument bij ons moeten staan. En voldoende hout om in de winter de woonkamer op temperatuur te kunnen houden, want anders ontstemt het instrument steeds.' Carolina was een geboren onderhandelaarster.

Al één week later werd in de Hainstraße een klavecimbel afgeleverd en door vijf mannen behoedzaam in de woonkamer neergezet. Diezelfde dag werd ook hout gebracht. Opdat het niet uit de kelder zou worden gestolen, schoven de vrouwen de blokken onder hun bedden en stapelden ze op de kasten. Zoveel hout hadden ze in geen jaren bezeten. En de Bodes hadden gezegd dat ze het maar moesten laten weten als er niet genoeg was.

Anna Magdalena kon haast niet bevatten dat ze in het vervolg altijd een warme kamer zouden hebben. Wanneer ze maar wilde kon ze nu naald en vingerhoed laten liggen en klavecimbel spelen.

Het was allemaal te danken aan Carolina's flinke optreden dat ze de eerstvolgende jaren redelijk goed doorkwamen. Zonder hun warme huis en de extra inkomsten voor het naaiwerk en de lessen, zou het hun waarschijnlijk zijn vergaan als vele andere inwoners van Leipzig, die aan een op zich zelf niet eens zo ernstige ziekte of van honger stierven.

De armoede was een direct gevolg van de politieke situatie. Eerst waren er onlusten in de Balkan en in Engeland, en vervolgens raakte heel Europa verwikkeld in oorlogshandelingen. Net als in de tijd van de Reformatie viel ook nu Duitsland uiteen in meerdere partijen, en de provincies bestreden elkaar voortdurend. Pruisen kampte met een tekort aan geld, materialen, en levensmiddelen om oorlog te kunnen voeren. Dat was de reden dat het Saksen onderdrukte en schaamteloos uitbuitte. Anna Magdalena was blij met ieder ei of brood dat de kinderen meebrachten als betaling voor de lessen, want in het jaar 1756 was de stad genoodzaakt te stoppen met de armenzorg. De contributie die aan Pruisen moest worden betaald verarmde de stad namelijk ernstig. Deze rampzalige situatie duurde zeven lange jaren.

Voor Anna Magdalena betekende het onder andere dat ze geen contact kon hebben met haar zoons, die ver weg en zelfs in wat nu vijandelijk gebied was woonden. Alleen aan Elisabeth in Naumberg kon ze nog brieven sturen. Ze vroeg naar haar twee kleindochtertjes en naar Gottfried en naar haar schoonzoon. Ook Carolina en Susanna schreven veel aan Elisabeth.

In de laatste brief van Elisabeth had gestaan dat Johann Christoph de laatste tijd veel hoestte, en dat was natuurlijk heel lastig bij zijn werk. Daarom hadden ze nu alle drie speciale lieve groeten voor hem meegestuurd en hem beterschap gewenst. Anna Magdalena had geen idee dat haar schoonzoon terwijl ze de brief schreef al helemaal niet meer kon werken, omdat hij nu ook bij dat hoesten bloed opgaf.

Toen de brief in Naumberg aankwam, waren al die goede wensen al te laat. Elisabeth had een dominee laten komen, opdat haar man het laatste sacrament toegediend kon krijgen. Met haar kinderen, ze had nu twee dochters, acht en vijf jaar oud, omringde ze Johann Christoph met haar zorgen tot hij uitgeput van al het hoesten nog één keer diep in- en uitademde en daarna stil was.

Elisabeth kon maar niet ophouden zijn handen te kussen, al wist ze heus wel dat haar man gestorven was en zij haar liefste nu moest loslaten. Toen de lijkbezorgers kwamen, moest één van hen Elisabeth die maar geen afstand van de dode kon doen, in bedwang houden. Ze schreeuwde, sloeg om zich heen en was amper tot bedaren te brengen. De kinderen waren er ontdaan van. Ze hadden medelijden met hun moeder, die als een wild dier door de kamer liep. Van schrik dachten ze niet meer aan hun vader.

Elisabeth schreef een dringende brief aan haar moeder, dat Johann Christoph gestorven was en dat ze, zodra ze kon, met de kinderen en Gottfried naar Leipzig zou komen.

Toen Anna Magdalena de brief in handen had, werden haar knieën slap en hapte ze naar adem. Ze kende haar dochter, en ze wist dat ze op dit moment haar moeder nodig had. Het verdriet niet bij haar dochter te kunnen zijn, deed meer pijn dan het verlies van haar schoonzoon. Hoe moest het nu verder met haar Elisabeth en de kleinkinderen?

Dat jaar werd het rond Leipzig niet echt voorjaar. Op alle fruitbomen en wingerds daalden een soort vliegjes neer. Ze legden er hun eitjes en de eruit komende rupsen vraten onmiddellijk alles wat er aan groen tevoorschijn kwam op. Tot in juni bleven de bomen kaal. Wie eronder wandelde, moest daarna de maden uit zijn kleren en haren plukken, want ze bungelden aan lange draden van de takken. Ze kropen tot in de kleinste hoekjes van de huizen, om een geschikt plekje te vinden om zich te verpoppen.

In deze lente die geen lente was, kreeg ook Anna Magdalena steeds meer moeite met ademhalen. Vaak had ze zo'n pijn in haar borst en rug dat ze geen stap kon zetten, maar een poosje moest zitten en uitrusten, voordat ze verder kon lopen. Druipend van het zweet kwam ze dan in de Hainstraße aan en de meisjes moesten moeder de trap op helpen. Ze hielpen haar in bed en baden dan omdat ze vreesden dat de aanval niet over zou gaan. Na een paar uur was ze wel weer op de been, maar geleidelijk verminderden toch haar krachten. 's Nachts zat ze vaak rechtop in bed, om maar genoeg lucht te krijgen.

Een welkome afleiding voor het gezinnetje was dat ze vaak bezoek kregen van hun jonge vriend Picander. Hij genoot van de hartelijkheid bij de familie Bach en schreef op wat geen krant wilde publiceren en wat ook niet geboekstaafd werd in de annalen van de stad. Hij beschreef heel beeldend de gevolgen van de oorlog, bijvoorbeeld dat vooraanstaande burgers, bestuurders en kooplieden werden opgesloten en pas weer in vrijheid zouden worden gesteld als ze 800.000 rijksdaalders aan Pruisen zouden hebben betaald. Omdat deze lieden zich onwillig toonden, moesten ze dagenlang, zonder bed, zonder eten, zonder licht in de kerkers blijven. Als ze even naar buiten mochten om bepaalde dringende zaken af te wikkelen, werden ze altijd begeleid door bewakers. Anna Magdalena kon het maar niet bevatten.

De familie Bose was enige dagen vóór de bezetting vertrokken. Ze waren ondergedoken. Maar dat was ook een probleem, want in hun huis had zich een stel vijandelijke grenadiers gevestigd. Bovendien had de heer Bose eigenlijk liever zijn werkplaats verzegeld en uit solidariteit samen met zijn lotgenoten de arrestatie ondergaan. Dat wist Anna Magdalena wel zeker.

Ze ging nog geregeld aan de klavecimbel zitten, ze hielp Picander nog af en toe met zijn notities, ze kon nog een draad door het oog van een naald steken... Het was niet bij haar opgekomen dat het tijd kon zijn om te sterven. Er was nog zoveel te doen. En toch voelde ze zich op een nacht onrustig worden. Ze ging rechtop in bed zitten en greep naar haar hart. Het sloeg onregelmatig en het deed pijn. Het drong tot haar door dat dit weleens haar laatste uur kon zijn, zoals bij Friedelena, die ook naar haar hart had gegrepen. Anna Magdalena voelde het koude zweet op haar hele lichaam.

De meisjes slapen rustig. Ik moet dit zelf maar tot een goed einde zien te brengen, dacht ze. Er ontvouwde zich een grote ruimte voor haar geestesoog. Ze begon te praten: 'Heer, in uw handen beveel ik...' En daar ging ze al, dat mooie heldere licht tegemoet. Ze voelde louter vrede en alles wat ze zag leek wel van goud.

De kinderen dachten dat hun moeder lekker lang doorsliep. Toen ze echter vuur maakten en Anna Magdalena van de geluiden in huis nog steeds niet wakker werd, begonnen ze te vermoeden wat er was gebeurd.

Ze trokken Anna Magdalena haar mooiste kleren aan en haar zondagse schoenen. Toen de kist in huis werd gebracht, legden ze nog de wollen doek van Elias om haar schouders. Carolina stak een veertje in een vouw van de jurk en Susanna legde er de vingerhoed bij.

De enige van de buitenshuis wonende kinderen die bij de begrafenis kon zijn, was Elisabeth en haar gezin. En zo was het dus: de drie dochters, Gottfried en Elisabeths kinderen volgden met een zwaar gemoed de wagen die het lichaam van hun lieve moeder had opgehaald. Ondanks de onrustige tijden was het hun vergund een begrafenis te regelen, al moest het allemaal heel eenvoudig zijn. De Boses konden er niet bij zijn, en ook de oudere broers en Dorothea ontbraken. Degenen die er wel waren, misten de anderen en nog meer misten ze hun moeder, van wie ze geen afscheid hadden kunnen nemen.

De stad noteerde op 27 februari 1760: '*Een aalmoes. Vrouw, 59 jaar, Anna Magdalena, geb. Wilckin, weduwe van de heer Johann Sebastian Bach, cantor aan de Thomasschool, in de Haynstraße gestorven.*'

Ze zaten nog lang bij elkaar in de Hainstraße. Ze genoten van de warmte, die een zeldzaamheid was geworden in Leipzig. De kinderen sliepen in de woonkamer op een stromatrasje. De drie zusters wensten ook Gottfried, die op de sofa zou slapen, welterusten. In de slaapkamer bespraken ze nog dat Elisabeth met haar kinderen en Gottfried naar Leipzig zou verhuizen.

'We redden ons,' zei Carolina. 'In Leipzig weet ik de weg. En jij, Elisabeth, je kunt ook klavecimbel spelen en je bent altijd al een slimmerik geweest. Je kunt moeders leerlingen overnemen.' Susanna wist wel dat als haar zusje iets in het hoofd had, het ook zou gebeuren. Waarschijnlijk zou ze morgen al naar een grotere woning op zoek gaan.

Elisabeth was nog te veel van streek om helder te kunnen denken. Ze besefte voor het eerst dat ze het waarschijnlijk niet voor elkaar kreeg in haar eentje voor haar familie te zorgen. Nu had ze kort na elkaar haar man en haar moeder verloren. Maar daar waren haar jongere zusjes, die ook al bijna volwassen vrouwen waren, en die omarmden haar en lieten haar eens goed uithuilen.

Gottfried kon niet slapen. Hij was het niet gewend in de warmte te liggen. Hij had in het donker naar de schilderijen gekeken die boven de naaitafel hingen. Het ene was een schilderij van zijn vader en op het andere was zijn moeder afgebeeld. Hij wist nog precies wanneer het was geschilderd, want die twee dagen lang mocht niemand in de muziekkamer spelen of ook maar een meubelstuk verschuiven. Zelfs aan de gordijnen mocht niemand iets veranderen. De schilder kende geen Duits, maar hij had Gottfrieds moeder precies zo geschilderd als ze was. Hij, Gottfried, had er de hele tijd bij gestaan en had zijn ogen niet van zijn moeder of van het penseel af kunnen houden.

Hij stond op en stak een kaars aan om het schilderij goed te bekijken. Ja, precies zo had ze daar gezeten. Er was van tevoren een vrouw gekomen die mama's haar prachtig had opgemaakt. De schilder had naderhand almaar aan mama's jurk getrokken, zodat haar hals beter te zien zou zijn en meer van haar boezem. 'Nobel,' had zijn vader gezegd, toen hij zijn vrouw daar zo zag zitten. 'Heel nobel!' Anna Magdalena had toen naar hem en ook naar alle anderen gewezen en laten merken dat ze geen gekheid moesten maken, anders kon ze haar lachen niet houden en dan moest de schilder weer van voren af aan beginnen.

Gottfried nam het schilderij van de muur en zijn besluit stond vast. Hij zou alleen maar weer naar Naumberg gaan als hij het schilderij mocht houden. Hij wist dat zijn broer Emanuel beide schilderijen geërfd had. Maar er was indertijd afgesproken dat ze nog in Leipzig zouden blijven zolang zijn moeder leefde. Hijzelf kon niets erven, omdat hij te dom was om iets te beheren, hadden ze hem uitgelegd. Als Emanuel de schilderijen absoluut wilde hebben, zou hij bij hem intrekken, bedacht hij verder. Gottfried had er genoeg van telkens weer aan iets anders te moeten wennen. Hij had er ook genoeg van dat iedereen om hem heen maar doodging. Maar van zijn moeder had hij het gevoel dat ze nog voortdurend bij hem was. Van haar wist hij eigenlijk altijd hoe ze zou reageren of wat ze zeggen zou. Aan haar beeltenis zou hij voor altijd voldoende hebben. Daarmee zou hij nooit alleen zijn, waar hij zich ook zou bevinden. En toen hij dit besluit had genomen, nam hij het schilderij mee naar de sofa. Nog in zijn slaap hield hij het met beide armen vast.

Zoals een archeoloog scherven verzamelt

Bachs melodieën en teksten ontstonden ruim driehonderd jaar geleden. Toch bereiken en betoveren ze ons vandaag de dag nog altijd. Wie naar zijn muziek luistert, bevindt zich in dezelfde klankwereld als de toehoorders in de 18de eeuw, en als je dan je ogen sluit, waan je je in de luxueuze woningen, de vorstelijke paleizen, de kerken, de parken van toen. Maar de zangers en musici van toen zijn verstomd. Geluidsdragers bestonden nog niet.

Anna Magdalena Bach, geboren Wilke (ook Wilcke, ook Wülcke), was een van de eerste professionele zangeressen. Op haar twintigste kreeg ze als zodanig een aanstelling aan het hof van Köthen. Kort daarna trouwde ze met de zestien jaar oudere Johann Sebastian Bach. Door de verhuizing van het gezin naar Leipzig kon ze haar beroep niet blijven uitoefenen. De opera van Leipzig was gesloten, en in kerken was het vrouwen niet toegestaan te zingen. Niet alleen haar stem is verloren gegaan, ook een portret dat de Italiaanse schilder Cristofori van Anna Magdalena maakte is spoorloos verdwenen.

Ook Bach geraakte na zijn dood gedurende zo'n driekwart eeuw in de vergetelheid. Het was Felix Mendelssohn Bartholdy die in Berlijn de Matthaeuspassion uitvoerde en er zo in slaagde om de wereld weer te herinneren aan de muzikale geweldenaar Johann Sebastian Bach.

Tegelijk met de zegetocht van Bachs muziek kreeg ook zijn familieleven meer aandacht. Daartoe heeft de eerste grote Bach-onderzoeker, Johann Nikolaus Forkel (1749-1818) met zijn getuigenis en meningen bijgedragen. De kennis over Bach werd verstevigd door het veel gelezen boek *De kleine kroniek van Anna Magdalena Bach* van Esther Meynell. Dit gefingeerde dagboek beschreef met een verliefde blik zogenaamd uit de eerste hand het leven van Johann Sebastian Bach. Anna Magdalena's dagelijks leven werd als een kleinburgerlijke idylle afgeschilderd. Maar het moet een werkzaam, opofferend vrouwenleven zijn geweest, eerst in dienst van de muziek, vervolgens van haar man, de musicus, en ten slotte ook nog van de kinderen.

Christoph Shubart (Weimar) verrichtte in het kader van het Bachjaar 1950 naspeuringen over de familiegeschiedenis van Anna Magdalena Bach. Hij ontdekte dat ze uit een muzikale familie stamde, en zo verwonderlijk was het dus niet dat ze met een musicus trouwde. Vóór Anna Magdalena huwden alle drie haar zusters eveneens met een musicus en ook haar broer was, evenals haar vader, hoftrompettist aan het hof van Zerbst.

Pas in latere jaren kon een waarheidsgetrouwere blik op de familie Bach worden geworpen. In tegenstelling tot de mannelijke telgen van de familie, was een opleiding voor de dochters ondenkbaar. De vrouwen kregen geen enkele ondersteuning. Als ze geen man hadden, waren hun omstandigheden dikwijls erbarmelijk.

In heel wat stambomen van de familie Bach staan ook slechts de mannen vermeld, de vrouwen verdwenen spoorloos. Het enige wat van de vrouwen rest is hun doop- en sterfdatum.

In zijn eerste huwelijk, met Maria Barbara, kreeg Bach zeven kinderen, van wie er vier overleefden. In zijn tweede huwelijk, met Anna Magdalena, werden nog eens dertien kinderen geboren, van wie er zeven op zeer jeugdige leeftijd stierven. In totaal kreeg Bach dus twintig kinderen: elf zonen, negen dochters. Zijn beide vrouwen waren dus bijna voortdurend zwanger. Vanuit onze tegenwoordige levenswijze is dat moeilijk voorstelbaar, vooral wat betreft de moeder, die met een dergelijk groot aantal kinderen ook nog eens enorm veel werk had. Voor onbemiddelde, getalenteerde vrouwen betekende het huwelijk normaal gesproken het einde van hun carrière.

Bij de familie Bach valt op dat meerdere zonen succesvolle musici zijn geworden, terwijl in de geschiedkundige bronnen voor de dochters slechts documenten zijn gevonden die verband houden met hun behoeftige omstandigheden. Ook werd in veel gevallen niet een goed huwelijk voor hen geregeld. Typisch aan het leven van Anna Magdalena Bach is bijvoorbeeld dat het schilderij dat van haar is gemaakt, verloren is gegaan, maar dat in haar graf wel een vingerhoed voor het nageslacht bewaard is gebleven.

Zoals een archeoloog scherven verzamelt en aan de hand daarvan een vaas reconstrueert, heb ik de data en gebeurtenissen rond Anna Magdalena verzameld, om aan de hand daarvan haar geschiedenis te kunnen schrijven. Al doende leerde ik een meisje kennen dat was opgegroeid in een liefdevolle familie van musici. Ze leefde in een tijd die doordrenkt was van betoon van trouw aan overheden. Anna Magdalena slaagde in iets waar maar weinigen in slaagden: ze kreeg een vaste aanstelling als zangeres. Door te trouwen nam ze toen alle verplichtingen op zich die een verbintenis met een geweldige, maar ook eigenzinnige man met zich meebrengt. Ze trad geheel in de schaduw van de Thomascantor, ondersteunde hem vakkundig en had de leiding over een uitgebreid huishouden. Het bruisende Leipzig met zijn markten, koffiehuizen, vluchtelingenstromen en brede alleeën werd haar tweede thuis. Een thuis waar ze als een braaf dienstmeisje werkte en tien jaar na de dood van haar man een armengraf kreeg.

Eleonore Dehnerdt

Stamboom van Anna Magdalena Bach

Om het de lezer makkelijker te maken zijn van de familieleden alleen de vetgedrukte namen of aanspreektitels gebruikt.

Grootvader: Stephan Wilke (1627-1712)
Grootmoeder: Anna Maria, geboren Schwarz († 1676)
Vader: Caspar (1660-1731),
Halfzusters uit tweede huwelijk: Martha Elisabeth, Martha Katharina (beiden geboren: 1688)

Grootvader: Andreas Liebe († 1728)
Grootmoeder: Clara Christina († 1694)
Moeder: Margaretha Elisabeth († 1746),
Jonger zusje: Anna Magdalena. Jongere broer: Johann Siegmund

Huwelijk van de ouders: 1686.
Uit dat huwelijk werd geboren:
Eva Maria (1687)
Anna **Katharina** (1688-1720), later Meißner
Johann **Caspar** (1691-1766)
Johanna Christina (1695-1753), later Krebs
Erdmute Dorothea (1697 - ?), later Nicolai
Anna Magdalena (1701-1760), later Bach

Anna Magdalena en Johann Sebastian Bach (1685-1750)
Huwelijk: 3-12-1721

Uit het eerste huwelijk van Johann Sebastian Bach, met Maria Barbara, hebben vier kinderen de volwassen leeftijd bereikt:

Katharina **Dorothea** (1708-1774)
Wilhelm **Friedemann** (1710-1784)
Carl Philip **Emanuel** (1714-1788)
Johann Gottfried **Bernhard** (1715-1739)

Uit het huwelijk van Johann Sebastian en Anna Magdalena zijn
geboren:
Christiana Sophia **Henriëtta** (1723-1726)
Gottfried Heinrich (1724 -1763)
Christian Gottlieb (1725-1728)
Elisabeth Juliana Friederika (1726-1781), later Altnikol
Ernestus Andreas (1727)
Regina Johanna (1728-1733)
Christiana Benedicta **Louise** (1730)
Christine Dorothea (1731-1732)
Johann **Christoph** Friedrich (1732-1795)
Johann August Abraham (1733)
Johann **Christian** (1735-1782)
Johanna **Carolina** (1737-1781)
Regina **Susanna** (1742-1809)

Bronnen

Anna Magdalena Bach, Ein Leben in Dokumenten und Bildern, samengesteld en toegelicht door Maria Hübner, Leipzig 2004

Bodeit, Friderun, red., 'Ich muss mich ganz hingeben können' in: *Frauen in Leipzig*, Leipzig 1999

Borkowsky, Ernst, *Die Musikerfamilie Bach*, Jena 1930

Dürr en W. Neumann A., red., *Bach-Jahrbuch*, 1953

Geiringer, Karl, *Die Musikerfamilie Bach*, München 1958

Heinemann, M., red., *Das Bach-Lexikon*, Laaber 1999

Pusch, Luise F., red., 'Töchter berühmter Männer' in: *Neun biographische Portraits*, Insel 1990

Siegmund-Schultze, Walther, *Johann Sebastian Bach*, Leipzig 1984

Schulze, H.-J. en Chr. Wolff, red., *Bach-Jahrbuch*, 1978, 1987, 1997

Schweitzer, Albert, *Johann Sebastian Bach*, Leipzig 1963

Wolff, Chr., E.E. Helm, E. Warburton e.a., *Die Bach-Familie*, Stuttgart 1993

Evangelische Notgemeinschaft in Deutschland e.V., *Briefgruß-kalender 2000 zum Bachjahr*, Renningen

Dankwoord

Naast alle artistieke vrijheden die ik me als romancière veroorloof, vormen gefundeerde feiten en de nieuwste onderzoeksresultaten over de familie Bach de achtergrond van deze roman. Dat was slechts mogelijk, doordat ik op mijn verzoek om informatie over Anna Magdalena Bach geweldig ben geholpen.

Hartelijk dank aan de medewerksters van Köthen, Weißenfels, Zeitz en Eisenach. Ze voorzagen me van gedetailleerde inlichtingen over hun gemeenten, kopieerden zorgvuldig en geduldig materiaal voor me, trachtten al mijn vragen te beantwoorden, of verwezen me naar bruikbare andere bronnen. Ik had bijzonder prettige ontmoetingen op de culture afdelingen van de verscheidene gemeenten met mensen die uitstekend geïnformeerd waren en zeer betrokken bij hun werk.

Ook het Bachhuis in Eisenach ben ik veel dank verschuldigd voor de nuttige en inzichtelijke indrukken die ik daar mocht opdoen. Ik mocht er historische instrumenten en meubels bekijken en betasten, zodat ik de werking ervan nauwkeurig kon beschrijven. Heel speciaal heb ik genoten van een lezing ter gelegenheid van Anna Magdalena's geboortedag door degene die er de rondleidingen verzorgt.

Mevrouw Dr. Christine Blanken (voorheen werkzaam aan het Johann Sebastian Bach instituut in Göttingen, tegenwoordig wetenschappelijk medewerkster aan het Bach Archief in Leipzig) kopieerde alle artikelen uit de jaarboeken, waarin sprake is van Anna Magdalena Bach. In het Bachmuseum en Bach-Archief van Leipzig kwam ik veel te weten over de woonomstandigheden, arbeidsovereenkomsten en over het dagelijks leven van de familie Bach. Maria Hübner is erin geslaagd een voortreffelijke en zeer verhelderende tentoonstelling en documentatie over Anna Magdalena Bach te maken. In het bijzonder was ik onder de indruk van hoe aanschouwelijk de dagindeling van Bach en daarmee van zijn hele gezin was.

De mensen van de culturele instelling MONAliesA, een feministische bibliotheek in Leipzig, hielpen me aan historische feiten over het leven van vrouwen in Leipzig. Daarbij ging het om vele al niet meer verkrijgbare documenten die ze desondanks, door minutieus speurwerk, voor me wisten te verzamelen.

De voor u liggende roman bevat heel wat van die verzamelde informatie. Het is me dan ook hopelijk gelukt een op historische feiten gebaseerd, goed leesbaar werk af te leveren. Voor de laatste afwerking, de finishing touch, dank ik mijn vertegenwoordigster Swantje Steinbrink (Berlijn), die me aanmoedigde om verhalend te schrijven, evenals mijn docent Eva-Maria Busch, die met haar ordescheppende kwaliteit teksten inkortte en mijn neiging tot overdaad beteugelde.

Eleonore Dehnerdt